Patios

planifier ⌂ **concevoir** ⌂ **construire**

Patios

planifier ⌂ **concevoir** ⌂ **construire**

 **Broquet**

97-B, Montée des Bouleaux
Saint-Constant, Qc, J5A 1A9
Tél. : 450 638-3338 Téléc. : 450 638-4338
Internet : www.broquet.qc.ca / Courriel : info@broquet.qc.ca

est une marque déposée de Federal Marketing Corp.

Catalogage avant publication de Bibliothèque et Archives Canada

Cory, Steve

    Patios

    (L'encyclopédie du bricolage)

    Traduction de: Decks : plan, design, build.

    Comprend un index.

    ISBN 978-2-89000-829-8

    1. Terrasses (Architecture) - Conception et construction - Manuels d'amateurs. I. McClintock, Mike, 1945-   . II. Titre. III. Collection: Encyclopédie du bricolage (Boucherville, Québec).

TH4970.C6714 2007   690'.893   C2007-940048-5

POUR L'AIDE À LA RÉALISATION DE SON PROGRAMME ÉDITORIAL, L'ÉDITEUR REMERCIE : Le Gouvernement du Canada par l'entremise du Programme d'Aide au Développement de l'Industrie de l'Édition (PADIÉ) ; La Société de Développement des Entreprises Culturelles (SODEC) ; L'Association pour l'Exportation du Livre Canadien (AELC). Le Gouvernement du Québec - Programme de crédit d'impôt pour l'édition de livres Gestion SODEC.

Titre original : Decks : Plan, Design, Build
© CREATIVE HOMEOWNER, 2005.

V.-p./directeur de la rédaction : Timothy O. Bakke
Directrices de la production : Kimberly H. Vivas, Rose Sullivan
Rédacteur : Steve Cory, Mike McClintock
Rédacteur principal : Fran J. Donegan
Recherche de photos, assistantes à la rédaction : Jennifer Ramcke, Lauren Manoy
Assistants à la rédaction : Jennifer Doolittle, Evan Lambert
Indexeur : Schroeder Indexing Services
Directeur artistique : Glee Barre
Illustrations : Ron Carboni, Craig Franklin, Paul M. Schumm

Traduction : Claude Dallaire
Révision : Marcel Broquet, Andrée Laprise
Infographie : Marie-Claude Levesque, Chantal Greer, Sandra Martel

Pour l'édition en langue française :
Tous droits réservés © Broquet Inc., Ottawa 2007
Dépôts légal - Bibliothèque et archives nationales du Québec
2ᵉ trimestre 2007

ISBN 978-2-89000-829-8

LA SÉCURITÉ AVANT TOUT

Même si toutes les méthodes de travail décrites dans cet ouvrage ont fait l'objet d'une évaluation afin de les rendre sécuritaires, on n'insistera jamais trop sur l'importance de faire preuve de la plus grande prudence lors de vos travaux. Voici donc une série de consignes de sécurité qui vont de pair avec votre bon sens. Des rappels importants à réviser avant d'entreprendre tout projet de construction.

■ Au moment de suivre les étapes décrites dans cet ouvrage, faites toujours preuve de prudence, d'attention et de discernement.

■ Assurez-vous que l'installation électrique soit sécuritaire et veillez à ce que les circuits ne soient pas surchargés. Assurez-vous que toutes les prises et que tous les outils électriques soient mis à la terre. Si le sol de votre lieu de travail est humide, n'utilisez jamais d'outils électriques.

■ Lisez toujours attentivement les étiquettes des contenants de peinture, de solvants et des autres produits chimiques. Veillez à bien ventiler le lieu de travail. Observez toujours les mises en garde du fabricant.

■ Avant de vous servir d'un outil, lisez attentivement les consignes du fabricant. Portez une attention particulière aux mises en garde.

■ Lorsque vous travaillez avec une scie circulaire à table, utilisez un poussoir ou un bras de retenue le plus souvent possible. Évitez, dans la mesure du possible, de manipuler de petites pièces.

■ Avant de manipuler une perceuse électrique (portative ou à colonne), enlevez toujours la clé du mandrin.

■ Afin d'éviter toute blessure lors de l'utilisation d'un outil, portez toujours une attention particulière à son fonctionnement afin de vous y familiariser.

■ Efforcez-vous de bien connaître la capacité maximale de vos outils. Ne les utilisez pas à des fins pour lesquelles ils ne sont pas conçus.

■ Avant d'utiliser un outil, verrouillez tous les éléments de réglage. Par exemple, vérifiez toujours la réglette de guidage de la scie circulaire à table ou le réglage de l'angle de coupe de la scie circulaire.

■ Quand vous utilisez un outil électrique, fixez toujours les petites pièces à un établi ou à toute autre surface de travail.

■ Si vous manipulez des produits chimiques, assurez-vous de porter les gants de caoutchouc appropriés. Portez des gants de travail si vous déplacez ou si vous empilez des pièces de bois ou encore, si vous travaillez avec du béton ou que vous entreprenez de gros travaux.

■ Pour éviter d'inhaler la poussière de bois engendrée par le sciage et le ponçage, portez un masque anti-poussière jetable. Si vous travaillez avec des solvants ou des substances toxiques, portez un appareil de protection respiratoire.

■ Lorsque vous utilisez des outils électriques ou que vous frappez du métal ou du béton avec des outils à tête métallique, portez des lunettes de protection. Lorsque vous utilisez un ciseau sur du béton par exemple, des éclats risquent de se détacher de la pièce.

■ Ne portez jamais de bijoux ou de vêtements lâches pour travailler. Boutonnez toujours vos manchettes et attachez vos cheveux.

■ Lorsque vous utilisez un outil électrique, vous aurez rarement le temps de réagir assez rapidement pour éviter un grave accident lors d'une situation à risque ; tout se passe trop vite. Soyez vigilants !

■ Gardez toujours vos mains éloignées de la partie tranchante des lames, des forets et des couteaux universels.

■ Tenez toujours la scie circulaire fermement à deux mains.

■ Lorsque vous travaillez avec une perceuse munie de gros forets, assurez-vous d'avoir une poignée auxiliaire afin de consolider votre emprise et de mieux résister à la force de torsion.

■ Lorsque vous entreprenez un nouveau projet, vérifiez les codes du bâtiment de votre localité. Les codes sont conçus pour assurer la sécurité publique. Aussi, ils devraient être observés à la lettre.

■ Ne manipulez jamais d'outils électriques lorsque vous êtes fatigués ou sous l'influence de drogues ou de l'alcool.

■ Ne vous servez jamais d'une scie circulaire pour couper un tuyau, du vinyle, du métal ou de petites pièces de bois. Si vous avez besoin d'une petite pièce de bois, taillez-la plutôt à partir d'une plus grande pièce en vous assurant d'abord qu'elle soit solidement maintenue à l'aide de serres.

■ Ne changez jamais la lame d'une scie circulaire ou le foret d'une toupie ou d'une perceuse électrique sans débrancher d'abord le cordon d'alimentation de l'outil. Même si le bouton interrupteur est en position d'arrêt, vous pourriez l'enclencher par accident.

■ Ne travaillez jamais sous un éclairage insuffisant.

■ Ne travaillez jamais avec des outils émoussés. Faites-les affûter, ou apprenez à le faire vous-même.

■ Ne vous servez jamais d'un outil électrique pour travailler avec une pièce, petite ou grande, appuyée sur une surface de travail instable.

■ Si la pièce que vous coupez se déploie sur une grande distance entre deux chevalets de sciage, placez un élément de soutènement supplémentaire des deux côtés de la ligne de coupe ; la pièce pourrait plier, se refermer sur la lame et la coincer, provoquant ainsi un retour de l'outil.

■ Lorsque vous pratiquez une coupe à l'aide d'une scie circulaire, ne supportez jamais la pièce avec votre jambe ou toute autre partie de votre corps.

■ Ne transportez jamais d'outils à tête pointue ou à lame affûtée dans vos poches. Il en va de même pour les ciseaux, les poinçons ou les couteaux universels. Si vous tenez à vous déplacer avec ces outils, utilisez plutôt une ceinture porte-outils spécialement conçue, munie d'étuis et de poches en cuir.

TABLE DES MATIÈRES

INTRODUCTION

Un patio peut améliorer votre qualité de vie de plusieurs façons. Ainsi, recevoir des amis n'aura jamais été aussi simple et de plus, vous aurez un espace de divertissement extérieur des plus agréables dont vous et vos amis pourrez pleinement profiter : vous n'aurez plus qu'à donner un simple coup de balai à votre patio ; préparer des boissons rafraîchissantes et allumer votre gril tandis que vos invités se rassemblent. Pour profiter de moments un peu plus intimes, le patio vous offre aussi un refuge pour vous détendre durant le jour ou prendre un verre en admirant le coucher du soleil. En bref, savourer le plein air sans trop vous éloigner du confort de votre foyer. Un patio rehausse à la fois l'apparence et l'utilité de votre maison et de votre cour en agissant comme une transition harmonieuse de l'une à l'autre. Si les coûts engendrés par un tel projet vous préoccupent, sachez qu'un patio de très grande qualité augmentera assurément la valeur de revente de votre maison.

COTE DE DIFFICULTÉ

1 MARTEAU   Simple, même pour la plupart des débutants.

2 MARTEAUX   Modérément difficile, mais que des bricoleurs peuvent accomplir avec des outils de base et quelques rudiments de menuiserie.

3 MARTEAUX   Difficile mais toujours réalisable par des bricoleurs qui maîtrisent bien les compétences de base en construction, qui possèdent les bons outils et qui ont le temps de se consacrer à un tel projet.

Afin de vous assurer que votre patio rehausse l'aspect de votre propriété autant maintenant que dans plusieurs années, il doit d'abord être soigneusement conçu puis construit de manière durable avec des matériaux à la fois élégants et résistants. Un mauvais choix de design ou de matériaux peut jurer avec le style de votre maison ou de votre cour. Un patio mal construit avec du bois d'une qualité moindre peut fléchir quand vous marchez dessus, s'affaisser avec le temps ou pourrir en l'espace de seulement quelques années.

Patios : Planifier. Concevoir. Construire. peut vous aider à réaliser votre rêve de construire un nouveau patio de deux façons : les propositions de patios ainsi que toutes les autres photos que vous verrez tout au long de cet ouvrage engendreront assurément de nouvelles idées que vous pourrez appliquer lors de la conception de votre patio.

Le reste de cet ouvrage est consacré spécifiquement à la construction de votre patio. La première partie vous explique comment concevoir un modèle et planifier le projet. La seconde partie énumère les outils et le matériel dont vous aurez besoin pour construire un patio, y compris des informations sur la dernière génération des matériaux de platelage. La troisième partie s'occupe de couvrir tous les aspects pratiques de la construction. Cette partie traite de tout : à partir de couler des fondations de béton solides et durables, jusqu'à la conception d'escaliers et de balustrades. Enfin, la quatrième et dernière partie, vous propose trois modèles de patios à construire.

Dans chacune des parties, vous apprendrez comment accomplir toutes les tâches, étape par étape, à l'aide d'une série de photos précises. Grâce aux nombreux encadrés intitulés «Trucs et astuces» répartis à travers cet ouvrage, vous apprendrez aussi un bon nombre de conseils pratiques prodigués par les professionnels de la construction.

Servez-vous de ces informations pour concevoir, construire et ensuite profiter pleinement de votre nouveau patio.

DESIGN ET PLANIFICATION

PROPOSITIONS DE PATIOS

1 Ici, l'aire de repos ajoute une surface d'habitation extérieure supplémentaire. Les planches du tablier principal sont posées perpendiculairement au plate-lage du restant du patio.

1

2

2 Le motif biseauté du platelage et les marches très larges font paraître ce patio plus grand qu'il ne l'est en réalité. Notez l'aire de préparation des repas.

3 Le design de ce patio est en continuité directe avec l'ensemble de l'aire extérieure. Presque tous les matériaux composites du patio sont sans éclats.

4 En plus d'être extrêmement pratiques, les banquettes et les jardinières intégrées rehaussent également l'ensemble du design du patio.

5 Pour ajouter une touche élégante à votre patio, envisagez de teindre le tablier en bois. Pour réaliser ce type de design, vous pourriez vous servir de carreaux de vinyle pour le plancher en guise de gabarit.

4

3

5

1

2

1 Si vous construisez un patio à niveaux multiples, vous constaterez que chaque niveau deviendra une aire de divertissement distincte. Dessinez alors votre plan en conséquence.

2 Les marches très larges permettent une transition harmonieuse avec votre cour. Servez-vous des marches pour mettre vos plantes et vos statues de jardin en évidence.

3 Les courbes ajoutent un intérêt visuel certain au design d'un patio. Cette main courante toute en courbe invite le spectateur à profiter pleinement de la vue panoramique.

4 Intégrez le style du patio au design de la maison. Ce patio étroit s'harmonise bien avec la maison contemporaine.

PROPOSITIONS DE PATIOS

5 La façon dont vous disposez vos meubles, les niveaux multiples, l'ossature de votre patio, et les espaces situés sous les surplombs du toit contribuent tous à mieux définir les aires de divertissement de votre patio.

6 L'emplacement du patio revêt souvent plus d'importance que son propre design. Les gens qui utilisent ce patio ont une vue imprenable sur l'ensemble de la propriété et même au-delà, jusqu'au lac.

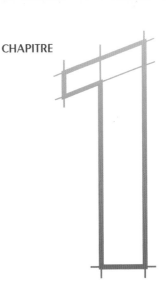

La conception de votre patio

Construire un patio est l'un des projets de rénovation les plus simples et les plus gratifiants qu'un propriétaire de maison puisse entreprendre. L'agencement entre les différentes qualités de bois et les matériaux composites, le recours à différentes techniques de construction ou à des niveaux multiples, ainsi que la forme choisie, rendent la variété de styles possibles pratiquement infinie. Et pour la plupart des projets de patios, vous n'aurez besoin que de quelques outils de base et de certains rudiments en menuiserie.

PENSER AU DESIGN

Nous avons tous des motivations différentes pour envisager l'ajout d'un nouveau patio à notre maison. Pour la plupart des gens, le choix se fait en fonction d'une variété de considérations pratiques et financières. Un patio vous permet d'accroître votre espace de vie et d'augmenter, du même coup, la valeur de votre résidence pour une fraction du prix de construction d'un ajout à la maison. Et avec ce nouvel espace dont vous bénéficiez pour vous divertir et vous détendre, vous améliorez également votre qualité de vie. Mais pour qu'un patio vous permette d'obtenir tous ces avantages, vous devez d'abord commencer par une bonne planification.

Un patio bien conçu s'intégrera parfaitement avec la maison autant dans ses dimensions que dans sa forme, en plus d'assurer une transition harmonieuse avec la cour. Il peut vous faire à la fois apprécier davantage le plein air ou vous offrir plus d'intimité, vous permettre de profiter d'une brise fraîche ou vous offrir un rempart contre le vent froid du large.

À quoi vous attendre. La construction d'un patio n'a rien de bien sorcier. Quiconque possède à tout le moins quelques rudiments de menuiserie et dispose du temps nécessaire pour travailler avec soin peut s'acquitter convenablement de cette tâche. Voilà également un projet qui sera loin de bouleverser votre vie familiale de la même manière, par exemple, que la rénovation d'une cuisine. Le désordre et la saleté restent à l'extérieur, et tant et aussi longtemps que vous disposez d'un endroit assez retiré pour entreposer vos matériaux, le travail peut se poursuivre d'une fin de semaine à une autre sans grand inconvénient.

Impliquez toute la famille dans ce projet dès la planification initiale, et développez ensemble une liste de toutes les caractéristiques souhaitées. Petit à petit, vous éliminerez le superflu pour arriver à cibler plus précisément le modèle le mieux assorti à votre situation. Puis vous franchirez, une à une, toutes les étapes du projet, en commençant par dessiner les plans, obtenir les permis nécessaires, choisir un style d'ossature et déterminer les modèles et les matériaux requis pour le tablier, les balustrades et les escaliers, pour en arriver enfin aux techniques d'application des produits de finition et à l'entretien de votre patio.

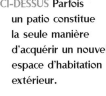

CI-DESSUS **Parfois** un patio constitue la seule manière d'acquérir un nouvel espace d'habitation extérieur.

À GAUCHE Un petit étang ajoute une touche originale à ce patio.

EN HAUT, À DROITE Un patio aux proportions bien conçues s'intègre bien avec la maison.

À DROITE Ce patio offre une transition harmonieuse entre la maison à la cour arrière.

CHOISIR UN MODÈLE

Même si les matériaux, les formes, les dimensions et les coûts d'un patio peuvent varier à l'infini, la plupart des décisions qui doivent être prises lors d'un projet de construction de patio restent les mêmes. La plupart des patios sont de simples plateformes en bois installées dans la cour, mais en réalité, elles sont un prolongement de la maison : davantage un espace d'habitation qu'un espace occupé par une cour ; et ce, en dépit d'être à l'extérieur. Puisqu'un patio est lié à la maison et qu'il s'agit en même temps d'un prolongement de l'espace intérieur, il est probable qu'il sera plus pratique s'il est plus près des espaces consacrés aux salles familiales et de séjour ainsi qu'à la cuisine et à la salle à manger. Remplacer un mur plein par des portes-fenêtres coulissantes s'ouvrant sur un vaste patio, par exemple, est une façon simple et relativement peu coûteuse de créer l'illusion qu'une petite salle de séjour est beaucoup plus grande qu'elle ne l'est en réalité.

Au fur et à mesure que vous avez des idées, faites-vous une série de croquis. Attendez-vous à remplir une

ou deux corbeilles d'idées rejetées. Ne considérez pas ces esquisses comme des modèles définitifs mais plutôt comme des points de départ pour alimenter vos conversations. Il est souvent plus facile de pointer un endroit sur votre dessin que d'essayer d'imaginer l'emplacement futur de votre patio en marchant dehors, autour de votre maison.

Sentez-vous libre de piquer des idées à partir de livres, de revues et même des autres patios de votre voisinage. Quand vous apercevez un patio qui vous plaît particulièrement et qui semble convenir à votre situation, allez parler aux propriétaires pour avoir une idée de l'appréciation qu'ils ont de leur patio. Prenez quelques notes, et demandez-leur la permission de prendre des photos. La plupart des gens seront flattés d'apprendre que vous aimez leur patio et seront tout à fait disposés à vous en parler en long et en large.

Vous accumulerez sans doute une foule d'idées formidables qui ne vous serviront jamais, peut-être parce que vous n'aimez plus de quoi elles ont l'air, ou que vous venez de constater qu'elles ne s'intègrent plus très bien avec le design que vous aviez en tête ou que les frais supplémentaires requis pour acheter certains matériaux plus exotiques feraient exploser votre budget. Peu importe la raison de ces changements, ne vous laissez pas démonter. En fait, attendez-vous plutôt à changer d'idée à plusieurs reprises avant d'arriver au design qui conviendra le mieux à vos besoins.

LES NOMBREUX USAGES DE VOTRE PATIO

Chaque membre de la famille se fait probablement sa propre idée du patio idéal. Colligez les opinions afin d'en arriver à un design qui pourra, dans son ensemble, plaire à tout le monde. Prenez les éléments qui suivent en considération.

Une aire de divertissement et de préparation pour les repas. Prévoyez une aire de préparation des repas pratique située à proximité, idéalement, de la cuisine. Représentez-vous l'emplacement des tables pour vos dîners formels ainsi que le meilleur endroit pour monter une table pour servir un buffet. Si vous comptez avoir un gril sur le patio et de vous en servir souvent, vous voudrez peut-être ajouter un petit évier près de l'aire de préparation des repas.

À GAUCHE **Commencez votre démarche en vue d'en arriver à un design final en déterminant d'abord quel usage vous comptez faire de votre nouveau patio. Prendre le repas à l'extérieur était une considération essentielle à envisager lors de la conception de ce patio.**

EN HAUT, CI-CONTRE **Par une belle journée ensoleillée, les patios offrent des aires de divertissement formidables.**

CI-CONTRE **Le design de ces banquettes intégrées est à la fois pratique et visuellement intéressant. Pour les personnes qui s'y retrouvent, le design circulaire favorise la conversation.**

TRUCS ET ASTUCES

MONTEZ-VOUS UN ALBUM D'IDÉES

Gardez une mainmise sur vos idées et la liste de vos souhaits les plus fantaisistes en les colligeant dans un album de design. Procurez-vous un cahier d'exercice avec des pochettes à l'endos des pages couvertures. Vous aurez ainsi un endroit pour glisser les photos que vous prendrez de vos patios préférés ainsi que les pages de revues et de catalogues qui attirent votre attention. Avec cet album, vous aurez aussi amplement d'espace pour noter vos idées et tracer des esquisses de modèles.

Se prélasser et prendre un bain de soleil. Réservez-vous un endroit stratégique, idéalement à l'ombre, pour placer un hamac ou une balançoire. Les adeptes du soleil, eux, convergeront à l'endroit du patio qui reçoit le plus d'ensoleillement.

Un équilibre entre l'intimité et une aire ouverte. Voulez-vous que l'espace de votre patio soit aéré et totalement ouvert ou plutôt confortable et retiré du monde ? De manière générale, un patio de petite dimension donnera l'impression d'être plus confortable qu'un patio aux plus grandes dimensions. Des banquettes basses avec des balustrades peu élevées placées autour d'un grand espace découvert procurent une sensation d'ouverture. Un patio étroit juxtaposé à la maison dégagera davantage un air de cloître que celui qui s'avance vers la cour comme le prolongement naturel de la maison.

Les patios sont habituellement montés sur des poteaux, ce qui peut impliquer que votre famille et vous serez désormais exposés aux yeux de tout le voisinage. Les clôtures déjà en place ne sont peut-être pas assez hautes pour vous soustraire au regard des curieux. Ce problème peut parfois être résolu en construisant un patio à niveaux multiples, ou en plantant des arbres et des arbustes.

Si vous vous sentez trop à découvert, l'ajout d'un treillis astucieusement placé sur lequel vous pourriez faire pousser des plantes grimpantes vous offrirait un endroit agréable à regarder, tout en faisant office d'abri et d'écran avec une certaine élégance.

Penser au paysage. Prévoyez l'aménagement de votre patio en fonction des environs dans le but d'obtenir le plus beau point de vue possible. Orientez votre patio de manière à ce que les meilleurs éléments de votre cour soient sous vos yeux, et ainsi profiter de la vue splendide qui s'étend au-delà des limites de votre propriété.

Une aire de jeu pour les enfants. Le meilleur endroit pour installer une cage à grimper est sans aucun doute dans votre cour, mais votre modèle de patio devrait tout de même comprendre une aire de jeu accueillante pour les enfants. En construisant un escalier aux marches très larges ou une série de plate-formes dénivelées, vous verrez que les enfants y passeront des heures à s'amuser avec leurs poupées et leurs camions en laissant libre cours à leur imagination. Prévoyez aussi un endroit pour installer une chaise confortable dans laquelle vous pourrez vous détendre tout en jetant un coup d'œil sur les enfants qui s'amusent dans votre cour.

Un espace éclairé pour vos soirées. Si vous voulez vous prévaloir de votre patio après le coucher du soleil, prévoyez de l'éclairer en conséquence. Que vous choisissiez un filage standard de 120 volts ou que vous optiez plutôt pour une basse tension, tâchez de dissimuler le filage ou peut-être même de l'enfouir dans le sol.

Un patio avec piscine ou un bain à remous. Lorsqu'il est construit avec du bois à l'épreuve de la pourriture, un patio offre la surface idéale pour le contour d'une piscine ou d'un spa. En plus d'être légèrement absorbant, un tablier en bois est plus mou que de la céramique ou du ciment, ce qui en fait un endroit agréable pour s'asseoir ou s'étendre quand vous sortez de l'eau. Une piscine hors terre bon marché acquiert soudainement beaucoup de cachet quand vous l'entourez du tablier d'un patio. Si vous intégrez un spa ou un bain à remous à votre patio, assurez-vous de l'orienter de manière à préserver votre intimité au maximum, tout en vous offrant la meilleure vue possible lors des nuits étoilées.

Un espace vert. Il est pratiquement impossible d'avoir trop de verdure sur un patio ou dans ses environs. Procurez-vous des jardinières qui s'intégreront bien avec votre patio et votre maison, ou prévoyez de vous en fabriquer avec le même matériel que votre tablier. Avec un bon ensoleillement, les tomates, les poivrons et toutes sortes d'autres légumes croissent bien. Un jardin de fines herbes exige peu d'entretien et est toujours agréable à regarder même si vous avez déjà commencé à le dépouiller de quelques-unes de ses pousses. Si vous êtes un passionné du jardinage, envisagez l'installation de couches froides ou même d'une serre sur le patio.

CI-DESSOUS Si vous pensez vous servir de votre patio après la tombée du jour, prévoyez un plan d'éclairage en conséquence.

CI-CONTRE Les designs de patio aux contours pleins dégagent davantage une impression de confort que les modèles plus aérés. Ce design procure également une bonne dose d'intimité.

À GAUCHE Assurez-vous de relier votre patio aux différentes aires de la maison par des passages menant aux pièces les plus utilisées. N'oubliez pas les escaliers pour aller du patio à la cour.

LES HABITUDES DE CIRCULATION

Facilitez l'accès à votre patio en installant des portes françaises ou des portes coulissantes. Plus vous aurez d'entrées, mieux ce sera. De grandes fenêtres qui donnent sur le patio inciteront les gens à vouloir s'y rendre. Si vous prévoyez prendre plusieurs de vos repas sur le patio, assurez-vous qu'il soit près de la cuisine.

Prenez soin d'évaluer soigneusement les voies d'accès qui mèneront au patio. Prévoyez un passage évi-dent et sans encombre pour vous y rendre à partir des aires de divertissement intérieures et des autres endroits où votre famille passe le plus clair de son temps libre. Une porte à proximité de la cuisine qui donne accès au patio ainsi qu'une autre située près de la salle de séjour aident à éviter les bouchons de cir-culation lors de réceptions. Une petite dalle pour ter-rasse ou un palier en béton peut protéger le gazon au pied des escaliers qui mènent à la cour.

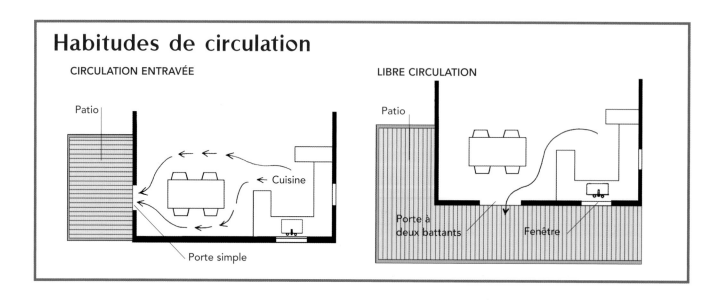

Habitudes de circulation

CIRCULATION ENTRAVÉE

Patio

← Cuisine

Porte simple

LIBRE CIRCULATION

Patio

Porte à deux battants

Fenêtre

Conditions saisonnières

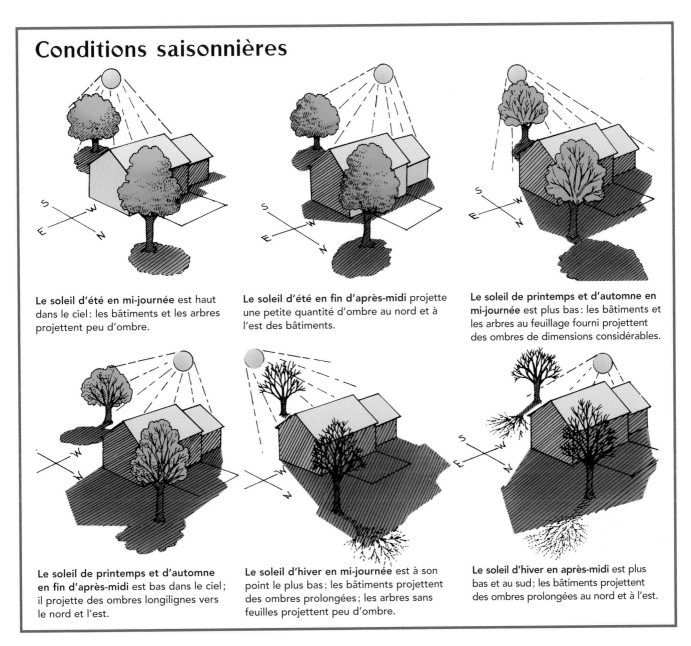

Le soleil d'été en mi-journée est haut dans le ciel : les bâtiments et les arbres projettent peu d'ombre.

Le soleil d'été en fin d'après-midi projette une petite quantité d'ombre au nord et à l'est des bâtiments.

Le soleil de printemps et d'automne en mi-journée est plus bas : les bâtiments et les arbres au feuillage fourni projettent des ombres de dimensions considérables.

Le soleil de printemps et d'automne en fin d'après-midi est bas dans le ciel ; il projette des ombres longilignes vers le nord et l'est.

Le soleil d'hiver en mi-journée est à son point le plus bas ; les bâtiments projettent des ombres prolongées ; les arbres sans feuilles projettent peu d'ombre.

Le soleil d'hiver en après-midi est plus bas et au sud ; les bâtiments projettent des ombres prolongées au nord et à l'est.

CONSIDÉRATIONS MÉTÉOROLOGIQUES

Prenez le temps de réfléchir à l'impact du temps et des saisons sur les usages que vous ferez de votre patio, et prévoyez en conséquence. Dans une région au climat plus frais par exemple, un patio avec une serre orientée plein sud prolongera la saison végétative. Les trois variantes météorologiques que vous devriez considérer sont le soleil, le vent et la pluie.

Le soleil. Choisissez l'emplacement de votre patio en fonction de la quantité d'ensoleillement et d'ombre dont vous voulez vous prévaloir. Un patio situé sur le côté nord de la maison sera dans l'ombre une majeure partie de la journée. Si vous habitez dans une région au climat très chaud, cela pourrait être un point positif, mais en contrepartie, un net inconvénient pour à peu près toutes les autres personnes qui habitent ailleurs. Un patio orienté vers l'est profitera de l'enso-leillement le matin et de l'ombre en après-midi. C'est souvent le meilleur choix d'emplacement dans les climats tempérés. Dans les zones où il fait plus froid, une orientation sud-ouest procure un ensoleillement plus important en fin d'après-midi, ce qui rend le patio plus confortable à utiliser lors des jours frais du printemps et de l'automne.

Prenez aussi en considération l'angle du soleil au-dessus de l'horizon. Le soleil est à son point le plus haut durant l'été et à son point le plus bas durant l'hiver. Ainsi, un patio orienté vers le sud recevra moins de lumière directe du soleil durant l'hiver qu'au cours de l'été. Durant la saison estivale, une clôture ou un arbre qui ne font pas écran avec le soleil, alors qu'il est à son point le plus haut, pourraient bloquer la lumière au cours des périodes de l'année où le soleil se trouve à son point le plus bas.

Vous voulez peut-être vous réserver une zone d'ombre continue pour suspendre votre hamac, ou vouloir de l'ombre pour une aire de repas en après-midi seulement, et le plus d'ensoleillement possible pour vos plantes en pots ou pour prendre un bain de soleil.

Le vent. Si la chaleur est trop accablante et que vous voulez profiter au maximum de la brise environnante, prévoyez d'émonder les arbres ou d'enlever les arbustes. Si vous êtes plus exposé au vent que vous ne le souhaitez, vous aurez peut-être à planter d'autres arbres ou arbustes. Un patio monté sur des poteaux sera plus exposé aux vents qu'un patio construit près du sol.

En cas de conditions météorologiques extrêmes, vous pourriez avoir à vous ériger un pare-vent quelconque. Un panneau mural à persiennes ou en treillis recouvert de plantes grimpantes est beaucoup plus agréable à regarder qu'une clôture pleine, en plus d'être efficace pour diffuser l'amplitude d'un vent fort.

La pluie. La plupart des gens sont d'avis que le meilleur temps pour profiter pleinement de son patio est au cours d'une belle journée ensoleillée, mais vous habitez peut-être une région qui reçoit beaucoup de précipitations, ou peut-être encore aimez-vous tout simplement regarder la pluie tomber. Si le toit de votre maison est légèrement ou pas du tout en pente, vous pourriez le prolonger afin qu'il recouvre en partie le patio. Ou encore, faire poser de grandes portes-fenêtres coulissantes entre le patio et la salle de séjour, de manière à pouvoir ouvrir les portes et à apprécier le crépitement des gouttelettes qui tombent sur votre patio et sur vos plantes en pots.

VISUALISER LES POURTOURS

Vous constaterez que les espaces tracés sur des esquisses ont tendance à paraître plus grands qu'ils ne le sont en réalité. Afin d'éviter toute déception un peu plus tard au cours de votre projet, transposez dès maintenant vos plans dessinés à l'échelle en dimensions grandeur nature sur l'emplacement même de votre patio. Vous pouvez enfoncer des piquets dans le sol et les relier avec de la ficelle afin de délimiter le pourtour du patio.

TRUCS ET ASTUCES

POUR UN APERÇU DES POURTOURS DE VOTRE PATIO

Afin de vous aider à visualiser la grandeur réelle d'un plan de patio esquissé sur papier, relevez d'abord les mesures approximatives, puis à l'aide d'une corde de rallonge ou d'un boyau d'arrosage, marquez les contours et transposez les mesures sur vos choix d'emplacements.

Disposez vos meubles de jardin à l'intérieur du contour prévu pour le patio, et voyez de quelle manière ils occupent l'espace. Essayez de vous représenter en train de faire diverses activités sur votre nouveau patio, et posez-vous les questions les plus pertinentes : cet espace ci est-il assez grand pour y installer une jardinière? Si je reçois un groupe de 15 convives, aurai-je assez de place pour monter une table à buffet à cet endroit? Puis-je prévoir une table et des chaises ici, et m'assurer que les gens pourront s'y rendre sans encombre? Est-ce que je pourrai suspendre le hamac là? Où vais-je mettre le gril? Quelle serait la meilleure forme pour le patio : en T ou en L? Et si vous suspendiez des jardinières ou que vous placiez de grosses plantes en pot à cet endroit, pour délimiter l'espace du patio? En vous posant de telles questions, vous arriverez à développer des idées assez précises de la forme et de la dimension de votre patio.

Si vous vous sentez à l'étroit à l'intérieur du contour que vous venez de tracer, pensez à prolonger le patio en unités d'accroissement logiques. Si par exemple vous prenez des solives d'une longueur de 12 pieds au lieu de 10 pieds, vous pourriez dès lors accroître l'utilité et la sensation d'espace du patio, sans pour autant gonfler de façon notable le coût de la main-d'œuvre, et avec seulement une légère augmentation des frais de matériaux.

Si vous avez l'espace et les moyens de le faire, vous aurez peut-être le goût de vous construire un très gros patio. Et si vous êtes propriétaire d'une grande maison et que vous possédez beaucoup de meubles de patio, le tout peut très bien s'agencer. Mais un patio format géant donne parfois l'impression d'engloutir la maison si celle-ci est trop petite. Prévoyez plutôt des aires de patio dans lesquelles vous serez confortables et qui sont proportionnelles à la dimension de votre maison.

CI-CONTRE : l'espace environnant jouera un rôle déterminant dans l'attrait qu'aura le patio pour les gens qui l'utilisent. Privilégiez les designs qui mettent en valeur les points de vue.

REHAUSSER VOTRE MAISON ET LA COUR

Un patio est rarement placé au milieu de nulle part; c'est une structure reliée à votre maison qui trône au cœur de votre cour. Par conséquent, prenez en considération non seulement son apparence, mais aussi de quelle manière celui-ci il s'harmonisera avec les environs. Cela n'implique pas nécessairement de déployer des efforts pour l'intégrer à son décor environnant à un point tel qu'il disparaisse, mais de faire en sorte que les éléments contrastants, dans l'ensemble, soient agréables à regarder et non discordants.

Quand vous regardez votre patio de l'intérieur de votre maison, le platelage est sans doute l'élément qui saute le plus aux yeux, mais lorsqu'ils sont vus d'une autre perspective, les autres composantes de la structure peuvent aussi peser lourd dans l'ensemble. Souvent, la première chose que les gens vont remarquer sont les balustrades, les escaliers et les planches de fascia. Et si votre patio est monté à une bonne hauteur du sol, alors les poteaux, les poutres, les solives et même la

quincaillerie de l'ossature pourraient devenir les éléments les plus en vue de la structure.

ÉLÉMENTS DE BASE

Si vous voulez bien assortir le design de votre patio avec votre maison et votre cour, vous devez considérer quatre éléments de base : la forme, la masse, la couleur et la texture.

La forme. La forme que vous choisissez pour votre patio devrait s'harmoniser avec les grandes lignes de votre maison. Dans la plupart des cas, l'enlignement de votre patio devrait être davantage sur le plan horizontal que vertical, afin de conférer à cet espace informel la sensation légère et aérée que vous recherchez. Si vous construisez un patio surélevé cependant, les poteaux accentueront fortement les lignes verticales. Si votre maison est étroite et en hauteur, il sera peut-être avantageux de jouer sur ce même plan et de répéter les mêmes lignes. Dans la plupart des cas, quand vous poserez le platelage et les balustrades, vous voudrez adoucir l'aspect vertical de la structure par une série de lignes horizontales.

Pensez aussi à la forme du patio dans son ensemble. Si la forme de votre maison est en L, par exemple, et que cela vous plaît, un patio peut reprendre cette même forme. En contrepartie, l'impression que dégage une maison aux lignes confuses peut être adoucie par un modèle de patio simple, alors qu'une maison d'apparence ordinaire peut être rehaussée par un patio au style audacieux.

La plupart des gens optent pour un patio attaché à l'arrière de la maison et qui donne accès à la cour. Vous voudrez peut-être envisager d'autres alternatives, comme un patio qui épouse une partie du contour de votre maison, qui ménage une ouverture pour un arbre ou encore, en forme d'îlot ou de péninsule.

Portez une attention particulière aux lignes géométriques de votre maison et de votre cour : les rectangles, les courbes, les saillies et même les triangles. Servez-vous de ces lignes comme points de départ, et considérez votre patio comme une série de variations possibles autour de ces mêmes thèmes. Si au contraire les lignes géométriques

LES OPTIONS

FORMES DE PATIO

ENVELOPPANT

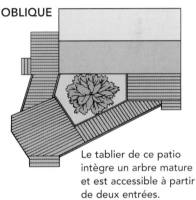

Un patio qui épouse le contour de votre maison vous permet de choisir entre une aire ensoleillée ou une zone d'ombre.

OBLIQUE

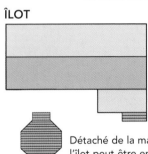

Le tablier de ce patio intègre un arbre mature et est accessible à partir de deux entrées.

ÎLOT

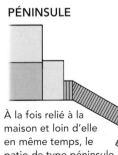

Détaché de la maison, l'îlot peut être entouré d'arbustes et de végétation.

PÉNINSULE

À la fois relié à la maison et loin d'elle en même temps, le patio de type péninsule donne l'impression d'occuper un espace tout à fait distinct de celui de la maison.

CI-CONTRE
Des angles aigus créent des aires naturelles pour des banquettes et des jardinières intégrées.

CI-DESSUS
Un patio aux formes arrondies jette les bases pour un style élégant de balustrades.

sont un peu ennuyeuses, vous voudrez alors raviver le tout avec de nouveaux angles – les octogones et autres formes rectilignes représentent de bons choix, tout comme les lignes recourbées. Mais si l'emplacement et les environs sont déjà constitués d'une grande variété de lignes et que vous rajoutez des formes complexes à votre patio, l'ensemble ne fera que dégager une impression confuse. La simplicité est souvent le meilleur choix. La répétition simple et élégante de deux ou trois lignes géométriques est plus agréable à regarder qu'un fouillis infini de formes.

Vous ne pouvez sans doute pas modifier le style de votre maison afin qu'il soit conforme à votre modèle de patio, mais il est souvent possible de transformer le paysage autour de l'emplacement prévu en fonction de la construction d'un patio. Vous pouvez aussi ajouter des plantations ou prévoir une terrasse qui compléteront les lignes de votre patio.

La masse. La dimension de votre patio devrait être proportionnelle à celle de la maison. L'erreur commise le plus souvent consiste à se faire construire un patio beaucoup trop massif qui domine complètement une petite maison, la rendant ainsi plus petite encore qu'elle ne l'est en réalité. Déterminez quels centres d'intérêt visuels sont les plus importants pour vous, et essayez de vous représenter quel aspect aura votre patio du point de vue de la cour et de la maison.

Plusieurs éléments ont une influence sur l'aspect visuel d'un patio. Si par exemple vous le construisez au ras du sol par ou avec des balustrades qui sont basses ou de couleur pâle, les dimensions du patio seront atténuées, donnant ainsi l'impression qu'il est plus petit. En contrepartie, de grosses poutres apparentes, des balustrades chargées densément de barreaux et de larges planches de fascia donneront de l'amplitude et une allure plus massive à un patio.

De gros poteaux 6 x 6 qui soutiennent un patio construit en hauteur pourraient être l'élément le plus en vue de la structure, mais un modèle intéressant d'entretoises attire le regard vers les pièces de bois plus minces. Et plus ces poteaux sont longs, moins ils paraissent larges.

La couleur. Quand les gens pensent à un patio, ils pensent immédiatement à l'aspect du bois exposé aux intempéries. Les teintes naturelles du bois et les différents motifs du grain de bois dégagent un sentiment de calme et de détente. Le platelage en séquoia ou en cèdre possède une très belle couleur et est agréable à regarder

dès le premier coup d'œil, alors que d'autres personnes sont rebutées par la teinte verdâtre de certains tabliers en bois traité. En vieillissant, toutes ces essences adoptent une légère patine gris pâle, à moins que vous ne traitiez le patio régulièrement avec un préservatif clair qui empêche les fibres de bois d'absorber l'humidité.

Si le choix de couleurs de platelage habituellement proposées ne convient tout simplement pas à votre maison, envisagez alors de teindre ou peindre le bois. Souvent, un patio construit en partie avec du bois teint et du bois protégé par un préservatif clair donne de bons résultats. Vous pourriez, par exemple, teindre le patio au complet, à l'exception de la main courante qui couronne la balustrade.

La texture. Le bois a une texture assez rugueuse. Les nœuds, les petites fentes et les parties raboteuses font habituellement partie du charme naturel d'un patio. Mais s'il est vrai qu'une telle désinvolture par rapport à l'apparence du bois se prête bien à presque toutes les formes d'aménagement paysager, il pourrait être contre-indiqué de l'appliquer au tablier d'un patio situé à proximité de votre maison. Si vous souhaitez obtenir un résultat plus attrayant, achetez du bois plus dispendieux avec moins de nœuds. Certains matériaux de platelage en composites – faits de plastique recyclé mélangé à de la sciure de bois et à de l'époxy – ont une surface en relief qui imite le grain naturel du bois. (Voir le chapitre 5 pour en savoir plus long sur ces produits.) Vous pourriez aussi opter pour d'autres variantes : des balustrades en métal, des pare-vent en vitre, des panneaux de treillis, et du bois brut.

CI-DESSUS Choisissez la forme et la dimension de votre patio en fonction du design de votre maison.

À DROITE Imaginez de quelle façon le patio constituera un lien entre la maison et la cour et même avec le jardin, un peu plus loin.

CI-CONTRE Ce platelage rehausse les textures végétales du jardin.

TRUCS ET ASTUCES

PRÉVOIR POUR MIEUX VOIR

Évitez l'une des erreurs les plus répandues dans le design de patios : une balustrade qui obstrue la vue. Comme la plupart des balustrades s'élèvent au moins à 36 pouces du tablier, il est bien avisé de les poser à une bonne distance des portes-fenêtres et des fenêtres. Même si votre terrain est en pente et que vous voulez que l'aire principale du patio se trouve près du sol, vous pouvez ajouter des plateformes dénivelées près de la maison et installer les balustrades seulement autour du périmètre de l'aire principale du patio. Placez les structures recouvertes près de la maison, là où elles ne risquent pas d'obstruer la vue.

LIER LA COUR ET LA MAISON

Votre patio sera l'endroit idéal pour profiter de la vie en plein air, mais il sera aussi un pont qui liera votre maison à votre cour. En fait, un patio bien conçu dégagera presque la même allure qu'un pont, non seulement parce qu'il est suspendu au-dessus du sol par des poteaux, mais aussi parce qu'il constitue un lien direct entre les agréments de l'intérieur et ceux de l'extérieur. En plus des éléments essentiels que sont la masse, la forme, la couleur et la texture, voici des exemples précis qui vous aideront à faire en sorte que votre patio reste un moyen de transition harmonieux entre la maison et la cour.

Descendre les marches avec élégance. Évitez, autant que possible, les longs escaliers. Ayez plutôt recours à une série de paliers situés sur plusieurs niveaux afin de descendre les marches d'une manière qui vous semblera plus naturelle et gracieuse. Le défi réside souvent à s'assurer que chaque niveau soit un espace utile et agréable à regarder. Vous obtiendrez ce résultat en plaçant les paliers de façon juxtaposée, à la manière d'une cascade d'eau (reliés l'un à l'autre à endroits ou même, à différents angles), au lieu de les construire simplement en ligne droite, vers le bas, comme s'ils étaient de grosses marches d'escalier.

Même si vous construisez un escalier conventionnel, envisagez de lui donner des dimensions plus longues et plus larges que la norme. Dès qu'il dépasse six marches, un escalier standard d'une largeur de 36 pouces commence curieusement à ressembler à une échelle. Un plan précis dessiné à l'échelle peut vous aider à visualiser quel sera le meilleur modèle.

Une terrasse de transition. L'escalier de votre patio mène peut-être à une surface gazonnée, mais une terrasse ou des pas japonais pourraient donner un meilleur résultat esthétique. Les matériaux qui évoquent ceux de votre maison : de la brique, des pavés de béton ou de la pierre concassée éclatante, représentent de bons choix, car ils créent un bel équilibre. Les matériaux pour la terrasse peuvent être rustiques ou plus formels, en allant de poutres de bois brut à des carreaux fixés dans du mortier. La pierre naturelle ou la brique, qui se trouvent à mi-chemin entre le formel et le rustique, donnent souvent de beaux résultats. Planifiez soigneusement le style de votre terrasse, car il est un complément au style de votre patio qui devrait, à son tour, être intégré au style de votre maison.

Des jardinières qui vous en mettent plein la vue. À partir du moment où vous pouvez bien les entretenir, il est difficile de se tromper avec des plantations. Toutes les combinaisons de couleur sont très agréables à regarder. Dame nature ne perd pas inutilement son temps à choisir entre deux échantillons de couleurs. Vous pouvez vous fabriquer une jardinière à partir du même matériau que votre patio et y disposer des plantes semblables à celles de votre cour afin de créer un lien entre la cour et le patio. Et si vous pouvez vous construire une jardinière qui s'intègre bien avec l'extérieur de la maison, vous aurez alors créé un rapprochement entre le patio, la cour et la maison.

Intégrer les arbres. Si vous avez un arbre splendide à côté de votre maison, ne l'abattez surtout pas. Ménagez-lui plutôt un espace dans le tablier de votre patio afin de profiter de son ombre et ainsi, le patio s'intégrera encore mieux avec les environs. Gardez aussi vos arbres situés à proximité du patio, car ils forment, en quelque sorte, une arche qui s'étend de la cour à la maison, avec le patio en son centre.

SÉCURITÉ

PENSEZ SÉCURITÉ

Lors de la conception de votre patio, n'oubliez pas les points suivants :

- Des balustrades conformes aux normes du code du bâtiment
- Un système d'éclairage approprié pour assurer votre sécurité la nuit

CI-CONTRE Une série de plateformes très larges placées en escalier dirige naturellement les gens de l'aire principale à la piscine.

EN HAUT, À DROITE Des plantations occupent l'espace pratiqué dans le tablier d'un patio. Les patios vous offrent la possibilité d'intégrer les arbres et les arbustes au design.

À DROITE Des marches très larges vous donnent beaucoup d'espace pour placer vos plantes en pots et autres éléments de votre cour et de votre jardin.

Un patio élégant possède habituellement un centre d'intérêt visuel remarquable, un élément qui attire immédiatement votre attention. Peut-être en possédez-vous déjà un : un arbre magnifique, une vue splendide ou une piscine accueillante. Vous pourriez très bien rajouter vous-même cette pièce maîtresse qui saura accrocher le regard : un bain à remous, une immense plante en pot, une série de jardinières, une serre bien tenue ou une statue de jardin. Misez sur vos points forts, et disposez le patio et les meubles de manière à mettre l'accent sur votre centre d'intérêt visuel.

SURMONTER LES OBSTACLES

Au cours de votre projet de construction, vous allez vous buter à de petits écueils de temps à autre, que ce soit le constat que le point de départ de votre main courante se situe en plein centre d'une fenêtre ou que les escaliers se terminent au milieu de l'entrée. Apprenez à voir ces défis comme des occasions de souligner un élément particulier de manière élégante et intéressante. Des solutions pratiques à quelques-uns de ces problèmes sont fournies un peu plus loin dans cet ouvrage, mais il est temps de commencer à y penser.

L'espace de rangement. Ajoutez de l'espace de rangement en vous laissant un accès dans l'espace situé sous votre patio ou en construisant un cabanon relié à la structure. Dressez-vous une liste des objets que vous avez besoin d'entreposer, et assurez-vous d'avoir suffisamment d'espace, sinon ils ne feront qu'encombrer votre patio.

L'éclairage. L'installation d'un système d'éclairage ajoute beaucoup de cachet à votre patio, et si vous planifiez le tout dès maintenant, vous pouvez dissimuler au moins une partie du filage en le faisant passer le long de certaines parties de l'ossature de votre patio. Il sera beaucoup plus simple de faire ce travail avant de poser le platelage de votre tablier.

Les problèmes d'infiltration d'eau. Si vous avez déjà un problème d'infiltration d'eau, il est évident que vous en aurez toujours un après la construction de votre patio. Pour les cas moins graves, prévoyez simplement de creuser une tranchée remplie de gravier afin que le surplus d'eau qui se trouve sous l'emplacement de votre patio soit redirigé un peu plus en retrait du site. Par contre, si vous avez des problèmes d'infiltration d'eau beaucoup plus graves, telles une accumulation récurrente d'eau stagnante ou une érosion significative du sol, assurez-vous de les régler avant de construire votre patio.

L'ajout d'une construction extérieure. Si vous envisagez de construire un pavillon, un cabanon ou une structure de jeu dans un avenir rapproché, pensez-y dès maintenant afin de l'intégrer dans vos plans. Peut-être existe-t-il une façon simple de lier cette construction au patio et à la maison. Vous pourriez, par exemple, construire le toit avec les mêmes matériaux que le patio, et peindre le reste de la structure dans le même style que celui de votre maison. Il est souvent possible de construire des structures de jeu à partir des mêmes matériaux que votre patio.

Un thème et ses variantes. Les patios les mieux réussis se servent d'une ou deux très bonnes idées qui sont ensuite développées en plusieurs variantes autour de ces mêmes thèmes.

Un thème, par exemple, pourrait être une courbe légère que l'on retrouve en plusieurs endroits, comme au pourtour du tablier, dans la forme qu'épousent les balustrades, et dans un sentier à proximité du patio. Ou encore, vous pourriez concevoir un modèle de tablier tout à fait original : avoir par exemple trois ou quatre sections en volige à bâtons rompus coupés en angle. Si l'ensemble de votre patio projette une forme octogonale, vous pourriez en ajouter une version réduite ailleurs sur le patio, ou la reproduire en construisant une table ou une banquette octogonale.

Les éléments les plus visibles d'un patio sont souvent ceux dont les lignes sont projetées sur le plan vertical. Choisissez des balustrades ou des banquettes qui s'intègrent bien avec l'ensemble de la structure. Le style des jardinières devrait aussi épouser harmonieusement la structure du patio.

CI-CONTRE Le concepteur de ce patio a repris le même design que ses balustres pour habiller le toit de son pavillon de jardin.

À DROITE Si vous prévoyez ajouter une structure pour faire écran aux rayons du soleil, intégrez-la dès maintenant dans votre concept initial.

CI-DESSOUS Les pergolas et les chevrons de traverse confèrent aux designs de patio un centre d'intérêt visuel sur le plan vertical.

Les terrains en pente. Un terrain en pente rend la construction plus difficile mais offre en même temps la possibilité d'installer votre patio sur de multiples niveaux.

Les arbres. Les arbres situés sur l'emplacement d'un patio vous fournissent l'occasion d'en faire quelque chose de remarquable, tel leur ménager une ouverture dans le tablier de votre patio. Prenez d'abord en considération la maturité de l'arbre et sa vitesse de croissance, puis prévoyez lui laisser amplement d'espace.

Les piscines et les bains à remous. La construction d'un patio autour d'un spa, d'une piscine ou d'un bain à remous requiert une planification, une conception et une construction soigneuses. Prenez le temps de bien penser à la hauteur et à la largeur du platelage autour de la piscine et du bain à remous afin de profiter au maximum du plaisir que vous aurez à vous prélasser ou à prendre un bain de soleil. Vous devrez consolider la structure située sous le bain à remous en ajoutant des solives ou une poutrelle.

Avoir de l'ombre et un accès. Si vous voulez avoir de l'ombre mais que vous n'avez pas d'arbre mature, installez-vous des panneaux à persiennes ou des auvents aux couleurs vives. Pour les régions qui connaissent de fortes pluies, prolongez la pente de votre toit.

Prévoyez une trappe d'accès pour vous rendre aux installations de lignes électriques ou à la tuyauterie situées sous le patio, au cas où vous auriez besoin d'effectuer des réparations. Les trappes et les petits panneaux d'accès, qui auraient l'air inesthétiques ailleurs, confèrent un certain charme à l'apparence d'un patio.

Les balustrades sont habituellement requises pour tout patio se retrouvant à plus de 18 pouces au-dessus du sol. Si vous voulez intégrer des éléments faits sur mesure ou des motifs inusités à vos balustrades, pensez-y dès maintenant. Une banquette encastrée peut rehausser l'aspect visuel d'une longue balustrade.

PROPOSITIONS D'EMPLACEMENTS

Les patios ne sont pas toujours installés au ras du sol et à proximité de la porte arrière. Un patio en forme d'îlot, par exemple, n'est pas du tout rattaché à votre maison, alors il peut être construit à peu près n'importe où sur votre propriété.

Et quand vous cherchez l'emplacement idéal pour votre patio, n'oubliez pas de regarder vers le haut. Un patio sur le toit offre habituellement de meilleurs points de vue, davantage de brise et un environnement plus intime.

À peu près toutes les sections de toiture-terrasses ou de toits à faibles pentes peuvent supporter le poids d'un patio. Vous pouvez aussi poser des poteaux fixés à partir du sol, mais la technique la plus simple consiste à construire des plateformes amovibles posées directement sur le toit. Les panneaux doivent être amovibles afin de vous permettre d'avoir accès à la toiture au besoin, afin de colmater une fuite d'eau, par exemple. Si le tablier de patio était installé de façon permanente, vous auriez à le défaire en partie pour réparer votre toit. Plusieurs choisissent de se construire un patio privé accessible seulement à partir de la chambre principale, en changeant la fenêtre par une porte.

CI-DESSUS Un nouveau patio ne doit pas nécessairement être collé sur la maison. Cette portion du patio se prolonge jusqu'au jardin, afin d'offrir un meilleur point de vue des environs.

À DROITE Lorsque vous planifiez votre structure, pensez aux usages multiples de votre patio. Ici, se prélasser dans un spa à l'ombre était une considération importante.

DESIGN ET PLANIFICATION

Maintenant que vous avez déterminé l'emplacement de votre patio et choisi à peu près la dimension et la forme que vous voulez lui donner et que vous avez aussi esquissé quelques croquis, il est temps de passer aux choses sérieuses et de dessiner vos plans. Avant d'enfoncer votre premier clou, prenez le temps de bien réfléchir à tous les détails sur papier. Ainsi, vous ne perdrez pas de temps à résoudre des problèmes qui seraient survenus en cours de route.

DESSINER LES PLANS

Habituellement, vous aurez à réaliser quatre types de plans. Premièrement, *le plan de surface*, qui montre les parties de votre maison et de votre cour situées à proximité du patio, vues en plan. Deuxièmement, *le plan d'implantation*, qui donne un aperçu des dimensions du patio et de l'emplacement de tous les éléments principaux, vus en plan. Troisièmement, *les plans d'élévation*, qui présentent une vue en coupe et de face de votre patio avec les balustrades et les escaliers. Quatrièmement, *les plans détaillés*, qui montrent comment vous aborderez les aspects les plus compliqués du projet ainsi que la construction des éléments qui mettent en valeur votre patio tels les banquettes, l'espace d'entreposage et toutes les structures qui s'élèvent au-dessus du tablier.

Le processus entourant la conception d'un patio se déroule rarement de manière calme et ordonnée, aussi ne soyez pas étonné de passer souvent d'un type de plan à un autre et d'apporter souvent des correctifs en cours de route.

DESSINER À L'ÉCHELLE

Vos plans doivent être dessinés à l'échelle. Habituellement, les plans d'implantation de patios sont dessinés selon une échelle de ¼ de pouce, ce qui revient à dire qu'une mesure de ¼ de pouce sur papier équivaut à 1 pied dans la réalité. Les dessins détaillés ont tendance à se servir d'une plus grande échelle – souvent de l'équivalent de ½ pouce pour chaque pied.

Pour tracer les plans, vous n'avez besoin que d'un crayon, d'une règle, d'une gomme à effacer, de grandes feuilles de papier et d'une équerre de dessin industriel. D'autres instruments peuvent aussi vous simplifier la tâche. Une règle d'architecte pour mesurer l'échelle, par exemple, vous permet de convertir en pouces et en pieds les échelles les plus communément utilisées dans la conception de plans, vous donnant ainsi la possibilité de transposer aisément les dimensions grandeur nature de votre patio aux mesures de votre plan dessiné à l'échelle. Du papier graphique quadrillé à intervalles de ½ ou de ¼ de pouce peut aussi vous aider à produire un plan à l'échelle d'une bonne précision. Une feuille de papier-calque fixée au plan avec un ruban cache vous permet d'essayer plusieurs idées sans raturer votre copie au propre.

DESSINER UN PLAN D'ÉLÉVATION

Pour construire un patio aménagé sur un terrain en pente, prenez plusieurs mesures afin d'obtenir un plan en coupe de la dénivellation. Portez une attention particulière aux endroits où vous aurez à creuser les semelles de béton. Afin d'évaluer quel sera le point le plus élevé d'un patio de petite dimension, vous n'avez qu'à tenir une planche sur le plan vertical et vérifier sa position avec un niveau de menuisier. Pour les mesures verticales beaucoup plus longues, faites-vous aider par un assistant qui nouera une longue ficelle à partir du point où le patio sera le plus près du sol pour se rendre jusqu'à un poteau situé à l'endroit le plus élevé. Attachez un niveau de ligne à la ficelle, puis mesurez la distance entre ces deux points. Même avec un plan précis, il est toujours sage de laisser vos poteaux un peu plus longs que prévu, quitte à les tailler au moment d'ajouter les poutres et les solives.

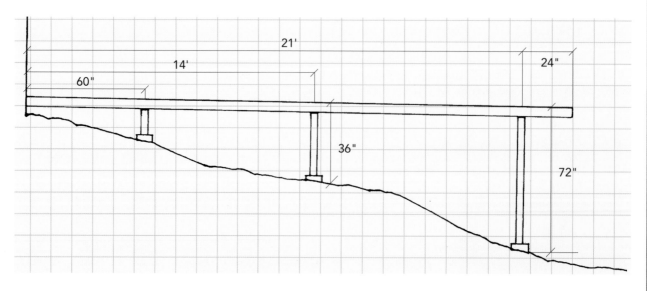

TRUCS ET ASTUCES

AVANT DE COMMENCER

Vérifiez auprès du service d'inspection des bâtiments de votre localité quels sont les plans requis et le degré de précision nécessaire. C'est habituellement une bonne idée de réaliser davantage de plans que le nombre requis.

À DROITE Si vous manquez d'espace dans votre cour, un patio sur le toit représente une bonne alternative. Le design de cette structure couverte est identique à celui du toit de la maison.

CI-DESSOUS Quand vous planifiez votre patio, pensez aussi aux aires de divertissement. N'oubliez pas d'aménager un endroit pour vous détendre.

À DROITE, CI-DESSOUS Si vous construisez sur un terrain en pente, prenez plusieurs mesures au moment d'installer les poteaux afin de vous assurer que le patio sera bien au niveau.

C'est à votre avantage d'essayer de rendre vos plans le plus précis possible. Si le plan de votre patio comprend un pourtour en courbes, un bain à remous ou un pavillon de forme circulaire, ou encore, l'aménagement d'ouvertures dans le plancher du tablier pour les arbres, servez-vous d'un compas ou d'un gabarit aux courbes et aux cercles variés pour donner une allure professionnelle à vos plans.

Dessiner un plan de surface. Votre plan de surface indique l'emplacement de votre nouveau patio sur votre terrain. Les inspecteurs du service des bâtiments s'en serviront pour vérifier quelles sont les contraintes au niveau de la construction et pour voir si votre patio est conforme à toutes les exigences. Dans la plupart des cas, vous serez en mesure de trouver, à titre de référence, un plan d'arpentage de votre propriété dessiné à l'échelle ou un autre type de plan. Ce document se trouve peut-être déjà chez vous avec les autres titres de propriété dans cette chemise portant la mention « Dossier maison », ou peut-être encore, que le service d'inspection des bâtiments de votre localité détient les plans de construction originaux. Si c'est le cas, vous aurez sans doute à faire une mise à l'échelle de ces plans et à mettre les vôtres à jour afin qu'ils tiennent compte des rénovations réalisées.

Si votre terrain se trouve sur une pente prononcée, dessinez aussi un plan d'élévation de votre terrain d'un point de vue en coupe. Vous aurez ainsi une meilleure idée du nombre de marches requises pour votre patio, ou à quels endroits construire les différents niveaux.

Pour bien prendre les mesures de votre plan d'élévation, vous aurez besoin d'un aide ou deux, d'un cordeau de maçon, d'un niveau de ligne et d'un ruban à mesurer. Fixez d'abord une extrémité du cordeau à un point de référence situé sur la maison. Une personne tient ensuite l'autre extrémité du cordeau en l'air, debout sur un escabeau, s'il le faut. Enfin, une autre personne vérifie le niveau de ligne, tandis qu'une troisième personne prend les mesures à partir du point de référence situé sur la maison jusqu'à un point donné sur le cordeau et, finalement, de ce point donné jusqu'au sol.

Maintenant que vous avez un plan du surface et une notion précise de l'emplacement et de la forme d'ensemble de votre patio, il est temps de commencer à planifier la charpente et de concevoir le patio en tant que tel.

LES OPTIONS DU BRICOLEUR

LES STRUCTURES COUVERTES

Quand vous intégrez une structure couverte ou une tonnelle en forme de voûte à votre patio, essayez de reproduire la même pente que celle du toit de la maison. Si vous recouvrez la structure avec des matériaux de toiture, servez-vous des mêmes matériaux que ceux de la maison afin d'obtenir un design uniforme.

TRUCS ET ASTUCES

CONSOLIDER

Si le tablier de votre patio s'étend sur une bonne distance au-dessus d'un terrain en pente, l'une de ses extrémités pourrait se retrouver à plus de 8 pieds du sol et nécessiter des poteaux de soutien de 6 x 6, ainsi qu'un contreventement en X.

CI-CONTRE

Les patios surélevés ont souvent besoin d'être consolidés davantage que ceux construits près du sol. Vérifiez auprès de l'inspecteur des bâtiments de votre localité pour obtenir plus de renseignements.

DESSINER UN PLAN D'ÉLÉVATION

En bref: ajoutez le plus de détails possible. Par contre, ne vous échinez pas inutilement: le service d'inspection des bâtiments de votre localité n'a besoin que de plans simples à consulter. En plus d'identifier les différentes composantes de votre patio, prévoyez une section qui détaillera la dimension des pièces de bois requises pour les poteaux, les poutres, les solives, le platelage et les éléments des balustrades. N'oubliez pas de faire également la liste de tous les types et de toutes les dimensions de fixations et d'ancrages dont vous aurez besoin pour assembler votre patio. Dans certains cas, comme ci-dessous, vous voudrez peut-être omettre l'arrière-plan afin d'obtenir un résultat plus net. (Vous trouverez un exemple de plan d'élévation de patio et de maison à la page 61.)

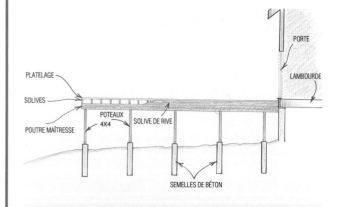

PORTE

LAMBOURDE

PLATELAGE

SOLIVES

POTEAUX 4X4

SOLIVE DE RIVE

POUTRE MAÎTRESSE

SEMELLES DE BÉTON

3 Viennent ensuite les solives, qui servent à monter la charpente du tablier en différentes sections pour soutenir le platelage de surface. Idéalement, le niveau du tablier devrait être légèrement inférieur à celui du plancher de la maison.

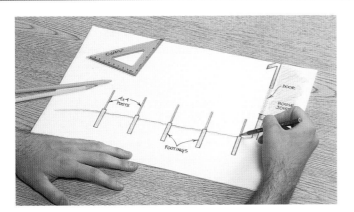

1 Construisez d'abord votre patio sur papier, en commençant par les semelles de béton et les poteaux qui supportent la poutre maîtresse. Vous pouvez déposer une feuille de papier-calque par-dessus votre plan pour comparer différents plans d'implantation.

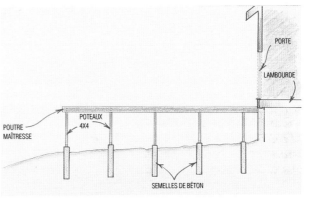

2 Deux pièces de 2 x 10 boulonnées aux poteaux constituent le madrier, ou poutre maîtresse. Les solives sont habituellement soutenues par la lambourde fixée à la maison et la poutre maîtresse posée sur les poteaux.

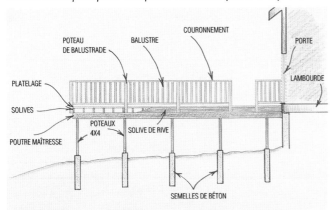

4 Les poteaux supportent l'ensemble des balustrades et des balustres. N'oubliez pas que les normes pour l'espacement entre les balustres sont régies par le code du bâtiment de votre localité.

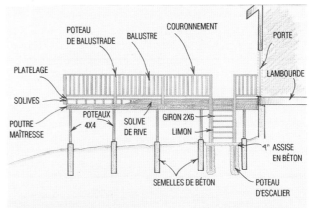

5 Prévoyez un espace pour les marches qui se rendront de votre patio jusqu'à l'assise en béton dans votre cour. Faites-vous des copies de votre plan final et continuez à peaufiner le design.

Si vous déplacez les solives en porte-à-faux de 24 pouces ou plus au-delà de la poutre, les gens ne verront probablement pas l'imperfection esthétique des semelles de béton.

En dissimulant les semelles de béton bien au-dessous du patio, vous cacherez aussi la poutre. Ainsi, une poutre qui ne serait pas parfaitement alignée avec le patio ne sera pas visible. En fait, les grosses pièces de bois utilisées pour les poutres, habituellement deux planches de bois traité sous pression d'une épaisseur de 2 pouces ou un seul madrier d'une épaisseur de 4 pouces sont rarement esthétiques, alors il vaut mieux les soustraire au regard. Votre patio n'en sera que plus attrayant. Il est encore plus important d'agir ainsi si vous prévoyez vous servir de matériaux de haute gamme pour le design de votre patio, tels du cèdre ou du séquoia pour le platelage.

Enfin, déplacer les solives en porte-à-faux au-delà de la poutre d'un patio construit près du sol peut amener de beaux résultats, car cela donne l'impression qu'il flotte au-dessus de la cour.

Laisser votre bois courir en liberté. Même si les pièces de bois de votre patio finiront toutes par être taillées proprement et de la bonne longueur, essayez d'attendre le plus longtemps possible avant de faire vos coupes finales. Quand vous installez les poteaux, les solives et le platelage, laissez les extrémités de ces pièces de bois dépasser d'une longueur plus grande que nécessaire. Plus tard, vous les taillerez de la bonne longueur. On appelle cette méthode « laisser le bois courir en liberté », et cette technique est particulièrement importante pour construire des patios qui ont fière allure. Les constructeurs de patio professionnels utilisent cette méthode depuis de nombreuses années.

Si le mur de votre maison s'incline vers l'extérieur, par exemple, et que vous taillez toutes vos solives exactement de la même longueur avant de les poser, vous allez tout simplement reproduire l'inclinaison extérieure de votre mur sur la solive de rive. Laissez plutôt

DES PLANS QUI PARDONNENT

Choisissez autant que possible des éléments de design qui vont soit atténuer les défauts de la structure faire en sorte qu'il est facile d'en corriger les erreurs. Voici un bon nombre d'exemples que vous pouvez utiliser au cours de votre projet.

Dissimuler les semelles et les poteaux. Quand ils sont fixés dans la plaque d'ancrage, les poteaux ne sont pas toujours parfaitement centrés sur le dessus des semelles de béton. Un poteau excentré d'un pouce ou deux n'influera pas la solidité de votre fondation, mais vous n'aimerez peut-être pas l'apparence du poteau et de la semelle quand vous les verrez de profil.

vos solives courir en liberté, puis en vous servant d'un cordeau à tracer, faites claquer la ficelle enduite de craie pour tracer une ligne le long de toutes les extrémités, puis faites une coupe parfaitement alignée.

Attacher des poutres de soutien aux poteaux. Si vous voulez poser une poutre sur le dessus de plusieurs poteaux, vous devrez auparavant tailler tous les poteaux exactement de la même longueur. Cela n'est pas simple surtout pour une poutre dont la portée se déploie au-dessus de quatre ou cinq poteaux.

Vous pouvez contourner ce problème en laissant les poteaux courir en liberté vers le haut et monter une poutre composée de deux pièces de bois ou plus d'une épaisseur de deux pouces, que vous attachez ensuite sur le côté des poteaux à l'aide de tire-fonds. Ce type de design vous permet de vérifier et de contre-vérifier le niveau de la poutre avant de serrer les vis au fur et à mesure que le travail avance, et de corriger le tir si nécessaire. Coupez les poteaux à égalité avec le haut de la poutre seulement lorsque celle-ci est en place et fixée bien solidement.

Pour éviter toute confusion possible au cours de la construction, vos plans devraient spécifier dès le début la méthode à laquelle vous aurez recours pour monter la charpente du patio.

L'aplomb et le surplomb. Lorsqu'une pièce de bois en supporte une autre, la solution la plus simple consiste souvent à tailler l'extrémité de la pièce horizontale de niveau avec la pièce verticale, de manière à obtenir un coin lisse à angle droit. Mais avec le temps, une ouverture pourrait se former à l'intersection de la coupe, sur-tout si le bois de patio que vous utilisez a tendance à prendre de l'expansion et à se comprimer.

Dans la plupart des cas, il est plus esthétique de prévoir poser la pièce de bois en aplomb ou en surplomb plutôt que de la tailler de niveau par rapport à l'autre. Il est souvent préférable, par exemple, de laisser le tablier surplomber les solives d'un pouce ou deux; et les éléments de la balustrade ont souvent meilleure apparence, également, quand ils surplombent. Un moyen efficace d'empêcher l'eau de s'infiltrer dans le grain du bois situé au bout du poteau consiste à laisser le couronnement en surplomb.

Même si ce n'est pas une pratique courante, il est parfois préférable de poser les éléments de la charpente en aplomb et de laisser par exemple la poutre dépasser bien au-delà des solives de bordure, surtout si cette poutre est particulièrement esthétique. Certains constructeurs de patio vont même aller jusqu'à sculpter l'extrémité des poutres ou les couper en angle pour ajouter une touche artistique à leur structure.

Un poteau de rallonge pour les balustrades. Vous pouvez concevoir votre patio de manière à ce que les poteaux qui supportent le madrier traversent la surface du tablier pour devenir une partie intégrante des balustrades. Cette idée peut sembler pratique à première vue, mais sachez qu'il est plus difficile de poser un poteau plus long parfaitement d'aplomb. Si les poteaux de la balustrade ne sont pas d'aplomb ou qu'ils ne sont pas précisément alignés, votre balustrade n'aura sans doute pas belle apparence.

DESIGN ET PLANIFICATION

LES OPTIONS DU BRICOLEUR

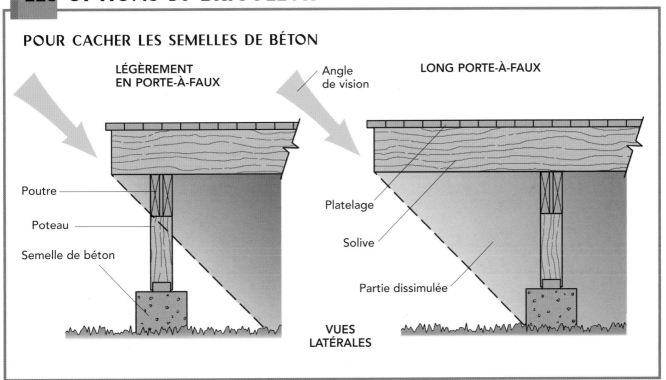

POUR CACHER LES SEMELLES DE BÉTON

LÉGÈREMENT EN PORTE-À-FAUX

Angle de vision

LONG PORTE-À-FAUX

Poutre

Poteau

Semelle de béton

Platelage

Solive

Partie dissimulée

VUES LATÉRALES

Une technique qui vous offre un peu plus de souplesse consiste à construire d'abord le patio; de boulonner ensuite les poteaux de la balustrade aux solives extérieures ou aux planches de façade; puis d'ajouter le couronnement et les balustres. Bien installés, ces poteaux posés en deux sections sont aussi solides qu'un poteau continu qui part de la semelle de béton pour se rendre jusqu'à la balustrade.

Construire l'escalier en dernier. La conception d'un escalier est compliquée. Il faut calculer avec précision simplement pour déterminer, par exemple, à quel endroit précisément aboutira l'escalier. Il est donc préférable d'attendre que la structure principale du patio soit complétée avant d'en arriver à l'emplacement des poteaux d'escalier et de l'assise en béton.

Les poteaux qui soutiennent les balustrades de l'escalier ont souvent besoin d'un support latéral additionnel. Au lieu d'avoir recours à la méthode classique qui consiste à fixer le poteau dans la plaque d'ancrage de la semelle, vous pourriez plutôt placer vos poteaux d'escalier directement à l'intérieur des coffrages de la semelle au moment de couler le béton, pour ainsi les consolider davantage.

Au lieu des clous, utilisez des vis. Vous aurez beaucoup plus de facilité à repositionner un balustre ou enlever temporairement une planche de votre patio si vous avez utilisé des vis plutôt que des clous pour fixer vos pièces de bois. De plus, vous pourrez sans doute réutiliser la pièce que vous venez d'enlever. Si vous avez à creuser dans le bois avec un pied de biche pour en ressortir les clous, vous allez peut-être endommager le bois au point de rendre la pièce inutilisable au moment de la réinstaller.

DES RAPPELS IMPORTANTS

Comme la construction d'un patio s'effectue dans un espace extérieur habituellement peu encombré, elle vous évitera plusieurs des désagréments communément associés aux travaux intérieurs: la poussière qui se répand dans votre maison, tenter d'intégrer de nouveaux éléments avec des planchers qui ne sont pas au niveau et des murs qui ont travaillé, manœuvrer au travers d'étroits châssis de porte en transportant des matériaux de construction, ou encore, avoir à rediriger la tuyauterie et les lignes d'électricité. Avec votre patio, vous avez à peu près carte blanche au niveau du design. Assurez-vous cependant, de prendre en considération les quelques restrictions mineures suivantes:

L'évacuation d'eau et la stabilité des semelles. Si vous avez un terrain détrempé, ne vous attendez surtout pas à ce qu'un patio résolve ce problème. En fait, il pourrait même l'aggraver. À moins de prévoir un système d'évacuation

CI-CONTRE Construisez les escaliers du patio seulement une fois que la partie principale du patio sera complétée. Pour les escaliers à paliers intermédiaires, vous pouvez rendre le design plus attrayant en ayant recours à des quartiers tournants.

À DROITE Les patios enveloppant épousent le pourtour de la maison. Les sections en saillie qu'il en résulte, comme ici, confèrent un intérêt visuel à la structure en plus de créer de nouveaux lieux de rassemblement.

CI-DESSOUS L'ajout d'un patio, même s'il est de petite taille comme celui que l'on voit ici, rend la chambre principale beaucoup plus attrayante.

Le câblage et la tuyauterie. Notez précisément le lieu d'enfouissement du câblage et de la tuyauterie sur votre terrain, de manière à les contourner quand vous creuserez pour les semelles. Si vous ne savez pas où se trouvent ces installations, communiquez avec les entreprises de service public de votre localité. Dans la plupart des cas, un membre du service à la clientèle se rendra sur place tout à fait gratuitement pour indiquer le lieu d'enfouissement du câblage et de la tuyauterie. La plupart des services d'inspection des bâtiments exigent d'ailleurs que vous passiez par cette étape avant de commencer la construction.

En plus de vérifier l'emplacement du câblage et de la tuyauterie enfouis dans le sol, vous pourriez envisager de déplacer les lignes électriques qui sont déjà visibles, afin qu'elles ne nuisent pas à l'aspect esthétique de votre patio. Si vous comptez installer un nouveau système de plomberie ou de câblage, tâchez d'enfouir le plus de lignes possible sous la structure du patio. Mais avant de vous donner tout ce mal, allez jeter un coup d'œil du côté des systèmes d'éclairage à basse tension. Ils sont faciles à installer et peu coûteux, et vous n'aurez pas à les enfouir.

Si la structure du patio se trouve au-dessus d'un point d'accès pour un service d'utilité publique quelconque, tels une boîte électrique ou un regard de fosse septique, prévoyez une trappe d'accès de manière à pouvoir vous y rendre librement sans avoir à détruire une partie de votre patio.

d'eau quelconque, vous aurez encore la même quantité d'eau au sol mais avec moins d'évaporation possible, car une partie du terrain se retrouvera désormais à l'ombre.

Ne creusez pas vos semelles dans un sol instable ou mou. Si l'érosion du sol est un problème potentiel – ce qui est habituellement le cas si votre emplacement est très vallonné – occupez-vous d'améliorer l'évacuation d'eau de l'emplacement avant que celle-ci nuise aux semelles.

Les codes de zonage et du bâtiment. Le service d'inspection des bâtiments de votre localité voudra sans doute s'impliquer dans la construction de votre patio: une structure extérieure imposante passe difficilement inaperçue. Avant de dessiner les plans de votre patio, rendez-vous au bureau de l'inspecteur afin d'obtenir une liste des conditions de base requises (communément appelé un petit prospectus) et pour établir, du même coup, que vous avez la réputation d'une personne qui veut bien faire les choses.

TERMES DE BASE

L'illustration ci-dessous montre les composantes essentielles d'un patio typique. Voici des termes techniques avec lesquels vous devriez vous familiariser et qui désignent quelques-uns des éléments d'un patio à partir du sol en allant vers le haut.

La *semelle* est une pièce de béton, habituellement coulée dans le sol, qui supporte le patio. Les semelles sont souvent renforcées de tiges ou de grillage métalliques. Sur le dessus de la semelle se trouve une attache de fixation métallique, *la plaque d'ancrage*, conçue pour bien immobiliser le poteau et l'installer juste au-dessus du béton afin qu'il absorbe moins l'humidité.

Les *poteaux*, qui sont habituellement taillés à partir de pièces de bois de 4 x 4 ou de 6 x 6, sont les parties verticales qui supportent le patio ou la balustrade. Une *poutre* est une pièce de bois massive posée sur le plan horizontal, fabriquée à partir d'un madrier de quatre pouces d'épaisseur ou de deux planches de deux pouces d'épaisseur reliées l'une à l'autre, et, qui supporte les solives. Les poutres sont placées au-dessus des poteaux, ou de chaque côté de ceux-ci, puis fixées à l'aide de tire-fonds.

Les *solives* sont fabriquées à partir d'un madrier de deux pouces d'épaisseur. Elles sont placées à intervalles réguliers pour supporter le platelage. L'une de leurs extrémités est habituellement fixée à la poutre, alors que l'autre est posée sur la *lambourde*, une pièce de bois boulonnée directement à la charpente de la maison. Des *cales*, fabriquées du même matériau que les solives, sont parfois placées perpendiculairement aux solives du tablier afin de consolider la structure. La charpente extérieure de la structure des solives est constituée des *solives extérieures* et de la *solive de rive*. Pour des raisons esthétiques, des planches de façade sont parfois posées par-dessus les solives extérieures et la solive de rive. Les planches du *platelage* sont posées sur les solives à l'aide de clous, de vis ou elles

Termes techniques

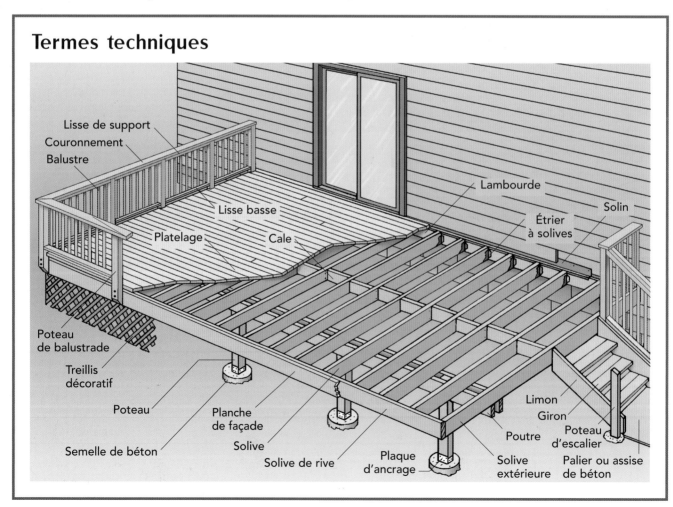

Lisse de support
Couronnement
Balustre
Lisse basse
Platelage
Cale
Lambourde
Solin
Étrier à solives
Poteau de balustrade
Treillis décoratif
Poteau
Planche de façade
Solive
Semelle de béton
Solive de rive
Plaque d'ancrage
Limon
Giron
Poteau d'escalier
Poutre
Solive extérieure
Palier ou assise de béton

peuvent aussi s'emboîter les unes aux autres. Le platelage est communément fabriqué de matériel de dimension 2 x 4, 2 x 6 ou $^5/_4$ x 6.

Une installation typique de *balustrade* est soutenue par des poteaux et comprend les *balustres* (aussi appelés *barreaux*), qui sont des pièces verticales habituellement de dimension 2 x 2 ou de 1 x 4 posées de manière équidistante entre les poteaux. Plus souvent qu'autrement, les balustres vont de la lisse de support à la lisse basse, mais parfois ils se rendent jusqu'à la planche de façade. Un *couronnement* parachève le tout.

Les escaliers sont supportés principalement par les *limons*, des pièces d'une dimension de 2 x 12 posées obliquement de chaque côté. Les girons sont les marches sur lesquelles vous descendez. Le *giron* est habituellement composé de deux planches de dimension 2 x 6. Les *contremarches* sont habituellement des pièces de dimension 1 x 8 qui recouvrent parfois l'espace vertical entre les girons. Les poteaux d'escalier supportent le couronnement et les balustres.

TRUCS ET ASTUCES

UN PATIO CONÇU PAR ORDINATEUR

Il existe des logiciels qui peuvent vous aider à mettre de l'ordre dans vos idées de design. Conçus par bon nombre de compagnies, ces logiciels simplifient grandement le travail de conception pour différents types de patios, de balustrades, de jardinières et autres agréments pour patio. Certaines versions peuvent même vous montrer vos différents designs en images tridimensionnelles que vous pouvez ensuite faire pivoter pour effectuer une visite virtuelle du patio et de ses environs. Les programmes peuvent aussi vous fournir la liste des matériaux requis ainsi que des conseils pour la construction.

CI-DESSUS La plupart des codes de bâtiment n'exigent pas de balustrades pour les patios construits à une hauteur de 18 pouces et moins du sol.

CI-DESSOUS La hauteur des balustrades et l'espacement entre les balustres sont régis par les codes du bâtiment.

CI-DESSUS Malgré le bon nombre de nouveaux produits disponibles sur le marché, le bois traité demeure encore le choix le plus populaire.

CI-DESSOUS Les balustrades pleines sont assez rares, mais elles assurent l'intimité et sont toujours fort originales.

TYPES DE MATÉRIAUX

Plusieurs sortes de matériaux pour le platelage sont disponibles sur le marché, y compris les essences de bois dur comme l'acajou, le méranti et l'ipé, qui font habituellement l'objet d'une commande spéciale. Parmi les matériaux les plus souvent utilisés, on retrouve les suivants :

■ **Le séquoia**, en bas, est le nec plus ultra des matériaux de construction extérieure. Il existe plusieurs qualités de séquoia, du *Construction Heart*, qui comporte quelques imperfections, au très onéreux *Clear All Heart* (claire tout duramen).

■ **Le cèdre** est une autre essence de luxe qui possède plusieurs des caractéristiques naturellement imputrescibles du séquoia, sans pour autant être aussi résistant. Le cèdre est utilisé surtout pour les parties visibles du patio, comme le tablier et la balustrade, plutôt que pour la structure.

■ **Le bois traité sous pression**, en haut, est idéal pour les éléments de la structure, parce qu'il est imbibé d'un préservatif chimique. La quantité de produit chimique retenue par le bois varie, aussi LISEZ attentivement les étiquettes apposées.

■ **Le platelage en vinyle** n'inspire peut-être pas confiance, mais il est tout de même très attrayant. Il ne gauchit pas, ne pourrira jamais et ne requiert aucun produit de finition. Vous pouvez nettoyer sa surface avec un boyau d'arrosage.

■ **Le platelage en matériau composite**, à droite, est de plus en plus disponible sur le marché. Chaque compagnie possède sa propre formule, mais de manière générale, la plupart des pièces sont conçues à partir d'un mélange de sciures de bois recyclées et de PVC (chlorure de polyvinyle). Les matériaux composites sont durables et exigent peu d'entretien.

LIMITER VOS PERTES DE BOIS

En prévoyant avec soin, vous pourriez éviter d'acheter inutilement du bois pour construire votre patio. À titre d'exemple, en sachant que les pièces de bois se vendent en unités d'accroissement de 2 pieds à partir d'une longueur de 8 pieds, si vous avez besoin d'une solive de 14 pieds et 1 pouce, vous aurez à payer pour une pièce de 16 pieds et vous vous retrouvez ainsi avec une chute de 23 pouces à toutes fins utiles irrécupérable.

Afin d'éviter ce genre de gaspillage, repassez minutieusement vos plans pour apporter des modifications à votre design dès maintenant. Par exemple, vous pourriez peut-être prévoir que vos solives soient taillées d'une longueur qui vous permette d'utiliser les chutes pour fabriquer des cales. Un simple ajustement d'un pouce ou deux peut parfois résoudre un problème.

S'attarder sur de tels détails à ce stade-ci du projet peut sembler fastidieux, mais ultimement, une heure

ou deux de réflexion préventive pourrait vous épargner bien des d'efforts et beaucoup d'argent aussi.

Parallèlement, essayez d'être économe dans la manière de gérer la quantité de pièces de platelage requise. Si la portée de votre patio est plus longue qu'une seule pièce de platelage, prévoyez quel sera l'emplacement des joints d'about afin de voir si les chutes ne pourraient pas servir ailleurs sur le patio. Le platelage disposé en diagonale nécessite souvent de petites pièces pour faire les coins, l'endroit parfait pour utiliser les chutes.

Cependant, n'escomptez pas vous servir de la pleine longueur des pièces. Vous aurez parfois à tailler l'extrémité de vos planches d'une longueur d'un pouce environ pour enlever une fente ou en équarrir le bout. Il peut arriver qu'une pièce de grande dimension soit de ½ pouce plus longue que prévue, mais ne comptez pas trop là-dessus. Par contre, si votre plan de patio

requiert des pièces de platelage d'une longueur de 11 pieds et 10 pouces (au lieu de 12 pieds), vous pouvez vous servir de planches de 12 pieds en toute quiétude.

En effectuant tous ces calculs, il est facile de s'y perdre et de se tromper d'un pouce ou plus, aussi voici quelques points importants à souligner pour éviter les erreurs commises le plus souvent :

■ Quand vous calculez la longueur requise pour les planches du platelage, n'oubliez pas d'inclure le surplomb.

■ Pour prévoir la quantité de pièces requises pour un platelage posé en angle, n'oubliez pas de prendre la mesure située du côté le plus long de la pièce.

■ Pour certains designs, les solives extérieures seront plus longues que les solives intérieures de 1 ½ pouce ou de 3 pouces, selon le cas, car les solives extérieures surplombent la solive de rive et la lambourde, alors que les solives intérieures sont aboutées dessus.

LA CHARPENTE

Bien entendu, vous allez construire votre patio à partir du bas en allant vers le haut, mais avant d'entamer le processus du design, vous devez d'abord concevoir votre projet à partir du haut, en allant vers le bas.

Pour dessiner les plans d'un patio typique, commencez par déterminer l'emplacement précis de votre tablier en imaginant la hauteur du petit pas que vous auriez à effectuer si vous descendiez sur le patio en arrivant par la porte de la maison. La hauteur de cette petite dénivellation qui convient le mieux peut être d'un maximum de 6 pouces, mais l'idéal est habituellement de 2 ou 3 pouces de haut.

Soustrayez ensuite de ce nombre l'épaisseur du platelage afin de déterminer à quelle hauteur sur votre mur se retrouveront la partie supérieure de la lambourde et les solives, et marquez cet endroit. Puis d'après la largeur des solives, voyez à quelle hauteur arrivera le dessus de la poutre maîtresse ; tracez à nouveau une ligne. Enfin, localisez à quelle hauteur se situera le dessus des poteaux en soustrayant de cette marque la largeur de la poutre.

Les poteaux et les semelles. La hauteur des poteaux, qui répartissent le poids de la structure aux semelles de béton, pourrait varier si le patio est construit sur un terrain en pente, mais une idée approximative de leur taille vous aidera à planifier le reste de la structure. Si votre patio est construit au ras du sol, vous pouvez laisser tomber l'installation de poteaux et poser la poutre directement sur les semelles. À l'inverse, un patio suspendu au deuxième étage d'une maison pourrait nécessiter des poteaux de dimension 6 x 6.

Le type de bois que vous utilisez aura également une incidence sur vos plans. Par exemple, si vous utilisez un platelage en cèdre de $5/4$ x 6, vous devrez poser vos solives plus près les unes des autres que si vous utilisez du bois de dimension 2 x 6 traité sous pression. Il est habituellement préférable de commencer par choisir le bois en fonction de votre budget et de vos goûts, puis de planifier votre projet en conséquence.

Même s'il existe une grande variété d'essences sur le marché, il y a de fortes chances que ce soit le bois traité qui vous convienne le mieux pour la lambourde, la poutre, les solives et les poteaux du patio, et que le cèdre, le séquoia, le bois traité ou des matériaux composites constituent le meilleur choix pour les planches de façade, le platelage et les balustrades.

DEUX CONFIGURATIONS DE CHARPENTE DE BASE

La plupart des patios ont recours à la structure de charpente classique qui consiste en une solive assemblée à la poutre qui supporte l'ensemble des autres solives. Plus précisément, une large poutre placée sur le plan horizontal (ou plus d'une, si le patio est beaucoup plus large) soutient une extrémité des solives, tandis que l'ex-

trémité de toutes les autres solives s'appuie ou est ancrée à une lambourde boulonnée à la charpente de la maison. Une construction de ce genre donne de bons résultats quand vous avez à construire de grandes plateformes. Si vous prolongez le platelage au-delà de la poutre, vous avez aussi l'option de dissimuler le madrier et les semelles sous le patio.

Les solives attachées aux poteaux. Une autre installation consiste à remplacer la poutre par une solive de rive composée d'une épaisseur de deux ou trois solives. Les solives sont ensuite fixées aux poteaux avec des tire-fonds ou des boulons. Cette technique fonctionne mieux lorsque la portée entre les solives est plus petite.

Cette configuration offre trois avantages. Premièrement, elle est plus simple et vous vous évitez l'installation d'une poutre massive. Deuxièmement, si vous le souhaitez, vos poteaux peuvent dépasser la hauteur du tablier et se rattacher au système de balustrades. Troisièmement, à cause de l'absence de poutre, cette méthode vous permet de construire des patios encore plus près du sol.

En contrepartie, les semelles de béton seront apparentes. Ce design ne vous laisse pas une grande marge d'erreur : pour qu'il fonctionne, les poteaux doivent être bien alignés avec exactitude. Cette installation donne de meilleurs résultats quand vous devez construire un patio près du sol ou quand la structure est passablement étroite.

À GAUCHE La charpente d'un patio est semblable à celle des balcons. Elle est habituellement constituée de solives soutenues par des poutres et d'une lambourde attachée à la maison.

CI-DESSUS Si votre patio est facilement accessible à partir de l'intérieur de la maison, il sera d'autant plus accueillant.

CI-DESSOUS Les arbres qui sont déjà sur les lieux peuvent projeter de l'ombre sur certaines parties de votre nouveau patio.

TRUCS ET ASTUCES

DISPONIBILITÉ DES MATÉRIAUX

Certains fabricants de platelage préfabriqué vendent leurs produits à l'échelle nationale, mais plusieurs entreprises n'ont qu'une distribution régionale. Avant d'arrêter votre choix sur un type de produit, assurez-vous de sa disponibilité dans votre région.

POTEAUX ET SEMELLES

Si vous prévoyez que le tablier de votre patio se trouvera tout au plus à une hauteur de 6 pieds du sol, vous pouvez l'ériger avec des poteaux de dimension 4 x 4. Si la structure s'élève à une hauteur supérieure à 8 pieds, elle nécessitera des poteaux de dimension 6 x 6, souvent inesthétiques et beaucoup plus difficiles à manier. Enfin, tous les patios dont la hauteur se situe entre 6 et 8 pieds se trouvent dans une zone grise. Vérifiez auprès des inspecteurs du code du bâtiment de votre localité.

La disposition la plus courante pour installer un poteau et une semelle consiste à fixer le poteau sur le dessus de la semelle avec une plaque d'ancrage. Les poteaux sont parfois placés directement dans un trou que l'on remplit ensuite de béton afin de leur donner une plus grande résistance latérale. Mais un poteau coulé dans le béton risque davantage de pourrir avec le temps, aussi est-il préférable d'avoir recours à ce genre de semelle uniquement pour les poteaux qui ne subissent pas beaucoup de résistance latérale, comme les poteaux d'escalier.

LES OPTIONS DU BRICOLEUR

FIXATIONS POUR POTEAU ET SEMELLE

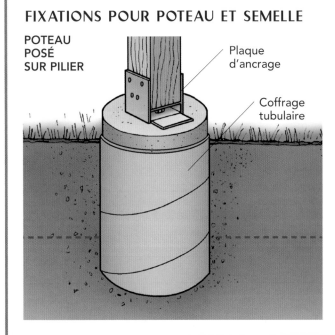

POTEAU POSÉ SUR PILIER

Plaque d'ancrage

Coffrage tubulaire

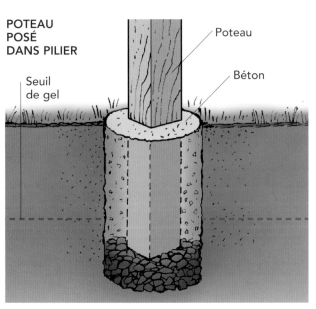

POTEAU POSÉ DANS PILIER

Poteau

Béton

Seuil de gel

Vous aurez sans doute à creuser et à couler des semelles en béton pour chaque poteau. Vos plans devraient contenir des notes au sujet de la profondeur des trous, du type de coffrage tubulaire et du système d'ancrage.

LES POUTRES

Une poutre fabriquée à partir d'un seul madrier de quatre pouces d'épaisseur (4 x 8, 4 x 10, etc.) peut vous permettre d'épargner beaucoup de temps, car vous n'aurez pas à vous en construire une. Malheureusement, les pièces de bois de dimension 4 x 6 et plus sont très lourdes, difficiles à trouver et leur surface présente souvent des fentes de séchage.

Malgré ces réserves, vous voudrez peut-être quand même vous servir d'une poutre à âme pleine, mais il est habituellement plus simple de se construire une poutre composée de pièces de deux pouces d'épaisseur. Par exemple, vous pourriez placer des bandes de contreplaqué traité sous pression de ½ pouce d'épaisseur entre deux planches d'une épaisseur de deux pouces et ainsi obtenir un total de 3 ½ pouces d'épaisseur – la même qu'une pièce de dimension 4 x 4. Cette poutre sera compatible avec toute la quincaillerie de charpente conçue pour les madriers 4 x 4.

Vous pouvez aussi boulonner deux pièces de bois de deux pouces d'épaisseur sur le côté des poteaux, en attachant soit une pièce de part et d'autre du poteau, ou les deux du même côté.

CONTREVENTER LES PATIOS SURÉLEVÉS

Si votre patio se trouve à une hauteur d'au moins 6 pieds au-dessus du sol, vous aurez sans doute besoin d'un contreventement quelconque pour consolider la structure. Renseignez vous auprès du service d'inspection des bâtiments de votre localité afin de connaître ses recommandations. Vous pouvez toujours contreventer la structure après la construction de votre patio si jamais vous sentez qu'elle manque de solidité. Un contreventement n'est pas nécessairement inesthétique. En fait, lorsque les pièces de contreventement en bois sont placées de manière symétrique, elles ajoutent un intérêt visuel à une structure qui autrement, n'aurait que l'allure d'une simple forme carrée.

L'ENTRETOISEMENT DES SOLIVES

Dans certains cas, vous voudrez entretoiser vos solives avec des cales – surtout si vos solives ont une portée supérieure à 10 pieds. Les cales sont habituellement des pièces de bois à âme pleine de la même dimension que les solives. Elles sont placées perpendiculairement entre les solives pour prévenir le gauchissement et maintenir l'espacement entre les solives. Quand elles sont fixées solidement à peu près au milieu de la portée des solives, les cales consolident l'infrastructure du patio.

Le contreventement en X donne aussi de bons résultats. Il peut être réalisé avec des pièces de 2 x 2 cou-

CI-CONTRE Ce patio qui donne sur une plage agi comme une transition entre les dunes et la maison. Remarquez l'utilisation d'un contreventement en X pour consolider la structure.

CI-DESSUS Le tablier de ce patio surélevé crée des aires d'abri au niveau du sol. Les portes-fenêtres coulissantes indiquent peut-être que ces espaces sont souvent utilisés.

pées en onglet ou avec des entretoises métalliques préfabriquées compatibles à une bonne variété de dimensions de solives.

LA CONFIGURATION DE LA CHARPENTE

Le fait d'établir clairement un seul aspect de votre patio déterminera parfois automatiquement une bonne partie des autres choix qu'il reste à faire au niveau du design. Si vous utilisez du platelage de 2 x 6 par exemple, vous pouvez espacer vos solives de 24 pouces (on peut dire aussi 24 pouces de centre à centre). Mais si vous utilisez des pièces de platelage plus étroites, de dimension ⁵⁄₄ x 6, les solives de soutien devraient être plus rapprochées entre elles, avec un écart de seulement 16 pouces entre les solives.

La grosseur de la poutre maîtresse ainsi que l'emplacement des poteaux et des semelles aura une incidence sur la longueur et la dimension des solives et sur la portée maximale des solives. La solidité du bois varie selon la qualité et le type de bois.

Au fur et à mesure que vous serez plongé dans votre projet, vous constaterez que la construction de votre patio est plus simple encore que vous ne le pensiez. Quand vous aurez choisi les matériaux, référez-vous à un tableau des limites de portée recommandées pour les solives, afin de déterminer la dimension et la longueur des poutres et des solives ainsi que l'emplacement des semelles et des poteaux. Vous trouverez un tableau des portées de solives recommandées au chapitre 9.

LES OPTIONS DU BRICOLEUR

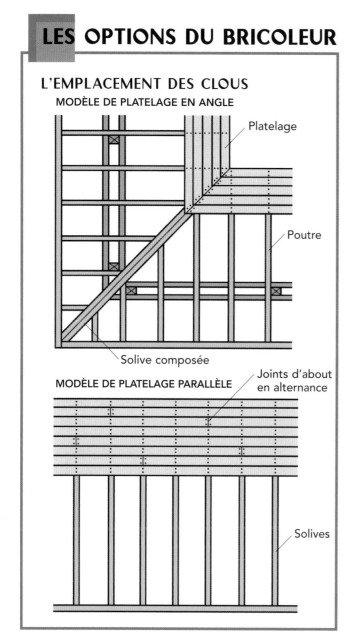

L'EMPLACEMENT DES CLOUS

MODÈLE DE PLATELAGE EN ANGLE

Platelage

Poutre

Solive composée

MODÈLE DE PLATELAGE PARALLÈLE

Joints d'about en alternance

Solives

LE PLATELAGE

La première fois qu'un invité se retrouvera sur votre patio, il portera sans doute une attention particulière à l'une des deux choses suivantes : le point de vue ou le platelage, ou plus précisément, le modèle de tablier et le choix du matériau. Vous ne pouvez pas faire grand-chose pour modifier le point de vue mais par contre, vous pouvez prévoir l'installation d'un design de plate-lage attrayant.

N'hésitez pas à choisir un modèle complexe comme une pose à bâtons rompus (Herringbone) ou en par-quet. En fait, la pose du platelage est l'une des étapes les plus simples de la construction d'un patio. Avec un peu de patience, vous pouvez arriver à construire un modèle de tablier à la fois original et attrayant.

N'oubliez pas, cependant, que la pose d'un modèle de platelage non conventionnel gaspille habituellement plus de bois, augmentant du même coup les frais de matériaux. Les coupes supplémentaires et les nom-breux ajustements prennent aussi plus de temps. La pose d'un platelage en diagonale vous prendra à peu près deux fois plus de temps que l'installation d'un tablier où les planches croisent perpendiculairement les solives.

Alterner la largeur des planches. En faisant sim-plement alterner des planches de platelage de largeurs différentes, vous pouvez ajouter une valeur esthétique à votre platelage sans pour autant augmenter vos dépenses de matériaux ou vous donner beaucoup plus de travail supplémentaire. Vous pourriez, par exemple, faire se succéder des planches de platelage de 2 x 6 avec d'autres de 2 x 4.

Peu importe le modèle de platelage que vous choi-sirez, au moment de dessiner vos plans, assurez-vous d'inclure des notes au sujet de la dimension, du modèle et de l'espacement à laisser entre les planches.

Design d'escalier

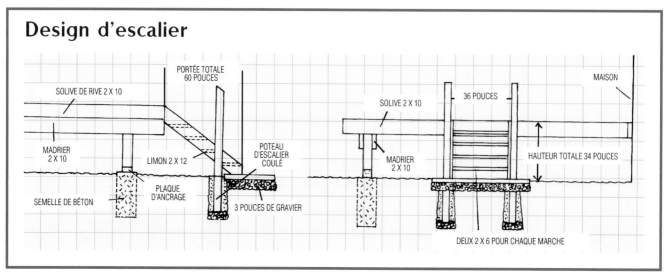

SOLIVE DE RIVE 2 X 10

PORTÉE TOTALE 60 POUCES

MADRIER 2 X 10

LIMON 2 X 12

POTEAU D'ESCALIER COULÉ

SEMELLE DE BÉTON

PLAQUE D'ANCRAGE

3 POUCES DE GRAVIER

SOLIVE 2 X 10

36 POUCES

MAISON

MADRIER 2 X 10

HAUTEUR TOTALE 34 POUCES

DEUX 2 X 6 POUR CHAQUE MARCHE

La pose d'un modèle de platelage aux formes géométriques implique parfois l'installation de solives supplémentaires. Prenez le temps de bien réfléchir au design de votre patio et assurez-vous que l'extrémité de chaque planche de platelage soit solidement soutenue. Des joints d'abouts fixés à une solive simple devraient normalement suffire à soutenir l'ensemble du platelage, mais si les planches de votre tablier changent de direction et que des planches coupées en onglets forment un angle, vous devez prévoir une solive doublée.

LES ESCALIERS

L'installation d'un escalier exige des calculs assez compliqués. Vous devez vous assurer que toutes les marches auront la même hauteur afin que l'escalier se termine là où vous le voulez.

Vous n'avez probablement pas à dessiner un plan détaillé des escaliers, mais pour vos propres besoins, vous voudrez d'abord savoir quelle longueur de bois de dimension 2 x 12 vous devez acheter pour les limons, le nombre de girons requis, en plus de déterminer à peu près à quel endroit sera posée l'assise en béton, en maçonnerie ou en gravier au pied de l'escalier.

Si vous trouvez que tout cela est trop compliqué à concevoir à ce stade-ci, vous voudrez peut-être attendre que la construction de votre patio soit terminée ; vous penserez ensuite à vos escaliers à partir du moment où vous êtes au moins certain qu'ils n'aboutiront pas là où vous ne le voulez pas.

BALUSTRADES ET BANQUETTES

Il existe des douzaines de façons différentes de construire des balustrades sécuritaires et attrayantes, et un nombre encore plus grand de variantes si vous considérez aussi les innombrables options de finition. Vous pouvez placer des planches sur le plan horizontal entre les poteaux, ou encore des balustres sur le plan vertical, du treillis en diagonale, et bien d'autres modèles encore. Par contre, les balustrades de type espalier et faciles à grimper sont habituellement proscrites par le code du bâtiment. Vous devez vous assurer de respecter les codes de votre localité, qui sont beaucoup plus stricts qu'auparavant. En gros, l'espacement entre les poteaux et les balustres ne doit pas dépasser 4 pouces, et, la balustrade, en mesurant à partir du tablier, doit avoir une hauteur minimale de 36 pouces. Assurez vous de vérifier auprès du votre service d'inspection des bâtiments quelles sont les normes précises de votre localité.

Une méthode d'installation consiste à fixer les poteaux des balustrades aux solives extérieures. Cette façon de faire est la plus simple car vous pouvez monter les balustrades après la pose du platelage. Une autre technique serait d'installer des poteaux qui se prolongent au-delà de la hauteur du tablier jusqu'aux balustrades. Ainsi, vos balustrades seront grandement

consolidées, mais pour ce faire, vous aurez besoin de pièces de bois bien droites et de faire aussi quelques rainures pour accommoder le passage du poteau. Une autre approche, consiste à incorporer des banquettes encastrées à vos balustrades. Mais vous devez habituellement commencer une partie de ce travail avant que le platelage du pourtour soit posé. Pour attacher le support des banquettes aux solives, par exemple.

Les touches finales. Afin que vos banquettes s'intègrent bien à l'ensemble de la structure, pensez aux détails de finition en prenant soin, par exemple, d'encastrer des boulons de carrosserie à tête ronde dans le bois au lieu de boulons pour métaux. Vous voudrez aussi consacrer plus de temps à la finition et au sablage : à titre d'exemple, fabriquer des contours lisses et arrondis pour vos banquettes au lieu de laisser un rebord droit qui pourrait vous accrocher de manière peu commode sous les genoux.

Votre plan d'élévation devrait détailler de quelle manière vous comptez attacher les poteaux de balustrades, la lisse de support, la lisse basse et les balustres. Faites un dessin détaillé de toutes les banquettes encastrées.

CI-DESSOUS La plupart des gens préfèrent des girons plus profonds pour les marches qui mènent au patio. Vérifiez auprès du service d'inspection des bâtiments de votre localité pour connaître les normes spécifiques.

LES PLANS FINAUX

Une fois que toutes les décisions ont été prises concernant l'emplacement, l'infrastructure, le platelage, les escaliers et les balustrades, vous êtes prêt à finaliser vos plans. Les plans finaux devraient être lisibles : ne vous fiez pas à des feuilles gribouillées ou souvent effacées. Prenez le temps qu'il faut pour mettre vos plans au propre. Ils seront plus faciles à consulter lors de la construction.

La série de plans de patios que vous trouverez à la fin de ce chapitre vous donne un bon aperçu de ce que vous aurez à produire pour obtenir votre permis de construire. Une fois que votre service d'inspection des bâtiments aura consulté ces dessins et le plan de surface, de deux choses l'une : un permis vous sera émis, ou l'on vous demandera des changements.

PLANS D'IMPLANTATION

Les plans d'implantation montrent la charpente du patio vue en plan. Pour ces plans, il est normal d'exclure les balustrades et le platelage. Par contre, assurez-vous d'inclure :

■ Un plan aux dimensions précises du pourtour de la structure.

■ L'ensemble des solives, des poutres, des semelles et des poteaux.

■ La dimension de toutes les pièces de bois.

■ La longueur de la portée des solives et des poutres.

■ Un aperçu de la dimension et de l'orientation du platelage. (Habituellement, il n'est pas nécessaire d'en faire un dessin.)

■ Le matériel de quincaillerie, tels les étriers à solives, les supports d'angle et les boulons.

■ L'emplacement précis des portes et des fenêtres.

■ Toutes les installations électriques et de plomberie ; tout le câblage et la tuyauterie.

PLANS D'ÉLÉVATION

Un plan d'élévation montre une coupe transversale du patio. Dessinez au moins un plan d'élévation, en prenant soin d'inclure les éléments suivants :

■ Un dessin détaillé des balustrades, y compris toutes les mensurations relatives aux codes du bâtiment de votre localité.

■ Une vue en coupe des semelles de béton, avec les mesures qui indiquent leur largeur et leur profondeur.

■ Une liste du matériel de quincaillerie requis qui comprend la dimension des plaques d'ancrage, des tasseaux et des boulons.

■ La hauteur du poteau le plus grand.

■ Un aperçu du degré de dénivellation du terrain.

PLANS DÉTAILLÉS

Dessinez des plans détaillés pour montrer le point de vue rapproché des aspects les plus compliqués de la structure de votre patio. Vous aurez parfois à tracer ce genre de plan pour satisfaire les exigences du service d'inspection des bâtiments. À d'autres moments, ce type de plan pourrait aussi vous servi pour résoudre une difficulté technique quelconque. Dessinez des plans détaillés pour vous aider à mieux planifier la construction des éléments suivants :

■ Le lieu d'intersection des balustrades d'escaliers avec le reste des balustrades du patio.

■ Les trappes d'accès pour la boîte électrique, le câblage et le service de tuyauterie.

■ L'espace aménagé dans le tablier pour les arbres ou le pourtour du bain à remous.

■ Le passage d'un niveau à un autre.

■ Tous les endroits du patio dotés d'une structure de charpente particulière, comme les solives supplémentaires placées sous la section du patio qui soutiendra le bain à remous.

■ L'installation du solin au-dessus de la lambourde.

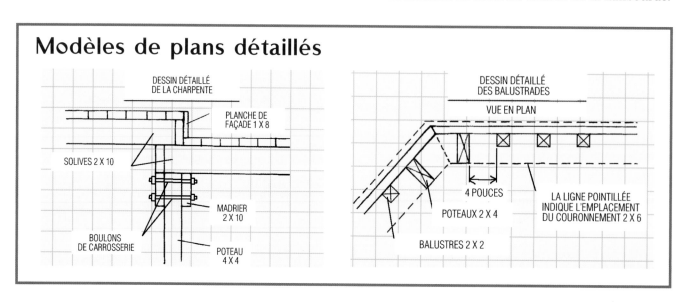

Modèles de plans détaillés

DESSIN DÉTAILLÉ DE LA CHARPENTE

PLANCHE DE FAÇADE 1 X 8

SOLIVES 2 X 10

MADRIER 2 X 10

BOULONS DE CARROSSERIE

POTEAU 4 X 4

DESSIN DÉTAILLÉ DES BALUSTRADES

VUE EN PLAN

4 POUCES

POTEAUX 2 X 4

LA LIGNE POINTILLÉE INDIQUE L'EMPLACEMENT DU COURONNEMENT 2 X 6

BALUSTRES 2 X 2

Modèle de plan d'implantation

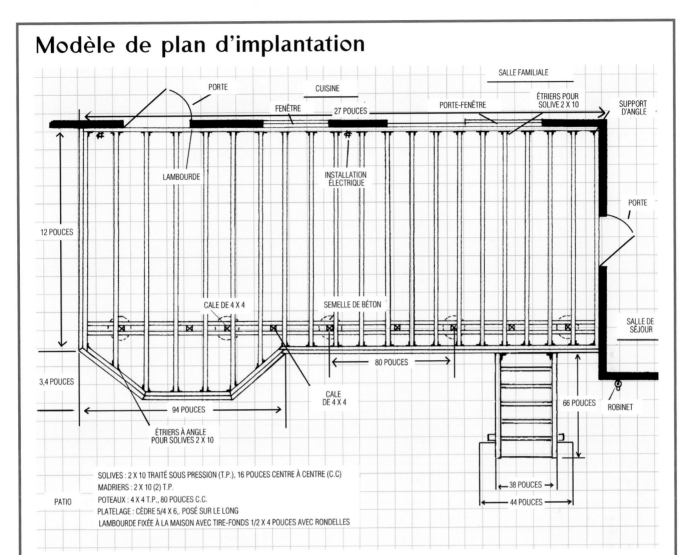

PORTE

SALLE FAMILIALE

CUISINE

FENÊTRE   27 POUCES   PORTE-FENÊTRE   ÉTRIERS POUR SOLIVE 2 X 10   SUPPORT D'ANGLE

LAMBOURDE

INSTALLATION ÉLECTRIQUE

PORTE

12 POUCES

3,4 POUCES

CALE DE 4 X 4   SEMELLE DE BÉTON

SALLE DE SÉJOUR

80 POUCES

CALE DE 4 X 4

94 POUCES

66 POUCES   ROBINET

ÉTRIERS À ANGLE POUR SOLIVES 2 X 10

38 POUCES

44 POUCES

SOLIVES : 2 X 10 TRAITÉ SOUS PRESSION (T.P.), 16 POUCES CENTRE À CENTRE (C.C)
MADRIERS : 2 X 10 (2) T.P.

PATIO   POTEAUX : 4 X 4 T.P., 80 POUCES C.C.
PLATELAGE : CÈDRE 5/4 X 6,. POSÉ SUR LE LONG
LAMBOURDE FIXÉE À LA MAISON AVEC TIRE-FONDS 1/2 X 4 POUCES AVEC RONDELLES

Modèle de plan d'élévation

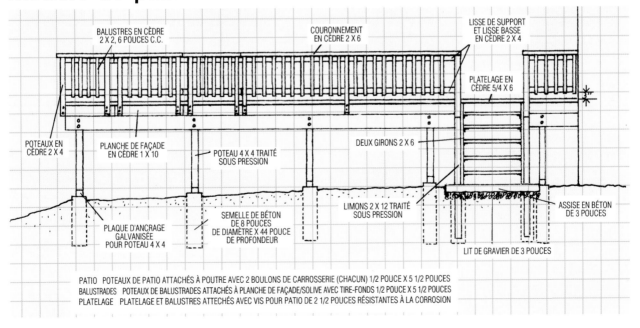

BALUSTRES EN CÈDRE 2 X 2, 6 POUCES C.C.   COURONNEMENT EN CÈDRE 2 X 6   LISSE DE SUPPORT ET LISSE BASSE EN CÈDRE 2 X 4

PLATELAGE EN CÈDRE 5/4 X 6

POTEAUX EN CÈDRE 2 X 4   PLANCHE DE FAÇADE EN CÈDRE 1 X 10   POTEAU 4 X 4 TRAITÉ SOUS PRESSION   DEUX GIRONS 2 X 6

LIMONS 2 X 12 TRAITÉ SOUS PRESSION   ASSISE EN BÉTON DE 3 POUCES

PLAQUE D'ANCRAGE GALVANISÉE POUR POTEAU 4 X 4   SEMELLE DE BÉTON DE 8 POUCES DE DIAMÈTRE X 44 POUCE DE PROFONDEUR

LIT DE GRAVIER DE 3 POUCES

PATIO   POTEAUX DE PATIO ATTACHÉS À POUTRE AVEC 2 BOULONS DE CARROSSERIE (CHACUN) 1/2 POUCE X 5 1/2 POUCES
BALUSTRADES   POTEAUX DE BALUSTRADES ATTACHÉS À PLANCHE DE FAÇADE/SOLIVE AVEC TIRE-FONDS 1/2 POUCE X 5 1/2 POUCES
PLATELAGE   PLATELAGE ET BALUSTRES ATTACHÉS AVEC VIS POUR PATIO DE 2 1/2 POUCES RÉSISTANTES À LA CORROSION

DESIGN ET PLANIFICATION

PLANIFIER LES TRAVAUX

Peu importe si vous construisez un patio vous-même ou avec l'aide de professionnels. Si vous commencez par une bonne planification, les travaux se dérouleront mieux. Bien entendu vous aurez besoin de dessins techniques, mais il est bon de prévoir aussi les livraisons, l'entreposage des matériaux, l'accès au chantier et d'autres détails que plusieurs bricoleurs négligent, tel trouver un endroit pour disposer de la terre que vous avez retirée en creusant les fondations.

LA PLANIFICATION

La construction d'un patio est sans aucun doute le projet de construction résidentiel le plus simple à réaliser, ce qui en fait une entreprise que plusieurs propriétaires de maison peuvent accomplir. Même si vous retenez les services d'un architecte et d'un entrepreneur général pour effectuer le travail à votre place, il est toujours avantageux de planifier une partie du projet vous-même.

Présumons, à ce stade-ci, que vous avez au moins développé un plan de base sur papier. Bien entendu, vous pouvez encore y apporter des modifications. (Il est toujours préférable d'effectuer des changements sur papier que d'arracher des solives.) Mais peu importe le plan que vous choisirez ou l'emplacement souhaité pour votre nouveau patio (habituellement à l'arrière ou à côté de la maison), il est toujours prudent de prendre le temps de bien planifier l'ensemble des travaux.

Déterminer le tracé de votre patio. Rendez-vous d'abord sur l'emplacement pour relever les mesures du patio à l'échelle grandeur exécution. Ensuite, plantez quelques piquets pour déterminer l'espace qu'occupera votre patio et pour évaluer la perte de superficie de votre cour. Si votre patio devait ultimement empiéter sur un groupement de buissons ou sur un arbre splendide qui donne de l'ombre, la meilleure solution consisterait sans doute à en arriver à un compromis qui soit pratique.

Pour obtenir une idée réaliste des dimensions, délimitez le contour de votre patio avec un boyau d'arrosage ou un long fil de rallonge. Puis disposez une table et des chaises (ou des gabarits en papier) à l'intérieur du périmètre pour avoir une idée plus juste de l'occupation de l'espace. Grimpez ensuite de quelques marches en haut d'un escabeau afin d'observer de quelle manière le point de vue change selon la hauteur. La hauteur offre souvent plusieurs compromis possibles – entre l'ombre et la lumière, entre différents types de brise ou divers points de vue, ou entre l'augmentation ou la diminution de l'intimité.

DÉTERMINER LA HAUTEUR D'UN PATIO

Pour vous rendre à votre patio à partir de votre maison, il se peut que vous descendiez quelques marches, voire plusieurs. En fait, la plupart des patios sont davantage efficaces lorsqu'ils agissent comme un prolongement extérieur de l'espace intérieur, ce qui revient à dire que le tablier du patio devrait se situer juste en deçà de la hauteur du plancher intérieur.

Dans la plupart des cas, une dénivellation de seulement un pouce ou deux donne de bons résultats. Premièrement, cet espace vous accorde juste assez de jeu pour insérer les planches de platelage sous les seuils de porte avec coupe bise. Deuxièmement, et de manière plus appréciable, cette distance vous permet de rattacher directement la structure du patio à la charpente de la maison. Si la surface du tablier se situe à un pied ou plus au-dessous du niveau du plancher de la maison, vous aurez sans doute à fixer le patio aux fondations, car il est fort probable que le plancher du patio se trouvera alors en deçà de la charpente. Vous pourrez toujours attacher le patio à la maison de la sorte, mais sachez qu'il sera plus difficile de faire ainsi (et pour les bricoleurs, plus risqué) que de le rattacher à la charpente de bois. Voilà précisément le genre de détail qui pourrait vous échapper si vous concevez votre patio sur papier seulement. Par contre, si vous transposez vos mesures sur l'emplacement même et que vous écartez légèrement une partie du parement, vous verrez tout de suite quels sont les points de jonction les plus pratiques et les plus sécuritaires entre le patio et la maison.

Les terrains en pente. Si vous avez un terrain en pente, un patio dont le tablier se situe au même niveau que le plancher de la maison peut sembler attrayant et facilement accessible, mais en réalité, sa hauteur pourrait tout aussi bien surplomber la cour à un point tel qu'une vaste zone d'ombre serait créée sous l'infrastructure. Si cette situation s'appliquait, vous pourriez envisager de construire la partie

INSTALLER LES POTEAUX

Ne coupez pas vos poteaux à la hauteur désirée tant qu'ils ne seront pas fixés aux semelles de béton. Avant d'attacher les supports pour la poutre maîtresse ou les poutres, tracez une ligne près de l'extrémité des poteaux à l'aide d'un cordeau afin de faire la mise à niveau.

CI-CONTRE Les balustrades de ce patio sont composées d'un mélange inusité de métal et de bois.

À DROITE Faites en sorte que le tablier de votre patio ne se retrouve qu'à un petit pas vers le bas à partir du seuil de la porte extérieure.

principale du patio au même niveau que le plancher intérieur, puis de diviser les escaliers en différentes sections, chacune ayant son propre palier. Si vous répartissez les escaliers sur plusieurs niveaux, la plateforme principale du patio sera mieux intégrée à l'emplacement.

Lorsque que vous avez établi quelle serait la plateforme principale, vous devez planifier le reste de la structure à partir de la surface jusqu'aux fondations, en tenant compte du platelage, des solives, des poutres et des fondations.

INSTALLER LES SUPPORTS

Pour la plupart des emplacements, que ce soit sur un terrain dénivelé ou relativement plat, l'approche qui offre le plus de souplesse consiste à combiner les semelles de béton avec les poteaux de bois. Vous pouvez creuser quelques trous (sans faire appel à un entrepreneur avec une pelle mécanique), mélanger le béton dans une brouette, un sac à la fois puis le couler dans des coffrages tubulaires préfabriqués en panneau de fibres. Avant que le mélange durcisse, insérez les fixations pour les poteaux dans les semelles et vous êtes prêt à installer les poteaux.

CHOISIR UN ENDROIT POUR ENTREPOSER

Pour entreposer vos matériaux, peu importe le type de bois sélectionné, choisissez un endroit qui sera à la fois à proximité du chantier de construction et facilement accessible à partir de la rue. Lorsque de grosses quantités de bois sont livrées par camion, la plupart des fournisseurs les attachent en un seul ballot qu'ils déchargeront tout simplement sur la bordure de votre terrain.

Bien entendu, vous devriez être présent lors de la livraison du bois et ensuite l'empiler sur des supports (quelques pièces de dimension 4 x 4 en bois traité feront bien l'affaire) afin qu'il n'absorbe pas l'eau du sol.

Une fois votre commande livrée, vous constaterez peut-être qu'une partie du bois n'est pas exactement sèche. (Une belle façon d'affirmer que la qualité du bois s'est détériorée.) Si tel est le cas, remaniez la pile afin d'insérer des sections de treillis entre les rangées de bois. L'air pourra ainsi circuler librement autour des planches. Même seulement au bout de quelques jours de séchage à l'air libre, le bois sera déjà plus facile à manipuler.

Peut-être vous sentez-vous capable d'entreprendre un projet de construction de patio qui soit compliqué. Mais dans certains cas, pour un bricoleur typique, il est certainement avantageux d'avoir recours à l'aide d'un professionnel.

Sans les bons outils ou les compétences de base, la construction d'un patio d'une hauteur de 10 pieds ou plus, par exemple, peut devenir risquée. Il en est de même pour un patio supporté par des étriers de solives à angle attachés à la maison (au lieu de poteaux posés dans le sol), qui exige une technique précise.

Un patio monté sur un sol marécageux ou instable nécessitera sans doute le genre de fondations ou de mise en œuvre des pieux difficiles à réaliser pour un bricoleur. Dans le même ordre d'idée, un patio érigé sur un emplacement onduleux peut aussi représenter une embûche de taille. Si votre cour est fortement dénivelée, prenez le temps de réfléchir à la somme de travail impliquée : serez-vous capable d'installer et de supporter chaque poteau et de monter par surcroît une poutre massive au-dessus d'eux ? La construction d'un patio dont la structure devra soutenir de lourdes charges tels un spa ou un bain à remous nécessite un apport professionnel, à tout le moins dans la phase initiale du projet. Un bain de grande dimension n'est pas

QUI FERA LE TRAVAIL ?

La construction d'un patio vous paraît peut-être un projet ambitieux, mais tout propriétaire de maison un tant soit peu compétent peut facilement s'en acquitter. En fait, il s'agit sans doute du projet de bricolage à grande échelle le plus populaire qui soit.

Si vous êtes le moindrement habile avec des outils, que vous avez déjà mené d'autres projets de menuiserie à terme avec succès, que vous pouvez compter sur une ou deux personnes et que vous avez le temps et la patience d'entreprendre un projet d'une telle envergure, vous pouvez réussir à vous construire un patio sur n'importe lequel emplacement relativement plat.

Mais avant de commencer, soyez honnête envers vous-même : avez-vous tendance à compléter tous les travaux que vous entreprenez, ou votre maison est-elle jonchée de projets à moitié entamés ? Êtes-vous en mesure d'accorder beaucoup de temps à la construction d'un patio, ou sentez-vous déjà que vous manquez de temps pour d'autres projets ? Si vous avez le moindre doute, vous devriez envisager l'embauche d'un professionnel pour effectuer au moins une partie des travaux.

CI-CONTRE
Si vous ajoutez
une piscine ou un
spa à votre patio,
assurez-vous que
la structure puisse
en supporter
le poids.

CI-DESSOUS
Des marches plus
larges ajoutent une
touche élégante
au concept
de ce patio.

À DROITE
Pour un bricoleur,
les patios cons-
truits au ras du
sol ou près du sol
sont les projets
les plus faciles
à entreprendre.

lourd en soi, mais une fois rempli d'eau et occupé par une personne ou deux, il pourrait affaiblir une structure composée de bois de construction standard.

ÉCONOMISER EN RÉPARTISSANT LES TÂCHES

Si vous n'envisagez pas de réaliser la totalité des travaux par vous-même, vous trouverez peut-être un entrepreneur prêt à partager une partie des tâches avec vous et à vous faire un bon prix. Vous pourriez vous charger de la besogne un peu plus ingrate, telle creuser les trous pour les semelles et nettoyer le site une fois que l'entrepreneur aura terminé la construction du patio. Mais si vous mettez sur pied une telle entente, soyez vigilant. Des malentendus peuvent aisément survenir, et plus souvent qu'autrement, l'en-

trepreneur et le client finissent tous deux par être convaincus qu'ils abattent plus de travail qu'il avait été prévu au départ. Assurez-vous de définir clairement vos tâches respectives et d'être toujours disponible pour réaliser votre part des travaux au moment où l'entrepreneur a besoin de vous.

Si vous décidez d'entreprendre le projet de construction par vous-même, vous aurez encore besoin malgré tout d'au moins un aide. Travailler seul peut s'avérer très pénible et une grande perte de temps. Idéalement, votre aide sera quelqu'un qui possède des connaissances de base en menuiserie, mais vous pouvez aussi vous en tirer à bon compte avec une personne qui est là simplement pour vous aider à transporter les choses ou tenir un morceau de bois pendant que vous faites une coupe ou que vous clouez.

LES CONTRECOUPS DE NE PAS AVOIR DE PERMIS

Pour éviter que l'évaluateur municipal n'augmente leurs impôts fonciers, certains propriétaires se font construire un patio sans faire de demande de permis. C'est une bien mauvaise idée pour plusieurs raisons, dont les suivantes :

■ **C'est illégal.** Les rénovations ou les ajouts impliquant des semelles en béton, des poutres et des solives nécessitent un permis de construire en tout temps.

■ **Cela vous soustrait à certaines protections légales.** Sans l'apport professionnel d'un inspecteur des bâtiments pour vérifier les plans et le déroulement du chantier de construction, un entrepreneur de mauvaise réputation pourrait aller au plus simple et faire certaines choses à moitié.

■ **Vous pourriez être soumis à une amende.** Si un voisin mécontent vous dénonçait, vous pourriez être soumis à une amende et devoir payer de surcroît, toutes les dépenses encourues pour reconstruire votre patio selon les normes du code du bâtiment.

■ **Cela nuit à la revente de votre maison.** Même si vous arrivez à déjouer le système une première fois, au moment où vous voudrez vendre votre maison, un projet de patio non conforme aux normes pourrait compliquer les négociations avec un acheteur potentiel.

EMBAUCHER UN ENTREPRENEUR

Si vous décidez de retenir les services d'un entrepreneur pour construire votre patio, il est toujours judicieux de prendre bien votre temps avant d'arrêter votre choix. Assurez-vous de séparer le bon grain de l'ivraie et d'embaucher un professionnel digne de confiance. Renseignez-vous d'abord auprès de vos amis et de vos voisins. Ils n'hésiteront pas à se prononcer au sujet des entrepreneurs qu'ils ont engagés. Si vous le pouvez, rendez-vous sur place faire l'inspection du travail de l'entrepreneur. Puis demandez à ses clients si le produit fini était à la hauteur de leurs attentes, si les travaux ont été complétés dans les délais prévus et si l'entrepreneur répondait avec diligence à toutes leurs doléances. Si vous ne parvenez pas à vous dénicher un entrepreneur par l'entremise du bouche-à-oreille, allez voir du côté des associations professionnelles de votre localité. Vous pourriez aussi vérifier auprès d'une société de prêt hypothécaire, d'un agent d'assurance habitation et auprès d'autres personnes qui côtoient des entrepreneurs de façon régulière dans le cadre de leurs activités professionnelles. Recueillez plusieurs références, puis vérifiez la réputation professionnelle des derniers candidats auprès de l'organisme voué à la protection du consommateur dans votre localité. L'en-

trepreneur devrait également détenir une assurance de la responsabilité civile, une assurance pour les dommages matériels et une assurance contre les accidents du travail.

Le processus de soumission. Avant d'embaucher un entrepreneur, si cela est possible, obtenez des soumissions de deux ou trois d'entre eux. N'arrêtez pas votre choix uniquement en fonction du meilleur prix. Comparez les devis point par point pour voir, par exemple, si tel entrepreneur vous offre tel service ou si un autre a recours à tel type de matériau que tel autre aurait omis. Assurez-vous que l'entrepreneur comprenne bien ce que vous attendez de lui. Si vous n'avez pas la certitude que les aspects légaux de votre contrat vous protègent de façon adéquate, il serait judicieux d'aller consulter un avocat afin qu'il parcoure le document. Le contrat devrait spécifier la nature exacte des travaux à effectuer et inclure en appendice tous les dessins et les plans d'élévation. Tous les matériaux qui seront utilisés devraient être clairement identifiés, y compris les différentes qualités de bois et l'ensemble des éléments de quincaillerie. Il existe plusieurs clauses standard qui vous offrent une protection légale. Pour en savoir plus long, renseignez-vous auprès de l'organisme voué à la protection du consommateur dans

À GAUCHE

En plus d'être pratiques, les banquettes installées sur les patios construits près du sol agissent aussi comme une barrière ou une balustrade.

À DROITE

Si vous voulez augmenter le nombre d'heures que vous passerez à l'extérieur, prévoyez l'installation d'un système d'éclairage.

TRUCS ET ASTUCES

L'INSPECTION QUOTIDIENNE DES OUTILS

Avant de ranger vos outils à la fin de la journée, prenez quelques instants pour faire une vérification sommaire. Regardez pour voir si les lames de scie ne sont pas émoussées, si les piles ne doivent pas être rechargées et si certaines pièces ne sont pas endommagées ou égarées. Cette inspection quotidienne vous signalera tous les problèmes qu'il faut résoudre avant de reprendre les travaux le lendemain.

votre localité, ou communiquez avec des associations professionnelles tel l'Ordre des architectes du Québec, qui propose des ententes-types Ordre des Architectes du Québec, 1825 boulevard René-Lévesque Ouest, Montréal H3H 1R4 Tél. 514 937-6168 (info@oaq.com) (pour les travaux de rénovations et la construction d'habitations) qui respectent les normes de l'industrie et qui sont rédigées dans un langage clair et accessible.

AMÉNAGER LE CHANTIER

Si vous aménagez votre chantier avec soin, le projet avancera plus vite, vous risquerez moins de vous échiner à la tâche, et tous, autant les ouvriers que les curieux qui voudront s'approcher pour mieux voir, se sentiront davantage en sécurité.

Voici quelques conseils qui peuvent vous aider :
- Utilisez vos outils électriques avec précaution et toujours en suivant les consignes du fabricant.
- Regroupez vos outils électriques et vos fils de rallonge en un seul endroit pour savoir en tout temps où ils se trouvent et aussi éviter de vous prendre les pieds dans les fils de rallonge.
- Munissez-vous d'un fil de rallonge pour chaque outil, de manière à ne pas interrompre constamment votre travail pour débrancher un outil et en rebrancher un autre.
- Tâchez d'effectuer la plupart de vos coupes debout, dans une position confortable, en vous servant d'un établi ou d'un ensemble de chevalets.
- Pour sauver du temps, entreposez votre bois près du poste de coupe.
- Empilez soigneusement votre bois et dégagez tous les passages qui mènent aux différentes aires du chantier.

RETRACER VOS OUTILS

Même quand vous travaillez seul, les outils ont souvent la fâcheuse habitude de « se sauver » du chantier de construction. Une bonne façon de faire en sorte qu'il « ne pousse pas des jambes » à vos outils consiste à désigner un endroit où chaque article devrait être retourné dès qu'il ne sert plus. Une vieille couverture ou une feuille de contreplaqué de rebut feront bien l'affaire.

À la fin de la journée, faites-vous un devoir de ranger vous-même vos outils. Puisque c'est vous qui les aurez placés la veille, vous saurez toujours précisément où ils se trouvent le lendemain.

PERMIS ET INSPECTIONS

Même si vous êtes le maître de céans, vous ne pouvez pas tout bonnement vous faire construire le patio de votre choix sans aucune autre formalité. Vous devez d'abord vous procurer un permis de construire. Une fois que tous les papiers sont en règle (et que les frais ont été acquittés), vous devez faire inspecter votre chantier régulièrement afin de vous assurer que les travaux en cours sont conformes aux plans approuvés. Les règlements qui s'appliquent varient d'une région à une autre, mais de manière générale, un permis est requis dès qu'un projet implique des fondations (et les semelles de béton sont considérées comme des fondations) et que des modifications sont apportées à la structure de votre maison, comme attacher une lambourde à la charpente ou pratiquer une ouverture dans un mur pour poser des portes-fenêtres.

Le travail des inspecteurs. Parmi l'ensemble des services de l'inspection des bâtiments, quelques-uns se montrent favorables aux projets domiciliaires. (Certains proposent même des plans de construction génériques.) Les inspecteurs consciencieux ressentent beaucoup le poids de la responsabilité qui leur incombe, car ils représentent, en quelque sorte, le dernier rempart, ou plus précisément, la dernière personne apte à dénoncer un travail de piètre qualité. Dans certains cas, leur décision peut être sans appel. À l'extrême, ils pourraient même vous infliger une amende, vous faire démanteler les travaux non conformes et vous obliger à reconstruire votre structure selon les normes du code du bâtiment.

Par ailleurs, certains inspecteurs se méfient instinctivement des bricoleurs, car ils ont souvent été témoins de travaux mal exécutés par des non-professionnels. Aussi, veuillez démontrer à votre inspecteur que vous entendez bien mener les travaux et de manière conforme. Renseignez-vous au préalable au sujet des spécifications relatives au zonage et des marges de reculement de votre propriété. Si vous envisagez d'entreprendre des travaux de plomberie ou d'électricité au cours de la construction de votre patio, faites-en part à votre inspecteur. Avant de rencontrer l'inspecteur, procurez-vous une liste des normes et des règlements puis voyez avec lui quels sont, à ses yeux, les points les plus importants à respecter. Présentez-lui des plans proprement dessinés qui montrent clairement les éléments qui le préoccupent le plus. Même si la présence d'un inspecteur peut être nuisible, ayez du respect pour son travail, car il consiste ultimement à rendre votre quartier plus sécuritaire pour le bien-être de tous. Si vous menez votre projet dans les règles de l'art, vous remarquerez sans doute que même un inspecteur à l'allure intransigeante vous traitera de manière équitable.

Peut-être penserez-vous que toutes ces démarches n'en valent pas la peine ou la dépense, et vous serez tenté de sauter l'étape de la demande de permis. Mais vous devriez plutôt voir votre inspecteur des bâtiments comme un allié. Si elle ou lui décèle un défaut de conception important dès la consultation de vos plans, cela pourrait vous épargner une somme d'argent bien supérieure aux frais d'obtention d'un permis. Et si jamais vous voulez vendre votre maison, ce sera à votre avantage d'avoir un document qui démontre que votre patio a été inspecté puis certifié sécuritaire et conforme aux normes du code du bâtiment.

LES VISITES DE L'INSPECTEUR

Votre inspecteur voudra sans doute se prévaloir de deux ou peut-être même de trois inspections de votre chantier de construction : la première pour les semelles de béton, la deuxième pour la charpente et la troisième pour les escaliers et les balustrades, une fois que la construction du patio sera complétée. Ne dissimulez jamais d'éléments importants qui n'auraient pas encore été inspectés, et n'astreignez jamais votre inspecteur à se traîner au sol pour vérifier une partie de vos travaux. Si par exemple la structure de votre patio est surélevée et que l'infrastructure est facilement visible du dessous, vous pouvez sans doute poser le platelage avant l'inspection de la charpente. Mais si votre patio est construit près du sol, faites inspecter la charpente avant la pose du platelage.

LES RÉGLEMENTATIONS LOCALES

Vous voudrez peut-être aussi vous renseigner auprès de votre service d'inspection des bâtiments ou de votre conseil de planification au sujet de réglementations plus spécifiques, s'il y a lieu. Ainsi, certaines localités établissent leurs propres normes architecturales, soit pour maintenir le cachet d'un quartier en particulier ou encore, pour enjoliver l'aspect du voisinage. Le respect de ces normes contribue à maintenir de bonnes relations avec les voisins. Certaines localités vont même jusqu'à codifier ces normes en lois municipales.

LE RESPECT DU CODE

Les plans de votre patio constituent une plus-value appréciable pour votre projet de construction. Mais les codes du bâtiment ajoutent une marge de sécurité additionnelle qui vous assure d'ériger un patio solide et durable.

- **Les plans professionnels.** Un architecte ou un ingénieur breveté devrait être au courant des pratiques de construction en vigueur dans la localité et aussi être capable de livrer des plans conformes au code du bâtiment en vigueur dans la localité.
- **L'assortiment de plans publiés.** Les modèles de patios proposés dans les documents cartographiques sont conformes aux normes du code du bâtiment. Mais attendez-vous à devoir y apporter des modifications.
- **Les plans génériques.** Certains services d'inspection des bâtiments fournissent des plans génériques qui vous offrent un choix au niveau du type de bois et de la portée. Vous pouvez ainsi adapter les plans d'implantation proposés à votre emplacement.
- **Vos plans.** Dans plusieurs localités, vous pouvez dessiner vous-même les plans de patio. Mais vous devez spécifier les grandeurs, les dimensions et les détails du projet de construction.

À GAUCHE Avant de construire votre patio, assurez-vous de bien connaître toutes les normes de votre localité qui statuent sur la hauteur et le modèle des balustrades.

À DROITE Si votre patio est construit près du sol, attendez que la charpente soit inspectée avant de poser le platelage.

LES IMPLICATIONS FONCIÈRES

Que cela vous plaise ou non, il est fort probable que la construction de votre patio aura une incidence sur votre compte d'impôts fonciers. Dès que vous faites une demande de permis de construire, votre évaluateur municipal est de ce fait avisé que la valeur de votre maison augmentera sous peu. Une fois que la construction de votre patio sera complétée, il est fort probable que la cote de votre propriété sera révisée à la hausse.

DES QUESTIONS POUR L'INSPECTEUR

Les inspecteurs peuvent se présenter sous divers jours : d'aucuns sont chaleureux ; d'autres sont renfrognés ; certains aiment qu'on leur demande leur avis et d'autres, encore, ne veulent pas être dérangés dans leur travail. Mais si vous êtes le moindrement organisé et que vous réglez toutes les embûches au fur et à mesure qu'elles surviennent, tous les inspecteurs vous traiteront avec les mêmes égards normalement réservés aux rénovateurs professionnels. Dans cette optique, renseignez-vous auprès du bureau du service d'inspection des bâtiments afin d'obtenir de la documentation pour répondre aux questions les plus souvent posées. Voici certains points qui pourraient être soulevés au cours de votre projet :

- À quelle distance de limite de votre propriété votre patio doit-il se trouver ?
- Quelles sont les quantités de bois requises pour les poteaux, les poutres et les solives ?
- À quelle profondeur devez-vous creuser vos semelles ?
- Devez-vous rencontrer certaines exigences par rapport aux semelles de béton, comme inclure des barres d'armature, par exemple ?
- Quelle est la meilleure façon de poser une lambourde, et de quelle manière devrait-on fixer le solin au mur de la maison ?
- Si la structure de votre patio est surélevée, aurez-vous besoin de la contreventer ?
- Quelles sont les normes à respecter pour l'installation de l'assise en bas de l'escalier ?
- Quelles sont les normes du code du bâtiment à respecter en ce qui a trait à la hauteur des balustrades et à l'espacement des balustres ?

LA CONSTRUCTION D'UN PATIO : ÉTAPE PAR ÉTAPE

1 Enlevez le gazon ; installez les semelles de béton.

2 Attachez la lambourde à la maison ; attachez les poteaux aux semelles de béton.

5 Posez le platelage en suivant les consignes du fabricant.

6 Montez la charpente des escaliers ; ajoutez les limons.

UN ÉCHÉANCIER RÉALISTE

Une fois que vous avez soigneusement planifié votre projet et dessiné les plans de votre patio, vous aurez peut-être l'impression que la construction en tant que telle progresse à un bon rythme. Cependant ne vous imposez pas un échéancier trop serré et laissez vous assez de temps pour travailler avec soin et de façon sécuritaire.

La quantité de travail que vous pourrez accomplir au cours d'une seule journée dépend de plusieurs facteurs dont votre niveau de compétence, l'état de l'emplacement et la qualité du bois. Il n'existe à peu près aucune façon de prédire exactement combien de temps il vous faudra pour mener votre projet de patio à terme.

Par contre, les indications qui suivent vous une estimation du temps que vous devriez normalement consacrer lors de certaines étapes du projet. Chacune des quatre tâches énumérées ci-dessous peut être accomplie par un ouvrier non professionnel de compétence moyenne assisté d'un aide au cours d'un quart de travail de huit heures.

■ Creuser et couler un maximum de sept semelles de béton de 8 pouces de diamètre et de 42 pouces de profondeur.

■ Pour un modèle de patio simple d'une superficie de 200 pieds carrés ou moins construit près du sol : monter l'infrastructure, y compris attacher la lambourde, installer les poteaux sur les semelles, fixer une poutre sur les poteaux, puis installer les solives.

■ Poser le platelage d'un tablier de 400 pieds carrés si les planches sont disposées perpendiculairement aux solives ou poser le platelage d'un tablier de 200 pieds carrés si les planches sont disposées en angle.

■ Pour un patio d'une superficie maximale de 400 pieds carrés, installer des balustrades standard et des escaliers.

Ces estimations de temps sont émises sous réserve que vous possédiez au moins des compétences de base en menuiserie. Quand vous planifiez votre horaire de travail, fixez-vous des objectifs pondérés, car au cours du projet, des embûches se dresseront sûrement sur votre route. Il est toujours préférable d'être agréablement surpris du travail accompli durant la journée que d'être déçu de ne pas en avoir fait autant que prévu.

3 Attachez la poutre sur le dessus des poteaux.

4 Attachez les solives à la lambourde et à la poutre; ajoutez la solive de bordure.

7 Posez les girons. Certains escaliers ont aussi des contremarches.

8 Installez les balustrades.

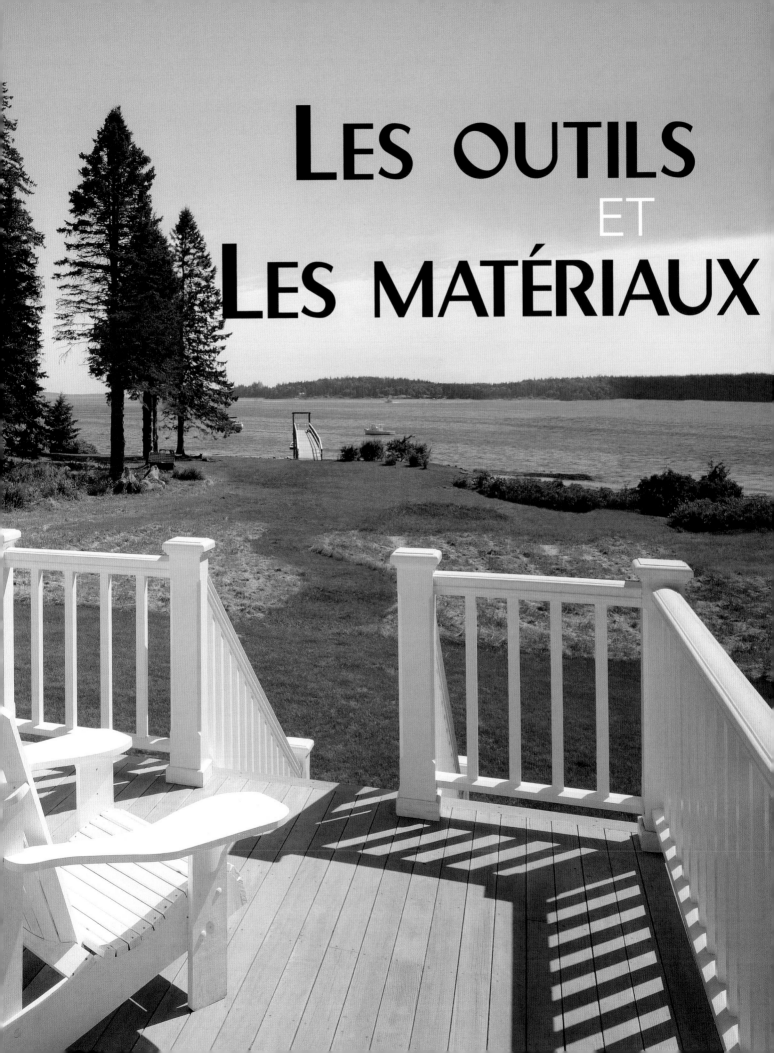

LES OUTILS
ET
LES MATÉRIAUX

1 Même si la plupart des tabliers sont protégés par un préservatif clair ou une teinture scellante, les balustrades sont souvent peintes de manière à contraster avec le restant du patio.

2 Les concepteurs de bâtiments recommandent de choisir une couleur et un matériau de tablier qui s'intègreront bien avec les matériaux et l'assortiment de couleurs de la maison.

3 Les patios construits avec du bois de séquoia résistent aux insectes et sont naturellement imputrescibles. Pour les parties visibles du patio, optez pour la classification de séquoia «Net de nœuds» («Clear» ou «CLR») ou «Clair tout duramen» («Clear all heart»).

4 Si vous ne les traitez pas avec un scellant ou une teinture, les patios construits avec du bois de cèdre et du bois de séquoia prendront une légère patine gris pâle en vieillissant. Vous pouvez aussi appliquer un revêtement qui reproduit l'apparence du bois exposé aux éléments.

PROPOSITIONS DE MATÉRIAUX POUR PATIOS

PROPOSITIONS DE MATÉRIAUX POUR PATIOS

1 Le bois de qualité supérieure constitue le meilleur choix pour construire le patio d'une maison de style contemporain.

2 Le taux de rétention de préservatif chimique détermine si le bois traité convient mieux pour les éléments de structure ou pour les éléments visibles tels que le tablier, les escaliers et les balustrades.

3 En plus de se distinguer des autres, les patios dont le bois est protégé par une teinture résistent mieux aux rayons ultraviolets du soleil.

4 Les tabliers de matériaux composites offrent l'avantage de ressembler au bois, l'entretien en moins.

5 L'allure que dégage un tablier en bois naturel s'harmonise bien avec la plupart des styles de maisons et des différents types d'environnements.

6 Un style de balustrades innovateur comme celui-ci exige la pose de panneaux en plastique transparent au lieu des barreaux de style traditionnel.

2

3

4

5

6

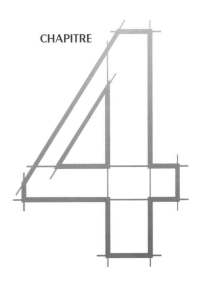

LES
OUTILS

Pour construire la plupart des patios, vous avez besoin d'un assortiment d'outils assez modeste. Parfois, des outils plus spécialisés vont peut-être vous faire avancer plus rapidement, mais pensez-y à deux fois avant de les acheter : la dépense en vaut-elle vraiment la peine si vous ne comptez pas vous en servir souvent une fois votre projet de patio terminé ? Et si vous tenez absolument à mettre un outil quelconque à l'essai, louez-le plutôt pour une journée au lieu de l'acheter pour plusieurs années.

LES OUTILS POUR CONSTRUIRE UN PATIO

Les animateurs d'émissions télé consacrées à l'amélioration des maisons semblent souvent posséder un lot illimité d'outils spécialisés. Si vous parvenez à faire commanditer la construction de votre patio par un fabricant d'outils reconnu, vous pourrez sans doute vous retrouver, vous aussi, avec un stock imposant d'outils. Mais pour construire votre patio, il est plus réaliste d'envisager de vous servir de vos propres outils et d'avoir à vous en acheter quelques autres en plus.

Une fois que vous aurez convenu quels outils vous devez vous procurer, il ne vous restera plus qu'à décider quelle somme d'argent vous comptez investir.

Pour le type de projet que vous avez en tête, devriez-vous dépenser 300 $ environ pour la perceuse sans fil, ou lui préférer plutôt le modèle à 45 $?

Plus souvent qu'autrement, la vraie réponse se situe quelque part entre ces deux extrêmes. Le modèle d'outil professionnel haut de gamme servira sans doute à construire des douzaines de patios avant de tomber en panne. Mais si vous n'entreprenez seulement que quelques projets d'une année à l'autre, vous n'avez peut-être pas besoin de rechercher ce genre de durabilité. À l'inverse, un outil bon marché pourrait très bien vous laisser tomber avant même la fin de votre projet. Pour la plupart des bricoleurs, un modèle vendu à prix moyen s'avère un bon compromis. L'outil peut ainsi servir à de gros projets telle la construction d'un patio et encore

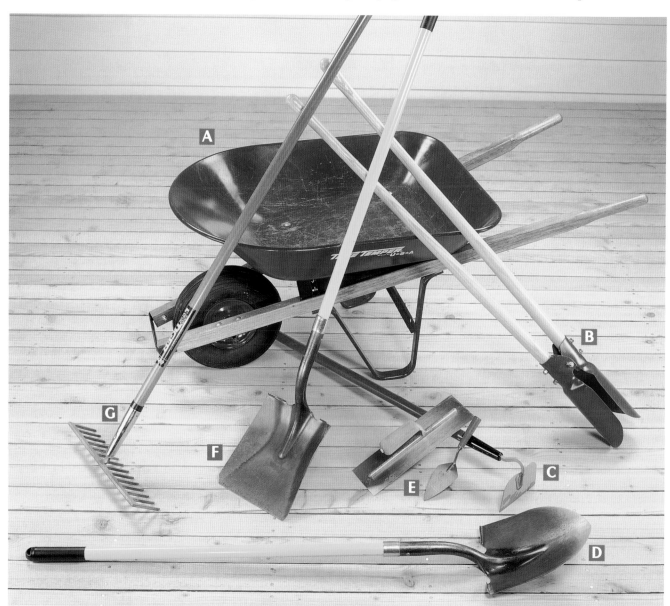

LES OUTILS D'EXCAVATION (A) une brouette, (B) une bêche tarière, (C) une binette de jardin standard, (D) une pelle à pointe arrondie, (E) un ensemble de truelles y compris une truelle à finir et une fiche de maçon, (F) une pelle carrée à arête vive, et (G) un râteau à dents métalliques.

être en mesure d'accomplir d'autres tâches tels les projets de rénovations et les travaux d'entretien.

Bien entendu, vous aurez besoin de l'assortiment standard d'outils manuels et électriques, y compris une scie circulaire munie d'une lame bien acérée et une perceuse (électrique ou sans fil). Vous possédez sans doute déjà la plupart de ces outils. Quoi qu'il en soit, vous voudrez peut-être aller voir du côté de certains gadgets (que vous retrouverez un peu partout dans cet ouvrage) ou des outils plus spécialisés présentement disponibles sur le marché.

CREUSER ET COULER LES SEMELLES

Une bêche tarière. Que vous ayez recours à des coffrages tubulaires pour contenir le béton ou que vous le couliez directement dans le sol, vous aurez besoin de creuser des trous profonds et étroits pour vos semelles. La bêche tarière est essentiellement composée de deux petites pelles reliées entre elles par une charnière. Quand vous éloignez les poignées l'une de l'autre, ces deux pelles enlèvent la terre par « bouchées ». Cet outil vous permet de travailler directement au-dessus de la cavité et de creuser des trous bien droits.

Une pelle à pointe arrondie. La pelle à pointe arrondie est l'outil d'excavation le plus élémentaire qui soit. Elle peut servir à plusieurs travaux sur un chantier de construction, tel creuser le sol ou étendre du gravier. Servez-vous d'une lime pour bien affûter l'arête de la pelle – elle pourra ainsi sectionner les petites racines aussi facilement qu'un couteau chauffé passe au travers d'un bloc de beurre.

Une binette. La binette de jardin standard est pratique pour mélanger le béton; avec sa lame percée de deux trous, la binette du maçon est plus spécialisée et donne encore de meilleurs résultats.

Une brouette. La brouette est utile pour mélanger et transporter de petites quantités de béton – la plupart des brouettes peuvent aisément recevoir un sac de ciment pré-mélangé de 80 livres. Votre brouette servira aussi à transporter du gravier, du sable, de la terre et du gazon.

Une pelle carrée. Quand vous avez besoin d'enlever une section de pelouse de votre chantier de construction, l'arête de cette pelle est idéale pour entailler proprement le gazon. Ce type de pelle est aussi le meilleur outil pour ramasser de la terre ou du gravier répandu sur la surface d'une entrée.

Un râteau à dents métalliques. Le râteau à dents métalliques ou le râteau de jardinier constitue le meilleur outil pour étendre de la terre ou du gravier. Il peut aussi servir à donner une pente à un terrain si vous avez un problème d'infiltration d'eau.

Des truelles. Un ensemble de truelles est pratique pour la mise en place et la finition du béton.

LES OUTILS POUR MESURER ET TRACER

Un ruban à mesurer. Procurez-vous un ruban à mesurer de qualité supérieure, idéalement d'une longueur de 25 ou 30 pieds. À cause de sa rigidité, une lame d'une largeur de 1 pouce vous donnera un meilleur rendement qu'une lame d'une largeur de $\frac{3}{4}$ de pouce. Quand vous déployez un ruban de cette largeur sur le plan vertical ou horizontal, la lame aura moins tendance à se replier.

Un mètre à mesurer enroulable. Pour la construction de patios à grandes surfaces, vous aurez à prendre de longues mesures. Un mètre à mesurer enroulable de 50 ou 100 pieds sera fort pratique. Contrairement à votre ruban à mesurer de 25 pieds, celui-ci ne se rétracte pas automatiquement. Vous devez rembobiner le ruban métallique ou en fibre en tournant de la même manière qu'avec le moulinet d'une canne à pêche.

Des crayons de menuisier. Munissez-vous de plusieurs crayons – ils ont tendance à disparaître. Les crayons de menuisier sont plus pratiques que les crayons à mine standard, car ils n'ont pas besoin d'être aiguisés aussi souvent.

Un cordeau à tracer. Ce type d'outil au fil enduit de craie a déjà servi à aligner les pyramides. Il vous permettra de tracer de longues lignes parfaitement droites en quelques secondes seulement. La craie de couleur bleue se nettoie plus facilement que les autres couleurs plus voyantes qui ont tendance à laisser des traces permanentes.

Un cordeau de maçon. Vous aurez besoin de tendre solidement votre cordeau et il devra tenir le coup. Procurez-vous le même type que celui utilisé par les professionnels. Le cordeau tressé en nylon constitue un bon choix.

Un niveau de menuisier. Un niveau de menuisier d'une bonne précision est un outil essentiel à la construction d'un patio. Un niveau de quatre pieds représente un bon choix; un niveau de deux pieds pourrait sans doute convenir. En contrepartie, un niveau de huit pieds est souvent difficile à manipuler. Un niveau fabriqué en bois et en laiton est plus résistant qu'un niveau bon marché en aluminium, sans pour autant être plus précis. En fait, le modèle en aluminium constitue un excellent choix pour les travaux de menuiserie occasionnels.

Manipulez votre niveau avec soin; si vous l'échappez ou que vous le frapper durement, il pourrait perdre son degré de précision. Testez-le de temps à autre, surtout au moment de l'acheter. Pour tester le niveau, placez-le sur une surface lisse et notez la position de la bulle. Puis retournez l'outil bout pour bout avant de le replacer exactement au même endroit. La bulle devrait se situer précisément au même endroit dans les deux cas.

TRUCS ET ASTUCES

L'ÉQUIPEMENT DE SÉCURITÉ

Avant d'entreprendre des travaux en menuiserie, le bon sens devrait vous dicter de vous munir d'abord d'un bon équipement de sécurité pour protéger votre ouïe et vos yeux. Quand vous manipulez des outils électriques ou des produits chimiques, portez en tout temps des lunettes étanches ou des lunettes de protection. Protégez votre acuité auditive avec des bouchons d'oreilles ou des protège-oreilles. Peu importe le type de protection pour lequel vous opterez, assurez-vous qu'il puisse réduire le niveau du bruit d'au moins 20 décibels. Si vous manipulez du bois traité sous pression, protégez vos voies respiratoires. Un simple masque anti-poussière peut suffire pour un travail de courte durée. Mais pour la poussière toxique et les vapeurs nocives qui émanent des produits de finition, il est préférable de porter un appareil de protection respiratoire avec filtres remplaçables. Les gants de travail vous éviteront les blessures aux mains. Votre journée de travail pourrait être longue si vous la commencez en vous entrant une écharde sous la peau ou en souffrant d'une ampoule après avoir creusé des trous. Les bottes à embouts d'acier vous protègent les pieds et vous évitent les blessures causées par une planche ou un outil échappé. Les chaussures munies d'une semelle en acier flexible vous éviteront de vous faire percer la plante des pieds par un clou égaré.

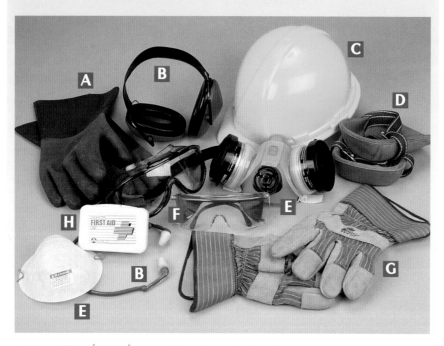

POUR VOTRE SÉCURITÉ, ASSUREZ-VOUS D'AVOIR (A) des gants, (B) une protection pour votre ouïe, (C) un casque de sécurité, (D) des genouillères, (E) un masque anti-poussière et un appareil de protection respiratoire, (F) des lunettes de protection, (G) des gants de travail et (H) une trousse de premiers soins.

Un niveau torpédo. Le niveau torpédo de 9 pouces est très pratique pour mettre de petites pièces à niveau. Il se glisse aisément dans votre coffre à outils ou dans votre ceinture porte-outils.

Un niveau de ligne. Un niveau de ligne consiste en une bulle à niveau contenue dans une fiole. Ce niveau est ensuite maintenu après un cordeau de maçon tendu solidement. Au moment de vérifier la position de la bulle, assurez-vous que la tension du cordeau est à son maximum et que le niveau est placé à peu près à mi-chemin entre les deux extrémités du cordeau. Vérifier le niveau en prenant d'abord une première lecture, puis enlevez le niveau du cordeau et placez-le en sens inverse. Si le résultat est le même dans les deux cas, votre cordeau à ligne donne une lecture précise.

Un niveau à eau. Pour certains patios, vous aurez à mettre de longues portées à niveau. Le niveau à eau est l'outil idéal pour accomplir cette tâche. Cet outil est plus précis qu'un niveau de ligne, mais il coûte plus cher. Il s'agit essentiellement d'un long tuyau souple rempli d'eau pourvu d'une fiole transparente à chacune de ses extrémités. En accord avec le même principe que les vases communicants, le niveau de l'eau contenue dans les deux fioles est toujours identique. Cet outil est particulièrement pratique quand avez à déterminer le niveau d'une ligne dont les deux extrémités sont séparées par le coin d'une structure.

Un niveau à poteau. Si votre modèle de patio implique l'installation de longs poteaux, vous pourriez vous procurer un niveau à poteau. Cet outil, très spécialisé mais peu coûteux, s'attache directement au poteau. Vous n'avez donc pas à le tenir en place en même temps que vous manipulez des matériaux lourds. Un niveau à poteau consiste habituellement en deux fioles avec une bulle qui sont orientées à 90° l'une par rapport à l'autre. Cet outil vous permet de vérifier l'aplomb de deux façades à la fois. Certains modèles indiquent l'aplomb à l'aide d'une seule fiole de forme circulaire.

Un fil à plomb. Pour déterminer l'emplacement précis des poteaux, vous devez suspendre, à partir d'un point donné, une ligne verticale qui soit parfaitement droite. Un fil à plomb est suspendu au bout d'une ficelle. L'extrémité effilée du plomb se termine par un embout pointu. Lorsque le plomb cesse d'osciller, l'effet de la

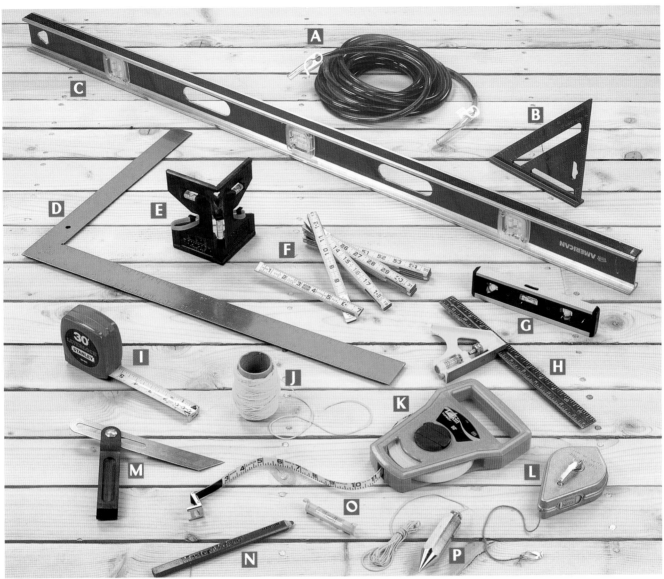

DES OUTILS POUR TRACER *(A) un niveau à eau, (B) une équerre, (C) un niveau de quatre pieds, (D) une équerre de charpente (E) un niveau torpédo, (F) une règle pliante, (G) un niveau torpedo, (H) une équerre combinée, (I) un ruban à mesurer, (J) un cordeau de maçon, (K) un mètre à mesurer, (L) un cordeau à mesurer, (M) une fausse équerre, (N) un crayon de menuisier, (O) un niveau à ligne et (P) un fil à plomb.*

gravité aligne parfaitement le haut de la ficelle avec l'extrémité de la pointe. La forme effilée de plusieurs modèles de boîtiers de cordeaux à tracer permet de s'en servir comme fil à plomb.

Une équerre de charpente. Cet outil plat en forme de L est fabriqué en métal. Il mesure 16 pouces d'un côté et 24 pouces de l'autre. Servez-vous-en pour tracer les lignes de coupe des limons et pour vérifier la droiture des installations et des lignes que vous tracez au cordeau.

Une équerre combinée. Cette équerre est munie d'une règle graduée réglable qui glisse de bas en haut. Cet outil indique les angles de 90° et de 45°. La lame réglable est particulièrement utile pour mesurer la profondeur de certaines pièces ou pour tracer une ligne au crayon sur la longueur d'une pièce.

Une équerre. Communément appelée *Speed Square* d'après son nom de marque anglophone. Ce morceau d'aluminium de forme triangulaire est extrêmement utile. C'est un outil résistant conçu pour encaisser les coups sans pour autant perdre de sa précision. Sa forme triangulaire vous permet de tracer un angle de 45° aussi rapidement qu'un angle de 90°. Cet outil vous permet aussi de prendre certaines mesures d'angles sans toutefois être rigoureusement précis. Vous pouvez maintenir ce type d'équerre solidement en place et vous en servir comme guide de coupe pour une scie circulaire. Cette équerre s'avérera sans doute la plus pratique de celles que vous possédez.

Une fausse équerre. Si vous devez reporter des angles autres que 45 ou 90°, utilisez une fausse équerre (ou sauterelle). Cet outil est muni d'une lame métallique plate que l'on peut bloquer à n'importe quel angle compris entre 0 et 180°.

Une règle pliante. Si vous choisissez une règle pliante, optez pour le modèle muni d'une rallonge à l'une de ses extrémités qui glisse le long des mesures graduées de la règle. Cet outil est très pratique pour prendre les mesures intérieures telle la longueur du couronnement situé entre deux poteaux. La plupart des menuisiers préfèrent se servir d'une règle pliante pour relever les petites mesures.

LES OUTILS POUR COUPER ET SABLER

Une scie circulaire. La plupart des menuisiers et des bricoleurs préfèrent les scies circulaires munies de lames d'un diamètre de 7 ¼ pouces. Cette dimension de lame vous permet de faire une coupe d'une profondeur maximale de 2 ⅜ pouces à un angle de 90° et même de réaliser la coupe en biseau d'une pièce de bois de deux pouces d'épaisseur à un angle de 45°.

L'ampérage du moteur d'une scie et le type de coussinets dont il est muni vous donnera une bonne idée de sa puissance et de sa qualité d'ensemble. Le moteur d'une scie bon marché possède un débit de seulement 9 ou 10 ampères. Son arbre d'entraînement opère avec un système de coussinets en deux parties. Ce modèle de scie vous offrira moins de puissance et moins de durabilité. Si vous l'utilisez de façon continue, son moteur aura tendance à surchauffer. De plus, la lame peut parfois osciller et vous donner des coupes moins précises.

Les scies de meilleure qualité possèdent un débit de 12 ou 13 ampères. Leur arbre de moteur opère à partir d'un système de roulement à billes ou à rouleaux. Cette puissance additionnelle jumelée à sa facilité de manipulation accrue confèrent à la scie un rendement d'une longue durée et une coupe d'une plus grande précision. Comme c'est souvent le cas, votre meilleur choix se situe parmi les modèles de catégorie moyenne.

Les scies munies d'un système à crémaillère possèdent les moteurs les plus puissants et les coussinets les plus durables. Ils ont la solidité d'un char d'assaut et pèsent à peu près autant. Ce type de scie est surtout l'apanage des entrepreneurs professionnels. Il faut un certain temps avant de s'habituer à les utiliser. Ce sont des outils qui peuvent durer très longtemps, mais ils ne sont pas nécessairement conçus pour les bricoleurs.

De nos jours, un boîtier en plastique n'est plus un gage de qualité inférieure. En fait, la plupart des nouveaux composites de plastique ont une solidité supérieure au métal et résistent fort bien aux chocs.

Portez une attention particulière au boîtier de l'outil : s'il est constitué d'une pièce de métal embouti d'une faible épaisseur, il pourrait bien se déformer pour de bon dès sa première chute d'une hauteur équivalente à celle d'un chevalet. Recherchez plutôt un outil au boîtier d'aluminium moulé ou filé.

Utilisez des lames de scie circulaire à dents carburées. Elles sont un peu plus onéreuses, mais elles vous donneront un rendement cinq fois supérieur aux lames fabriquées d'acier à coupe rapide (HSS pour *high-speed steel*). Une lame de 24 dents constitue sans doute le meilleur choix pour la construction d'un patio ou d'autres petits travaux. Un compromis s'opère entre le nombre de dents, la vitesse de coupe et la qualité : une lame avec moins de dents coupe plus rapidement mais de façon moins précise, voire effilochée. En contrepartie, une lame aux dents plus nombreuses produira une coupe plus nette. Mais à cause du nombre supérieur de dents, le moteur de votre scie sera plus solli-

cité et la coupe se fera plus lentement. Équipez-vous d'une lame de rechange ; le bois humide ou les pièces de bois traité d'une bonne densité peuvent rapidement émousser votre lame.

Vous pouvez toujours retoucher la dent endommagée d'une lame d'acier à coupe rapide à l'aide d'une lime, mais pour une mise au point majeure, il est préférable d'avoir recours à un atelier d'affûtage spécialisé. Il en va de même pour vos lames à dents carburées.

Une scie à onglets électrique. Si vous devez effectuer plusieurs coupes en angle ou si vous ne vous sentez pas capable de réaliser à répétition des coupes précises à angles variées, vous feriez mieux de louer ou de vous acheter une scie à onglets électrique. Ces outils (aussi connus sous le nom de scies circulaires) sont simplement des scies circulaires montées sur un assemblage pivotant qui vous permettent de faire des coupes précises et identiques l'une à la suite de l'autre. Assurez-vous d'avoir une scie à onglets efficace : une scie munie d'une lame de 10 pouces ne sera pas en mesure de couper une pièce de 2 x 6 à un angle de 45°.

Il existe une autre version de la scie à onglets qui s'appelle la scie à onglets combinée. Cette scie est capable d'effectuer une coupe en angle et de biais en une seule passe. Vous n'aurez sans doute pas besoin de cette caractéristique pour construire un patio, mais si vous achetez une scie à onglets et que vous prévoyez poser des moulures, il serait plus avantageux de vous procurer une scie à onglets combinée.

Vous pourriez aussi vous fabriquer un gabarit pour réaliser des coupes à un angle de 45° avec votre scie circulaire à main. Par contre, vous n'obtiendrez jamais d'aussi bons résultats qu'avec une scie à onglets. De plus, ce gabarit ne vous serait utile que si vous aviez à couper, selon le même angle, l'extrémité des planches pour un platelage de modèle en diagonale.

Une scie sauteuse. La scie sauteuse est pratique pour faire une coupe à l'intérieur d'une pièce de bois ou pour couper en ligne courbe. Si vous prévoyez devoir faire plusieurs coupes de ce genre, munissez-vous d'une scie sauteuse de qualité industrielle. La lame des modèles standard habituellement utilisés par les bricoleurs a tendance à osciller, ce qui peut donner une coupe à l'allure effilochée.

Une scie alternative. La scie alternative est l'outil idéal pour les travaux de démolition ou pour couper des poteaux. Il n'est pas nécessaire de vous en acheter une cependant, simplement pour la construction d'un patio. Pour le peu de coupes que vous auriez à réaliser avec un tel outil, une scie à tronçonner fera très bien l'affaire.

Une toupie. Cet outil est loin d'être indispensable pour la construction d'un patio. Mais une toupie munie d'un fraisoir ou d'une mèche à cimaise peut s'avérer fort pratique pour ajouter des détails décoratifs à votre patio.

Une scie à tronçonner. La scie à main n'est plus souvent utilisée, mais elle peut être pratique pour réaliser les coupes qu'une scie circulaire n'est pas en mesure d'effectuer. Par exemple comme lorsque vous découpez les limons, ou les poteaux dans un espace restreint.

Un rabot à main. Vous aurez parfois besoin d'un rabot pour araser ou adoucir le bois, ou pour aplanir des coupes en biseaux ou des contours dont la surface serait rugueuse. Un rabot à main bien ajusté vous permettra d'enlever une à la fois des rognures aussi minces que du papier. Vous obtiendrez ainsi des joints bien ajustés.

Un ciseau. Le ciseau est pratique pour creuser une mortaise ou poser des charnières, et aussi pour effectuer d'autres travaux de rognage et d'aplanissement.

Le ciseau d'une largeur d'un pouce est tout à fait indiqué pour ce type de travail.

Des cisailles à métaux. Le meilleur outil pour tailler le solin métallique avec précision lors de l'installation de la lambourde sont les cisailles à métaux.

Une ponceuse à courroie. La ponceuse à courroie peut servir à rogner la surface de votre tablier ou à arrondir le rebord des planches du patio et des balustrades en guise de finition. Manipulez cet outil avec précaution : il pourrait creuser le bois si vous le laissez trop longtemps au même endroit, surtout sur les surfaces de bois mous comme le cèdre ou le séquoia. Avec un peu de pratique, vous pouvez arrondir l'ensemble des bordures du patio en peu de temps.

Un bloc à poncer. Cet outil, dont l'usage est répandu, sert à adoucir les arêtes et à aplanir les éclats de la surface. Il existe plusieurs modèles de blocs à poncer. Tous donnent un meilleur rendement qu'une simple feuille de papier sablé tenue à la main. Dans la plupart des cas, une ponceuse électrique à vibration ne fera pas un meilleur travail que le bloc à poncer. Utilisez une ponceuse à courroie seulement pour rogner de grandes surfaces.

Une ponceuse orbitale. La ponceuse orbitale à vibration ou à oscillation est parfaite pour adoucir le platelage et les balustrades. Pour la construction d'un patio, par contre, un bloc à poncer suffira largement à la tâche.

LES OUTILS DE FIXATION

Une perceuse sans fil. Si votre budget vous le permet, une perceuse sans fil peut vous être très utile. Vous n'avez pas besoin de vous procurer un modèle de haute gamme. Ne vous préoccupez pas des perceuses dont la pile offre un débit de 18 ou 24 volts ou plus. Certaines d'entre elles pèsent plus de deux kilos et sont très pénibles à manipuler à longueur de journée. Plusieurs modèles dont le champ d'action se situe entre 12 et 14,4 volts sont faciles à utiliser et peuvent répondre à tous vos besoins. Une perceuse sans fil de qualité comprend habituellement un chargeur et une pile supplémentaire. Ainsi, vous aurez toujours une pile chargée à votre portée.

Lisez le guide d'utilisation avec attention, surtout en ce qui a trait au rechargement des piles. N'attendez pas que la pile soit complètement à plat avant de la recharger – insérez-la dans le chargeur dès que son rendement commence à diminuer.

Un marteau. Pendant vos travaux, vous aurez toujours un marteau à portée de la main, car vous aurez à vous en servir souvent. Aussi, procurez-vous-en un qui est confortable à utiliser. Un marteau de 16 onces est facile à manipuler et fera bien l'affaire, mais celui de 20 onces enfoncera les gros clous plus rapidement. Un marteau à panne droite convient mieux aux travaux de démolition, tandis qu'un marteau à panne courbe est utile pour arracher les clous.

Un chasse-clou. Servez-vous de cet outil aux endroits où les clous seront visibles. Le chasse-clou vous permet d'éviter les traces laissées dans le bois par le dernier coup de marteau. Cet outil est constitué d'une petite tige de métal dont l'une de ses extrémités est carrée tandis que l'autre, de forme effilée, se termine par un embout arrondi. Avec un chasse-clou, vous pouvez enfoncer les clous au même niveau que la surface du bois ou les noyer dans la pièce.

Des serres à coulisse. Les serres à coulisse sont parfois utiles pour tenir temporairement des pièces de bois en place, afin de vérifier une dernière fois qu'elles sont bien à niveau, par exemple, avant de les fixer pour de bon.

Des serres à barre. Les serres à barre font exactement le même travail que les serres à coulisse, mais elles sont plus faciles à mettre en place. Certains modèles se manipulent d'une seule main, vous laissant ainsi l'autre libre pour tenir les pièces en place.

Des serres en C. Une paire de serres en C à grande mâchoire est utile quand vous avez à contourner des obstacles pour appliquer une pression au centre d'une pièce de bois. Les serres en C peuvent par exemple servir à tenir deux pièces de 2 x 12 en place de chaque côté d'un poteau 4 x 4, en attendant de les fixer.

Une clé à cliquet et douille. Si vous installez des tire-fonds ou des boulons de carrosserie avec une clé à cliquet munie de la douille appropriée, vous travaillerez beaucoup plus rapidement qu'avec une clé à douille.

Un pistolet à calfeutrer. Même s'il ne sert pas souvent lors de la construction d'un patio, certains interstices peuvent bénéficier d'une bonne coulée de calfeutre.

Un compresseur. Si vous prévoyez monter la structure ou assembler les pièces de votre patio avec un marteau à air comprimé, vous aurez besoin d'un compresseur pour acheminer l'air sous pression. Assurez-vous de le choisir avec soin. S'il n'est pas assez puissant, vous

LES OUTILS DE FIXATION *(A) une cloueuse et un compresseur, (B) une perceuse sans fil, (C) des serres à tuyau, à barre et en C, (D) un levier, (E) un marteau, (F) un pistolet à calfeutrer, (G) un pied de biche, (H) un chasse-clou, (I) un crochet à parements et (J) une clé à cliquet et douille.*

QUELQUES ACCESSOIRES UTILES *(A) un tablier à clous, (B) une ceinture avec un étui à marteau, (C) des fils de rallonge avec disjoncteur de fuite à la terre, (D) un marchepied, (E) une ceinture porte-outils en cuir et (F) des chevalets métalliques, en plastique ou fabriqués avec des 2x4 et des supports métalliques.*

perdrez beaucoup de temps à attendre qu'il fournisse la pression nécessaire pour poursuivre vos travaux de clouage.

Un marteau à air comprimé. Un marteau à air comprimé typique propulse des clous de 2 à 3 ½ pouces de long. Choisissez un modèle à gâchette restrictive, ou qui tire en deux étapes; il sera encore plus improbable de tirer un clou accidentellement. Le marteau à air comprimé est sécuritaire quand vous l'utilisez correctement, mais il peut causer des blessures graves en une fraction de seconde. Aussi, assurez-vous de lire et de bien suivre toutes les consignes de sécurité, surtout celles ayant trait au port de lunettes de sécurité.

Un levier d'acier plat et une pince à démolir. Le levier d'acier plat est le plus utile des deux, mais la pince à démolir (souvent appelée barre à clous) vous donne une meilleure force de levier. Ces outils sont utiles pour le travail de démolition comme enlever le parement d'un mur avant d'installer une lambourde ou encore, pour soulever les planches d'un patio au levier afin de les positionner. Ils peuvent aussi servir à casser ou à déplacer les roches que vous trouvez lorsque vous creusez des trous.

Un pied-de-biche. Cet outil sert à enlever les clous enfoncés dans le bois. En frappant le derrière du pied-de-biche avec un marteau, vous pouvez glisser la mâchoire acérée de l'outil sous la tête du clou, même si celui-ci est noyé. Puis vous n'avez qu'à pousser ou frapper la partie supérieure de l'outil pour retirer le clou. Aucun clou ne résiste au pied-de-biche mais en bout de ligne, la surface de travail se retrouve souvent endommagée.

LES ACCESSOIRES

Une ceinture porte-outils. La ceinture porte-outils (ou le tablier) est absolument essentielle : sans cet accessoire, vous passerez un nombre d'heures infinies à chercher un outil que vous venez tout juste d'utiliser. Vous pouvez vous procurer une ceinture en cuir de style plus élaboré ou opter pour le modèle moins dispendieux fabriqué en toile. Tous les objets dont vous vous servez le plus souvent au cours d'une journée devraient pouvoir y tenir aisément : l'équerre, le ruban à mesurer, le marteau, le cordeau à tracer, le chasse-clou, le ciseau, les crayons et le couteau universel. La ceinture devrait aussi être munie d'une poche pouvant contenir une bonne poignée de clous. Mais avant toute chose, assurez-vous de pouvoir y enlever et d'y remettre avec autant de facilité votre marteau, votre crayon et votre ruban à mesurer.

Un couteau universel. Le couteau universel fait partie des accessoires indispensables. Vous vous servirez de cet outil peu coûteux de bien des façons : pour aiguiser les crayons, enlever les éclats des planches, aplanir des bouts de bois et ouvrir des ballots et des boîtes. Procurez-vous un modèle de bonne qualité de type industriel. Les lames des couteaux bon marché peuvent casser si vous appuyez trop fermement. Remplacez la lame dès qu'elle est émoussée. Assurez-vous d'opter pour le modèle de couteau rétractable.

Un fil de rallonge. Prenez soin de vérifier le numéro de calibre du fil de rallonge – le terme « pour service intensif » (*heavy-duty*) sur l'emballage ne garantit aucunement qu'il pourra transmettre suffisamment de courant électrique à vos outils. Les guides de l'utilisation pour vos outils mentionnent spécifiquement quels sont les calibres appropriés selon la longueur du fil de rallonge.

Des chevalets. Les chevalets servent habituellement de support pour les travaux de sciage. Ils doivent être résistants et stables.

Un étui à marteau. Si vous prévoyez planter des clous pour un bon moment, vous voudrez sans doute vous délester de votre tablier à outils et enfiler plutôt un simple étui muni d'une poche et d'un anneau pour soutenir le marteau.

Une petite masse. Pour enfoncer des piquets, un marteau standard de 16 ou 20 onces peut habituellement suffire à la tâche, mais une petite masse est beaucoup plus efficace.

Un couteau à mastic. Cet outil servira à emplir les trous laissés par les vis noyées et ceux situés sur la surface des pièces endommagées.

Une trousse à outils. La trousse à outils est très utile pour ranger et transporter tous les outils qui servent moins souvent mais dont vous avez quand même besoin.

TRUCS ET ASTUCES

LA LOCATION D'OUTILS

Lorsque vous avez besoin d'un outil spécialisé pour seulement quelques heures, vérifiez auprès du centre de location d'outils de votre localité. Il possède sans doute ce que vous cherchez et peut vous le louer pour un jour ou deux. Certains centres proposent des tarifs à la demi-journée. Si vous travaillez vite, vous pourrez épargner quelques dollars de plus. Avant de louer un outil pour plus d'une semaine, pensez-y à deux fois : à un certain point, il est peut-être plus avantageux pour vous de l'acheter.

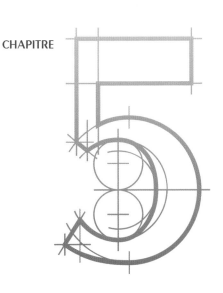

LES
MATÉRIAUX

Plusieurs qualités de bois d'œuvre conviennent pour la construction d'un patio. La plupart des gens optent pour le bois traité et s'en servent surtout pour les poteaux, les poutres et les solives. Plus souvent qu'autrement, ces pièces sont dissimulées, en quelque sorte, le tablier. Mais vous pouvez aussi utiliser le séquoia, le cèdre ou l'une de plusieurs autres espèces de bois ou même encore, l'un des plus récents matériaux de platelage en composite.

CI-DESSUS **Les matériaux de votre patio doivent pouvoir résister aux fluctuations extrêmes du temps.**

LE BOIS

Votre patio subit les affronts du temps tous les jours. Aussi, vous voudrez choisir un bois capable de résister aux insectes, à la moisissure et au gel.

Plusieurs choix s'offrent à vous, mais les plus populaires sont le bois traité, le séquoia et le cèdre. D'autres options incluent le cyprès, les matériaux en matières plastiques recyclées, le bois brut et le bois de fer tropical.

Pour choisir le bois le plus approprié pour votre projet, il ne suffit pas d'opter seulement pour une espèce en particulier. Il faut aussi tenir compte des autres facteurs qui auront une influence sur la durabilité du produit tels la teneur en humidité, la méthode de séchage, la partie de l'arbre d'où provient le bois et la qualité ou le classement, de chacune des pièces.

Vous voudrez aussi choisir un type de bois qui ne gercera pas ou qui ne gauchira pas une fois installé. Toutes les pièces de bois se dilatent quand elles absorbent de l'eau et rétrécissent en séchant. Vous devriez donc vous attendre à un certain niveau de voilement transversal, de fendillement et de gauchissement. Mais en choisissant le meilleur type de bois en fonction de son emplacement sur la structure de votre patio, vous devriez être en mesure d'éviter ce genre de problème.

LE B.A.-BA DU BOIS

Presque tout le bois que vous achetez est corroyé sur chacune de ses surfaces, c'est-à-dire aplani, et avec les arêtes arrondies. On appelle ce type de bois «blanchi sur quatre faces», ou S4S (*surfaced on four sides*). Si vous aimez l'apparence du bois brut (par exemple pour vos planches de façades ou vos poteaux), vous devriez être en mesure de trouver du cèdre ou du séquoia dont toutes les surfaces ou seulement l'une de ses deux surfaces longitudinales n'a pas été dégrossie. Ce type de bois pourrait être un peu plus épais et un peu plus large que le S4S.

Les dimensions du bois. Les dimensions nominales d'une pièce de bois 2 x 4, par exemple, se réfèrent à sa dimension préalablement au séchage et au surfaçage. Ainsi, le 2 x 4 que vous achetez mesure en fait 1 ½ pouce sur 3 ½ pouces; le 2 x 6 mesure 1 ½ pouce sur 5 ½ pouces; le 1 x 8 mesure ¾ pouce x 7 ¼ pouces et ainsi de suite. Dans la plupart des cas, à partir d'une longueur de 8 pieds, les centres de rénovation offrent des pièces en unité d'accroissement de 24 pouces: vous pouvez donc vous procurer des pièces de 8 pieds, de 10 pieds et ainsi de suite.

La plupart des gens utilisent des planches de ⁵⁄₄ x 6 (« cinq quart sur six ») en cèdre ou en bois traité pour le platelage et parfois aussi pour le couronnement des balustrades. Ces planches ont en fait 1 pouce d'épaisseur et 5 ½ pouces de largeur. Les arêtes arrondies minimisent l'apparition d'éclats. Assurez-vous de choisir vos planches avec soin car dans la majorité des cas, une surface longitudinale seulement pourra servir. Si vous utilisez ce type de matériau vous devrez espacer vos solives d'une distance de 16 pouces de centre à centre tout au plus, afin de répondre aux normes du code du bâtiment. Il s'agit surtout ici de s'assurer de la solidité de votre patio.

En plus des planches de ⁵⁄₄ aux arêtes arrondies, il existe un autre type de pièce dont l'une de ses deux surfaces longitudinales est entaillée de deux rainures parallèles tandis que l'autre, elle, bénéficie d'une étape de ponçage supplémentaire. Une faible cambrure se crée ainsi sur la largeur de la planche. Les rainures situées au-dessous de la pièce procurent de la stabilité au bois. Le fléchissement de la partie supérieure empêche l'eau de s'accumuler sur la surface du tablier. Avec ce type de matériau, vous pouvez construire un patio parfaitement au niveau sans le souci de voir des flaques d'eau se former à sa surface. Cela dit, il n'est pas compliqué de construire un patio légèrement en pente pour favoriser l'évacuation de l'eau. Aussi, à moins d'accorder une importance particulière à l'apparence de votre tablier, il n'est pas vraiment nécessaire de grever davantage votre budget en achetant ce genre de planches.

La plupart des gens choisissent des pièces de platelage d'une largeur de 5 ½ pouces telles les 2 x 6 ou les ⁵⁄₄ x 6, pour l'une des deux raisons suivantes : ils considèrent que les planches de cette dimension sont attrayantes, ou ils estiment qu'elles requièrent moins d'efforts à poser. Sauf que le prix des planches plus larges ne cesse d'augmenter car le bois de nos jours provient de plus en plus d'arbres de moindre taille. C'est pour cette raison que le platelage 2 x 4 s'avère de plus en plus le meilleur choix économique. Mais vous avez toujours la possibilité de soupeser chacune des deux options car le prix du bois a tendance à fluctuer.

La densité du bois. En général, le bois de plus forte densité sera davantage résilient, mais aussi plus propice à fendre et à gauchir. Parallèlement, un bois de faible densité sera moins résistant mais aura aussi moins tendance à se fendiller et à se déformer. Cela s'explique par la propriété plus spongieuse du bois de faible densité, qui absorbe l'humidité des précipitations pour ensuite se comprimer à la chaleur du soleil. En contrepartie, l'humidité contenue dans le bois de haute densité ne s'évapore pas aussi rapidement et la pression ainsi imposée aux fibres provoque un gauchissement et l'apparition d'éclats. Le bois traité n'augmente pas en densité, mais le produit chimique qu'il absorbe au cours du traitement le rend provisoirement plus lourd.

C'est ainsi que le bois de plus forte densité, tels le sapin d'Oregon ou le pin jaune, est idéal pour les composantes de l'infrastructure. Autrement dit, là où la solidité est essentielle mais où les éclats et le gauchissement importent peu. Inversement, un bois de faible densité dont la surface n'est pas parcourue d'éclats constituera un meilleur choix pour la pose du platelage et des balustrades.

LE GRAIN DU BOIS

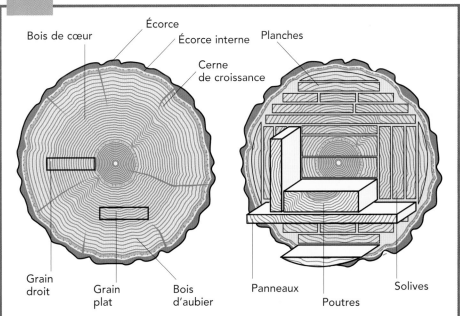

Écorce
Bois de cœur
Écorce interne
Planches
Cerne de croissance

Grain droit
Grain plat
Bois d'aubier
Panneaux
Poutres
Solives

Tous les arbres sont composés de deux types de bois : le bois d'aubier et le bois de cœur. Le bois d'aubier est situé dans la région périphérique de l'arbre et il achemine la sève aux branches. Le bois de cœur, comme son nom l'indique, provient du centre de l'arbre. C'est un bois plus dense que le bois d'aubier, en vertu du fait qu'il est plus ancien. Il est également plus stable que le bois d'aubier. Toutes les parties de l'arbre peuvent être utilisées. Selon qu'elles proviennent du bois d'aubier ou du bois de cœur, les pièces sont classées en fonction de leur qualité. De nos jours, la plupart du bois provient d'arbres moins matures et à croissance plus rapide. Aussi, la différence de qualité entre le bois d'aubier et le bois de cœur est d'autant plus mince.

LES OPTIONS DU BRICOLEUR : LES QUALITÉS DU BOIS D'ŒUVRE

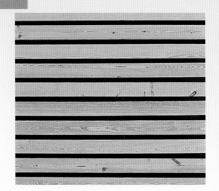

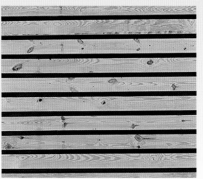

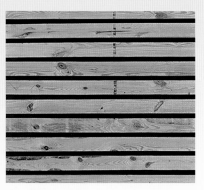

Qualité numéro 1: *la plupart du bois mou commun de cette catégorie est exempt de nœuds, ou presque.*

Qualité numéro 2: *ce bois contient davantage de nœuds et d'imperfections de surface que celui de la qualité n° 1. Son classement est cité à titre de norme minimale à respecter pour être conforme à la plupart des codes du bâtiment.*

Qualité numéro 3: *la plupart du bois mou commun de cette catégorie contient plusieurs nœuds et autres défauts visibles. Il pourrait ne pas être conforme aux normes du code de bâtiment de votre localité.*

Le bois de cœur et le bois d'aubier. Le bois situé près du centre de l'arbre est appelé bois de cœur. Ce bois ne participe plus à la croissance de l'arbre depuis longtemps car il est composé de cellules mortes. Le bois usiné à partir de cette partie de l'arbre est plus résistant aux champignons et aux insectes. Il est aussi moins poreux que le bois d'aubier, qui provient de la partie de l'arbre située la plus près de l'écorce. Cette différence est notable: un tablier fabriqué avec du bois de cœur en cèdre ou en séquoia sera beaucoup plus résistant qu'une surface de patio construite avec du bois d'aubier de ces deux mêmes espèces.

Le grain droit et le grain plat. Le motif du grain de bois qui apparaît sur les planches varie selon la technique de coupe utilisée. Il existe principalement deux sortes de planches: celles composées de grain droit et dont la surface longitudinale est constituée de fils de grain étroits, et celles composées de grain plat (aussi appelé « sciée sur dosse »), constituées de fils de grain plus larges et en forme de V ondulés. La plupart des planches sont un mélange de ces deux types de coupe. Dans un lot de bois donné, vous trouverez toujours à la fois des planches

essentiellement à grain droit, et des planches essentiellement à grain plat.

Le bois à grain vertical a moins tendance à gauchir et à rétrécir. La plupart des gens le considèrent plus attrayant. Au moment de commander vos matériaux, vous n'êtes pas obligé de spécifier que vous voulez du bois à grain vertical et vous imposer cette dépense supplémentaire. Quand vous choisirez votre bois au centre de rénovation, vous n'avez qu'à sélectionner le plus grand nombre possible de pièces au fil de grain étroit.

LES OPTIONS DU BRICOLEUR : LES TYPES DE PLATELAGE

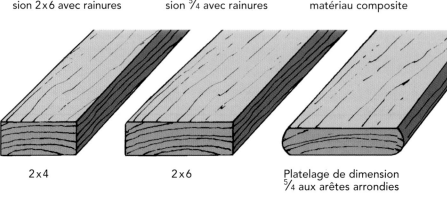

Platelage bombé de dimension 2 x 6 avec rainures

Platelage bombé de dimension 5/4 avec rainures

Platelage en matériau composite

2 x 4

2 x 6

Platelage de dimension 5/4 aux arêtes arrondies

L'humidité. Les arbres qui sont livrés aux scieries peu après avoir été abattus ont une haute teneur en humidité. Une fois coupé et poncé, le bois traité sous pression devient encore plus humide lorsqu'il est imbibé d'un préservatif chimique. Il aura le temps de sécher un peu avant d'être acheminé au centre de rénovation, mais une partie du bois que vous achèterez affichera néanmoins un taux d'humidité de 30, voire de 40 %.

Le bois mouillé, que ce soit des suites de l'humidité environnante ou à cause des produits chimiques injectés, se rétracte à mesure qu'il sèche. Le bois rétrécit surtout dans le sens de la largeur. À moins que la planche ne soit particulièrement longue, le rétrécissement dans le sens de la longueur est à peine perceptible. Si vous posez les planches de votre tablier sur un patio de grande surface alors qu'elles sont humides, une ouverture pourrait se créer entre vos joints d'about après un certain temps. Si la teneur en humidité de votre bois (MC, pour *moisture content*) est inférieure à 20 %, l'effet de gauchissement et de rétrécissement devrait être négligeable.

L'estampille de qualité apposée sur les pièces de bois indique la teneur en humidité, mais ne vous fiez pas aveuglement à ce chiffre. Le bois pourrait encore absorber l'humidité du sol ou se faire mouiller par la pluie alors qu'il est entreposé dans la cour du centre de rénovation. Les employés du parc à bois de votre localité accepteront peut-être de vérifier la teneur en humidité de quelques-unes de vos planches à l'aide d'un hygromètre. Sinon, vous n'avez qu'à enfoncer un clou dans une planche et à observer si la moindre gouttelette s'écoule le long de la tige. Si cela est le cas, le bois est trop mouillé.

Les qualités du bois d'œuvre. Le bois est trié et classé en fonction d'abord de la quantité, de l'espacement et de la dimension des nœuds, puis aussi en fonction des défauts d'usinage et de la technique de séchage.

Le bois de la plus haute qualité, et le plus coûteux, s'appelle charpente de choix (pour select structural, ou SEL STR sur l'estampille). Ce type de bois est celui qui contient le moins de nœuds et autres défauts visibles.

Plus souvent qu'autrement, vous aurez affaire avec le bois mou commun lequel est classé nº 1, nº 2 ou nº 3. Le bois de la catégorie nº 1 est le plus résistant et habituellement aussi le plus beau de tous. Le bois de la catégorie nº 2 est le plus souvent utilisé pour construire la structure d'un patio. Quant au bois de la catégorie nº 3, il manque de solidité.

Il existe un autre système de classement qualitatif qui utilise les termes Const (pour construction), Stand (pour standard), ou Util (pour utilitaire). Ces trois classifications sont habituellement utilisées pour apposer une cote de qualité aux pièces de 2 x 4 et de 4 x 4, ainsi qu'aux pièces de 2 x 6 (et de dimensions supérieures) de catégorie nº 1, 2 et 3.

La classification de bois la plus commune est la nº 2. Cette catégorie conviendra parfaitement bien à la plupart de vos besoins. D'ailleurs, les codes de bâtiment exigent souvent du bois classé « nº 2 ou de qualité supérieure. »

Pour construire les balustrades et les autres éléments de votre patio qui seront le plus en évidence, vous voudrez peut-être investir un peu plus d'argent pour vous procurer du bois de catégorie nº 1 ou même, du bois de charpente de choix... si vous parvenez à en dénicher. De nos jours, il est de plus en plus difficile de trouver du bois de qualité. La plupart des pièces proviennent de forêts corporatives. Les arbres de ces forêts atteignent vite leur maturité, mais leurs cernes de croissance sont beaucoup plus espacés et ils donnent moins de bois.

CI–DESSUS Le bois est classé en fonction de la dimension et du nombre de nœuds. Le bois exempt d'imperfections de surface offre la touche de finition la plus réussie.

LES ESPÈCES DE BOIS

LE SÉQUOIA

Le séquoia de la côte Ouest est réputé en raison de la taille qu'il peut atteindre et de la qualité de son bois. Son magnifique grain en fil droit, la chaleur que dégage sa couleur naturelle et sa résistance aux intempéries ont fait de cette essence légendaire *le nec plus ultra* des matériaux de construction extérieure. C'est un bois au parfum envoûtant, agréable à ouvrer et facile à couper. Mais malheureusement, les coupes excessives ont rendu le séquoia rare et coûteux.

Du fait de son prix élevé, vous voudrez sans doute utiliser le séquoia seulement pour les parties les plus visibles de votre patio comme le platelage et les balustrades. Vous pouvez également vous servir du séquoia pour construire la charpente, mais vous aurez sans doute à poser des solives et des madriers légèrement plus massifs que si vous aviez choisi du bois normal traité sous pression.

Le bois d'aubier du séquoia se distingue du bois de cœur par sa couleur : le bois d'aubier est beaucoup plus pâle. On a peine à croire qu'il provient du même arbre. Le bois de cœur du séquoia se démarque par le côté apaisant que dégage sa teinte rougeâtre et sombre. Il résiste facilement aux insectes et aux intempéries. Le bois d'aubier par contre, peut commencer à montrer des signes de pourrissement de deux à trois ans seulement après avoir été en contact avec le sol, ou après avoir été exposé aux intempéries pour une longue période de temps. Aussi, avant de poser vos planches de bois d'aubier assurez-vous de bien les traiter et de les installer seulement aux endroits où l'évacuation de l'eau se fait bien la majeure partie du temps.

Si vous ne traitez pas le séquoia et que vous le laissez « grisonner », il prendra, au bout de quelques années et de façon toute naturelle, une légère patine grise. Plusieurs considèrent ce lustre naturel fort attrayant.

Si vous voulez que le séquoia conserve une bonne partie de son éclat d'origine, vous pouvez le traiter avec des teintures et un préservatif anti-UV.

Dans certaines régions vous pouvez trouver du séquoia qui aura été à la fois traité et teint, ce qui rend le bois d'aubier encore plus résistant à la moisissure tout en lui donnant une couleur semblable à celle du bois de centre. Ce type de bois est très onéreux, mais son achat est assorti d'une garantie à vie. Il est donc très avantageux de considérer cette possibilité. Examinez plusieurs pièces afin de vous assurer que vous aimez bien la couleur. Cette teinte brun tirant sur le rouge s'affadira au fil des ans pour devenir uniformément grise – à moins que vous ne teigniez à nouveau votre patio.

Le classement *Architectural* comprend :

Clear All-Heart. Composé entièrement de bois de cœur et exempt de nœuds. Ce bois est recommandé pour la construction des éléments les plus visibles.

Clear. S'approche de la qualité *Clear All-Heart* mais contient du bois d'aubier. La qualité Clear convient parfaitement pour les éléments les plus visibles de votre patio qui ne risquent pas de subir les effets du pourrissement.

B-Heart. Une option moins coûteuse au bois de qualité *Clear All-Heart*. Cette qualité de bois contient un certain nombre de nœuds, mais aucun bois d'aubier.

B-Grade. Possède à peu près les mêmes caractéristiques que la qualité *B-Heart*, mais contient du bois d'aubier. Ce bois peut servir aux mêmes applications que la qualité *Clear*.

Toutes les qualités de bois de séquoia comprises dans le classement Jardinier conviennent à la construction de la plupart des éléments d'un patio. Elles comprennent :

Construction Heart/Deck Heart. Composé entièrement de bois de cœur, mais avec des nœuds. Les deux catégories conviennent aux éléments de structure au ras du sol ou près du sol, tels les poteaux, les poutres, les solives et le platelage. Ces deux qualités de bois sont semblables, mais en plus d'une estampille atteste leur niveau de solidité. Le bois de qualité *Deck Heart* est seulement disponible en format 2 x 4 et 2 x 6.

Construction Common/Deck Common. Contient des nœuds et un mélange de bois de cœur et de bois d'aubier. Ces deux qualités de bois sont idéales pour les éléments au-dessus du sol tels les balustrades, les banquettes et le platelage. Le bois Deck Common est d'apparence semblable au bois Construction Common

À GAUCHE **Plusieurs personnes ont recours à plus d'un type de bois pour leur patio. Le bois de meilleure qualité est utilisé pour les éléments les plus visibles.**

et peut servir aux mêmes éléments. Il est aussi classé en fonction de sa solidité. Le bois Deck Common est seulement disponible en format 2 x 4 et 2 x 6.

Merchantable Heart. La plus économique qui soit dans la catégorie de qualité de bois composée entièrement de bois de cœur. Les normes de classement lui permettent d'avoir de plus gros nœuds et même certains trous de nœud. Ce bois est utilisé pour les clôtures de jardin ou pour les structures à usage général situé au ras du sol, ou près du sol.

Merchantable. Possède les mêmes caractéristiques que le bois *Merchantable Heart*, mais contient du bois d'aubier. Cette qualité de bois convient pour construire des clôtures, du treillis et des éléments au-dessus du sol destinés au jardin ou à d'autres usages d'ordre général.

LE CÈDRE

Le cèdre offre la plupart des mêmes avantages que le séquoia mais surtout celui d'être habituellement moins dispendieux. Le cèdre est un bois stable, tout comme le séquoia. Il se travaille facilement, fendille rarement et présente à peine quelques éclats le long de sa surface. Et tout comme le séquoia, le bois de cœur du cèdre est la partie la plus résistante au pourrissement. Le bois d'aubier peut pourrir relativement vite. On reconnaît le bois de cœur du cèdre à sa couleur brune et à l'odeur de type « litière à hamster » qu'il dégage lorsqu'il est coupé.

Le cèdre, cela dit, est tout de même aromatique et attrayant. Mais à cause de sa teinte brun léger il peut laisser un peu plus froid que le séquoia. Si le bois n'est pas traité, la couleur du cèdre changera pour le gris.

Le cèdre n'est pas aussi résistant que le séquoia. Il n'est pas souvent utilisé pour les éléments porteurs, les poutres ou les solives. Vous voudrez sans doute vous en servir pour les endroits les plus visibles de la structure, par exemple pour la planche de façade. Il arrive fréquemment, pour des raisons esthétiques, que l'on se serve de solives extérieures et de solives de rives en bois traité sous pression pour monter la structure

puis de les recouvrir ensuite de planches de façades en cèdre.

Contrairement au séquoia et au bois traité sous pression, le cèdre est disponible à peu près dans toutes les dimensions, même en format monstre pour les poteaux 12 x 12. Ce bois peut aisément servir à tous les assemblages de poutres et de poteaux surdimensionnés.

Le cèdre est disponible à peu près partout. Cette espèce de bois se décline sous un grand nombre de variétés dont la plus populaire est le thuya géant (*Western red cedar*). Vous pouvez aussi vous acheter du bois de qualité *Clear All-Heart*, mais il est très onéreux. Vous voudrez sans doute vous prévaloir plutôt des variétés n° 1 suivantes : le bois *Select Tight Knot*, qui provient du nouveau bois de l'arbre et qui contient en partie du bois d'aubier. Il convient parfaitement aux tabliers qui ne seront pas exposés aux intempéries pour de longues périodes de temps. En contrepartie, les qualités de bois *Architect Clear* et *Custom Clear* proviennent de la plus vieille partie de l'arbre et devraient être utilisées aux endroits les plus susceptibles au pourrissement. On retrouve ensuite, un peu plus bas dans l'échelle des classements, les bois de qualité *Architect Knotty*, *Custom Knotty* et n° 2. Ces catégories de bois contiennent davantage de nœuds mais possèdent à peu près le même niveau de résistance à la pourriture. Il est possible aussi, que vous trouviez les nœuds intéressants du point de vue esthétique.

L'un des matériaux de platelage les plus couramment utilisés sont les planches de cèdre $^5/_4$. Ces pièces aux arêtes arrondies ne contiennent à peu près aucun éclat. Mais tel que susmentionné, assurez-vous de soupeser avec circonspection les qualités énoncées par l'estampille. Le fait qu'une compagnie vous propose d'utiliser tel type de bois pour le platelage n'implique pas nécessairement qu'il soit le meilleur pour convenir à vos besoins.

Pour vos planches de façade, utilisez le cèdre blanchi sur l'une de ses faces et en bois brut de l'autre (ou S1SE, qui veut dire « blanchi sur les deux côtés et le

TRUCS ET ASTUCES

L'ENTREPOSAGE DU BOIS

Lorsque le centre de rénovation livrera votre bois, certaines des pièces seront peut-être détrempées. Celles-ci risquent de se rétracter et de gauchir une fois qu'elles seront posées. Toutes les pièces qui sont nettement plus lourdes que les autres sont engorgées d'eau et devraient être retournées. Les autres peuvent être empilées à quelques pouces du sol sur des poteaux 4 x 4. Des languettes de bois entre chaque rangée faciliteront le séchage et la circulation de l'air.

long d'une des deux surfaces longitudinales »). Si vous posez cette planche avec le côté brut vers l'extérieur, votre patio aura une apparence esthétique un peu plus rustique. Assurez-vous, par contre, de bien traiter votre bois. L'eau emprisonnée entre la planche de façade et la pièce qu'elle recouvre peut très bien favoriser le pourrissement.

Des taches noires et gluantes se formeront peut-être à la surface de vos pièces de cèdre. Il pourrait s'agir d'une forme de moisissure mais plus souvent qu'autrement, ce n'est que la résine naturelle du bois en train d'exsuder. De l'eau et du savon suffisent pour nettoyer le tout.

LE CYPRÈS

Le cyprès chauve est au Sud ce que le séquoia est à la côte Ouest. On le retrouve dans les basses terres et les marais arborés qui sillonnent le sud-est des États-Unis. La solidité et la dureté de ce bois s'apparentent beaucoup à celles du séquoia, mais avec la stabilité en

moins. Les scieries des petites localités du sud des états-Unis peuvent vous vendre ce bois de platelage à un prix qui défie toute concurrence. Il est assez difficile de s'approvisionner en bois de cyprès en dehors de sa région d'origine, mais certains centres de rénovation sont peut-être en mesure de vous en commander.

LES PRODUITS EN BOIS TRAITÉ

Depuis de nombreuses années, le bois traité sous pression (ou PT, pour *pressure treated*) a servi à construire des millions de patios. Auparavant, la plupart du bois était traité avec de l'arséniate chromaté de cuivre ou ACC. Ce produit chimique donne au bois une couleur verte qui s'affadit avec le temps. Ce processus de préservation a garanti la durabilité du bois destiné à l'édification de millions de patios. L'ACC, cependant, contient de l'arsenic, un produit cancérigène. Certaines procédures de manipulation devraient être suivies pour assurer un usage sécuritaire de ce produit.

LA CLASSIFICATION DU BOIS D'ŒUVRE

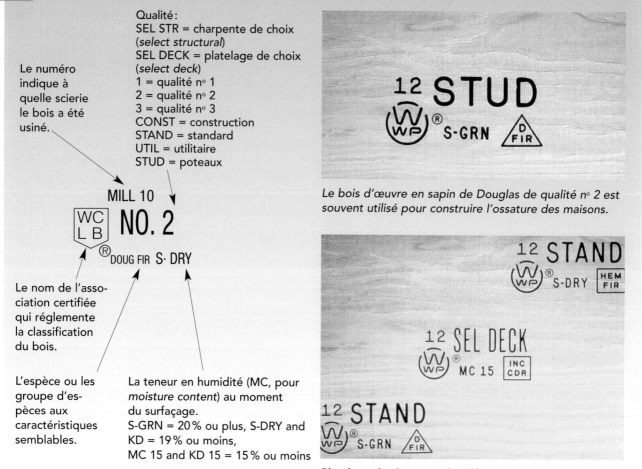

Le numéro indique à quelle scierie le bois a été usiné.

Qualité :
SEL STR = charpente de choix (*select structural*)
SEL DECK = platelage de choix (*select deck*)
1 = qualité n° 1
2 = qualité n° 2
3 = qualité n° 3
CONST = construction
STAND = standard
UTIL = utilitaire
STUD = poteaux

MILL 10

WCLB NO. 2
®DOUG FIR S· DRY

Le nom de l'association certifiée qui réglemente la classification du bois.

L'espèce ou les groupe d'espèces aux caractéristiques semblables.

La teneur en humidité (MC, pour *moisture content*) au moment du surfaçage.
S-GRN = 20 % ou plus, S-DRY and KD = 19 % ou moins,
MC 15 and KD 15 = 15 % ou moins

Le bois d'œuvre en sapin de Douglas de qualité n° 2 est souvent utilisé pour construire l'ossature des maisons.

Platelage de choix net de défauts visibles avec teneur en humidité de 15 % ou moins.

L'industrie du traitement du bois a depuis lors décidé de ne plus produire de bois traité à l'ACC pour les matériaux de construction résidentielle. D'autres types de préservatifs sont désormais utilisés y compris de l'azole de cuivre et le cuivre alcalin quaternaire. Ces types de préservatifs, et d'autres aussi, peuvent influer sur l'apparence et les caractéristiques structurelles du bois. Assurez-vous de bien suivre les consignes du fabricant pour l'installation, l'utilisation recommandée et la manipulation sécuritaire de ces produits.

Les millions de patios qui ont été construits avec du bois traité à l'ACC ne représentent aucun danger. Si elles sont bien entretenues, ces structures vont durer encore plusieurs années. Les gens qui s'en servent ne courent aucun risque s'ils observent les consignes sécuritaires de base, qui sont d'abord de porter un masque anti-poussière, des gants et des lunettes de protection lorsqu'ils coupent du bois traité à l'ACC. Après avoir manipulé du bois de ce type, il faut se laver les mains. Enfin, il ne faut ni sabler ni brûler le bois traité à l'ACC.

Les défauts du bois

Voilement longitudinal

Voilement transversal

Cambrure

Gauchissement

Gerce

Fente

Flache

Nœud

Pourriture

Poche de résine

LE BOIS DE FER

Si vous avez un gros budget et un penchant pour l'exotisme, vous voudrez peut-être aller voir du côté des feuillus d'Amérique du Sud (parfois appelés « bois de fer »), tels l'ipé et le pau fero. Ce bois est extrêmement durable et résistant. En fait, certains bois de fer possèdent jusqu'à deux fois la résistance et la capacité de charge d'un sapin Douglas de la même dimension traité sous pression. Et leur résistance aux insectes et au pourrissement est parfois cinq fois supérieure à celle du bois traité en Amérique du Nord.

Bien entendu, ce type de bois est très coûteux. Même si vous prenez du bois de fer seulement pour construire le platelage et les balustrades, cela pourrait bien faire tripler le budget de vos matériaux. Cependant, la popularité de ces espèces de bois ne cesse de croître, leur prix d'achat diminuera sans doute. Les bois de fer exigent un temps d'installation particulièrement long ; la coupe est souvent ardue, et vous aurez peut-être à percer un avant-trou pour chacun de vos clous ou chacune de vos vis.

LES DÉFAUTS DU BOIS

Vous n'avez sans doute pas les moyens de vous acheter du bois de choix exempt de défauts visibles pour tous les éléments de votre patio. Aussi, plusieurs de vos pièces comporteront quelques petits défauts. Certaines imperfections sont essentiellement esthétiques et n'affectent aucunement la solidité de la planche, alors que d'autres pourraient vous attirer des ennuis. Voici une description de certains défauts du bois qui vous indique en même temps s'ils sont insurmontables ou non.

Le voilement longitudinal est une courbure du bois sur la longueur, de bout en bout. Ce défaut ne nuit pas à la solidité. Cette planche peut toujours servir si vous parvenez à la redresser au moment de la clouer.

Le voilement transversal est une déformation dans le sens de la largeur. Si le défaut n'est pas trop accentué, vous pouvez toujours tenter de l'aplatir avec des vis ou des clous (pour le platelage) ou de vous en servir comme pièce d'appui (pour les solives). Si vous posez une planche de ce type avec le dos du voilement dirigé vers le bas, l'eau s'y accumulera et cela favorisera la

TRUCS ET ASTUCES

LA COURONNE DU BOIS

La plupart du bois de construction que vous utilisez pour les solives et les poutres est constitué d'une courbe naturelle sur le chant que l'on appelle la couronne. Au moment de choisir ces pièces, placez le chant de la pièce au niveau de vos yeux et marquez la partie surélevée de la courbe concave d'un X. Les poutres et les solives installées avec la couronne vers le haut consolident la structure du patio.

pourriture. Avant d'aplatir la pièce, assurez-vous donc de l'installer avec le dos du voilement posé vers le haut.

La cambrure est une courbure de la pièce dans le sens de la longueur. En plaçant le chant de la pièce au niveau de vos yeux, vous remarquerez une courbe convexe ou concave. La partie surélevée des deux extrémités s'appelle la couronne. Les solives sont toujours posées avec la couronne dirigée vers le haut. La plupart des longues planches sont légèrement cambrées, mais si une pièce l'est trop, elle ne pourra pas servir aux éléments de la charpente. Si l'une de vos planches de patio cambre modérément, vous pouvez habituellement la redresser avant de la fixer à la structure.

Le gauchissement est une déformation du bois en forme de tire-bouchon passablement étiré. Si la torsion

de la pièce attire immédiatement le regard, elle ne convient pas au platelage ou aux éléments de la charpente.

La gerce est une fissure qui survient lorsque la surface du bois sèche plus rapidement que l'intérieur. Les fibres internes se tordent et produisent de petites fentes superficielles. Ce défaut est seulement d'ordre esthétique et ne nuit aucunement à la solidité de la pièce. Le bois séché au séchoir gerce moins que le bois vert.

La fente en bout est une fissure qui parcourt toute la longueur d'une pièce, d'une extrémité à l'autre. Ce défaut affaiblit considérablement la pièce. N'utilisez pas de bois fendu pour la construction de votre patio.

La flache est un creux qui se présente à l'arête d'une planche et qui ressemble à un amincissement de la pièce sur toute sa longueur. Ce défaut survient lorsque les planches sont coupées dans la partie de l'arbre située la plus près de l'écorce. La flache n'affecte aucunement la solidité de la pièce. Prenez soin, par contre, d'enlever l'écorce résiduelle car si vous la laissez en place, elle risque de favoriser le pourrissement.

Les nœuds constituent le support à haute densité des branches. Les nœuds en tant que tel sont résistants mais ils sont englobés par le bois sans en faire véritablement partie. Évitez les planches de platelage qui contiennent de gros nœuds. Ils risquent de se détacher avec le temps. Le tiers inférieur d'une planche de solive (dans le sens de la largeur) ne devrait jamais contenir de nœud d'un diamètre supérieur à 1 pouce, car cela l'affaiblirait considérablement.

La pourriture est la décomposition de la structure du bois par des champignons ou des insectes. N'utilisez jamais de bois pourri pour la construction de votre patio.

Les poches de résine sont les accumulations de résines naturelles qui se forment à la surface des pièces. Elles n'affectent pas la solidité du bois. Par contre, si vous peignez ou que vous teignez vos planches, le liquide qui suinte aura un effet de décoloration.

TRUCS ET ASTUCES

LA SÉLECTION DU BOIS

La plupart des centres de rénovation entreposent le bois de construction à l'extérieur. Au moment où le bois sera livré, vous trouverez sans doute des pièces de très bonne qualité et d'autres qui contiennent des trous de nœuds ou d'autres défauts visibles. De nos jours, la plupart des lots de bois sont constitués de qualités mixtes. Aussi, à moins de payer pour obtenir une qualité de choix, vous devrez vous contenter de la sélection offerte et choisir les plus belles pièces pour construire les éléments les plus visibles de votre patio. Pour ce qui est des planches de votre platelage, ne vous souciez pas de la direction du fil. Vous n'avez qu'à tourner la face du bois la moins esthétique vers le bas.

À DROITE Il existe, sur le marché, une bonne variété de platelage en matériaux composites au design et à l'aspect variés. La plupart de ces produits ne sont pas conçus pour servir comme éléments de soutènement.

LE PLATELAGE EN MATÉRIAUX SYNTHÉTIQUES

Cette catégorie de platelage est sans doute celle qui connaît le plus grand essor en ce moment. Elle comprend les matériaux composites, qui sont un mélange de fibres de bois et de plastique recyclé, ainsi que les produits en vinyle. Contrairement au bois naturel, ces produits varient considérablement d'un fabricant à l'autre. Certains de ces produits sont conçus avec une surface en relief qui imite le grain naturel du bois. D'autres se soucient peu d'atteindre ce niveau d'imitation et se contentent surtout d'offrir un produit à l'aspect original. Quelques-uns de ces platelages sont offerts à l'échelle nationale, mais la plupart des fournisseurs n'offrent qu'une distribution régionale. Avant de poser le platelage, assurez-vous de lire soigneusement la documentation du fabricant, surtout en ce qui a trait aux techniques d'installation et au bon usage du produit.

La plupart des fabricants maintiennent que leurs planches en matériaux synthétiques se posent plus facilement et plus rapidement que celles en bois naturel. Plusieurs modèles sont conçus avec un système d'emboîtement qui ne requiert aucune fixation apparente. Ce système confère une allure soignée aux lignes pures. L'ensemble des produits en matériaux synthétiques nécessite peu d'entretien.

LE BÉTON

Pour construire votre patio, vous aurez sans doute besoin de couler des semelles de béton pour supporter les poteaux.

Le béton est composé de ciment Portland, d'un mélange de sable et de gravier, et d'eau. Le mélange de sable et d'eau agit comme un élément de liaison et ajoute de la solidité à la pâte pure de ciment.

Il est important de bien mesurer la quantité des ingrédients. Un surplus d'eau affaiblira le béton; un manque d'eau rendra le mélange difficile à manipuler. De manière générale, si vous faites votre propre mélange ajoutez juste ce qu'il faut d'eau de manière à ce que le béton soit assez ferme pour convenir à vos besoins. Si vous utilisez des sacs de béton prémélangé, lisez bien l'étiquette pour savoir quelle quantité d'eau vous devez rajouter. Au moment de faire votre mélange, assurez-vous d'ajouter l'eau graduellement. Le mélange devrait être assez liquide pour combler tous les espaces vides d'un coffrage tubulaire ou d'un trou, mais si le mélange est trop coulant, il contient trop d'eau.

La résistance du béton à la compression – autrement dit, la quantité maximale de poids qu'il peut supporter avant de commencer à se désagréger – est déterminée par la quantité de ciment dans le mélange. Il peut arriver à l'occasion qu'un inspecteur des bâtiments vous demande de lui fournir une preuve que la solidité de votre béton est adéquate.

LES FIXATIONS

Les vis, les boulons, les clous et toute la quincaillerie que vous utiliserez pour assembler les éléments de votre patio les uns avec les autres transforment ce qui n'était auparavant qu'une pile de pièces de bois dépareillées en une structure extérieure pratique et construite avec soin. La plupart des décisions que vous aurez à prendre, comme choisir la dimension de tire-fonds, la plus appropriée pour attacher votre poutre aux poteaux, sont en fait dictées par les codes du bâtiment. En contrepartie, le choix d'opter pour des vis ou des clous lors de la pose de votre platelage dépend davantage de vos goûts personnels que des normes de votre localité.

Peu importe le type de fixation que vous choisirez, souvenez-vous de la règle de base maintes fois éprouvée pour déterminer la longueur la plus appropriée : la profondeur de pénétration dans la pièce du dessous devrait toujours être égale ou supérieure à l'épaisseur de la pièce du dessus. Ainsi, à moins que vous n'ayez prévu de noyer vos fixations dans la planche du dessus, celles-ci devraient être au moins deux fois plus longue que l'épaisseur de la planche du dessus. Par exemple, si vous installez des planches de 1 ½ pouce, vous devriez vous servir de fixations d'une longueur de 3 pouces ou 3 pouces ½.

TRUCS ET ASTUCES

CACHEZ CES FIXATIONS

La façon habituelle (et sans doute la plus simple) de poser du platelage consiste à enfoncer des clous dans la surface du tablier. Mais il existe plusieurs autres options pour fixer les pièces d'un tablier sans laisser de têtes de clou apparentes. Certaines méthodes exigent plus de temps mais elles améliorent l'apparence de votre patio et vous évitent le tracas des clous en saillie. La plus connue consiste à poser une bande d'acier galvanisé en forme de L. Un côté se visse aux solives et l'autre, aux planches du patio. D'autres systèmes d'attache sont composés de pièces indépendantes qui se fixent à toutes les intersections des planches et des solives.

TRUCS ET ASTUCES

VISSEZ VITE, VISSEZ MIEUX

Les vis maintiennent mieux les pièces en place que les clous. Au fil du temps, elles peuvent même réduire le voilement et le gauchissement de vos planches de patio. Mais poser une vis prend plus de temps que d'enfoncer un clou. Pour accélérer le processus, certains professionnels se servent donc de tournevis électrique assez dispendieux. Mais un adaptateur compatible à votre perceuse peut être tout aussi efficace. Certains modèles coûtent moins de 30 $. L'adaptateur verrouillé au mandrin achemine des bandes de plastique munies de vis vers le canon du tournevis électrique. Vous n'avez pas besoin de recharger à chaque coup, seulement quand les bandes se sont vidées de leurs vis.

LES CLOUS

Pour assembler deux pièces de bois ensemble, la méthode la plus répandue et habituellement la plus rapide est de se servir de clous. Si vous choisissez bien vos clous et que vous les enfoncez correctement, le joint restera en place pour plusieurs décennies.

Plus le clou est gros, plus il pénètre la surface ; plus la tige du clou déplace du bois en s'enfonçant, plus le clou soutiendra avec solidité.

La grosseur des clous se décline en *penny*, selon le terme anglais, qui à son tour est abrégé à la lettre « d » pour *denarius*, la principale monnaie à l'époque des Romains – une terminologie, il va sans dire, qui n'est pas née de la dernière pluie. À l'origine, le chiffre utilisé désignait le prix d'une centaine de clous de cette dimension mais de nos jours il indique la longueur du clou. Pour assembler deux planches d'une épaisseur de deux pouces, utilisez des clous 16d, d'une longueur de 3 ½ pouces. Pour du platelage de dimension 5/4, les clous 10d d'une longueur de 3 pouces constituent le meilleur choix.

À moins de vous trouver à un endroit où les clous ne seront pas exposés aux intempéries (ce qui peut s'avérer assez rare quand vous construisez un patio), il est habituellement préférable d'utiliser des clous galvanisés par immersion à chaud. Ces clous sont enduits d'une couche de zinc mat qui les aide à résister à la rouille. La texture rugueuse de l'enduit contribue à maintenir le clou bien en place.

Les clous en aluminium et en acier inoxydable résistent encore mieux à la rouille, mais ils ont moins d'emprise. Les clous en acier inoxydable coûtent cher, mais en valent le coup surtout pour fixer les éléments de votre patio les plus exposés aux précipitations. Les clous en aluminium sont mous et plient facilement.

Certains types de clous « déformés » sont conçus pour offrir une emprise optimale. La surface des tiges de clous filetés en hélice, ou à tige filetée, est parcourue d'un filetage qui permet au clou de tourner comme une vis quand vous l'enfoncez. La force d'emprise de ces clous équivaut à celle des vis.

Certains clous pour patios ont une pointe émoussée afin de limiter le plus possible le fendillement de la pièce. La tige de ces clous est moletée ou annelée pour accroître son pouvoir d'emprise. Un clou à tige annelée est efficace pour assembler deux pièces mais il perd beaucoup de son pouvoir d'emprise s'il est forcé le moindrement vers l'extérieur.

Les clous à tête conique en acier galvanisé sont essentiellement des clous de finition grand format. Conçus à l'origine comme dispositifs de fixation pour les fenêtres et les encadrements de porte, les clous à tête conique n'ont pas la même emprise que les clous munis d'une tête. Par contre, ils maintiennent mieux les pièces en place que les clous de finition car ils sont plus gros.

En dépit de leur avantage esthétique, il est préférable de ne pas utiliser des clous à tête conique pour poser votre platelage ou assembler l'ossature de votre patio. Ils n'offrent tout simplement pas une emprise adéquate. Par contre, vous pourriez vous servir de ces clous aux endroits où le niveau d'emprise peut être moindre, comme pour la pose des planches de façade par exemple, ou pour d'autres travaux de finition.

LES VIS

Plusieurs bonnes raisons pourraient vous motiver à choisir des vis au lieu des clous. Les vis offrent une meilleure emprise que les clous et peuvent aussi redresser une planche incurvée plus facilement que des clous ne le peuvent.

En utilisant des vis, vous éliminez également toutes ces marques dans le bois que vont souvent laisser le dernier coup de marteau asséné. Vous pouvez aussi retirer les vis d'une pièce sans endommager la surface située autour des orifices avec un pied-de-biche. Ainsi, si vous faites une erreur, vous n'aurez pas à vous départir inutilement d'une planche. En sauvant ne serait-ce qu'une seule pièce, vous pouvez dès lors rentabiliser la dépense supplémentaire assumée en optant pour des vis. De plus, si vous maîtrisez bien la technique d'utilisation du tournevis électrique, la pose du platelage à l'aide de vis peut se faire aussi rapidement que si vous enfonciez des clous.

LES OPTIONS : LES FIXATIONS

Peu importe le type de fixation que vous choisissez, assurez-vous d'utiliser seulement les fixations résistantes à la corrosion (galvanisées par immersion à chaud, en acier inoxydable ou en aluminium).

Les clous et les vis. *De gauche à droite : le clou commun 10d, la vis pour patio plaquée inoxydable, la vis galvanisée, la vis en acier inoxydable à embout femelle, le clou pour étrier à solives.*

Les boulons. *De gauche à droite : le tire-fond galvanisé, le tire-fond en acier inoxydable, le boulon de J, le boulon de carrosserie galvanisé, les ancrages pour maçonnerie.*

Les fixations dissimulées. *Dans le sens des aiguilles d'une montre, à partir du haut : la bande pour patio, l'attache pour planche de patio, les attaches de plastique pour rainures, l'attache d'aluminium pour rainures. Avec ce genre de produits, vous n'avez pas besoin de clous de surface.*

Les vis pour patio. Ces vis sont munies d'un filetage extérieur bien acéré. Leur tête possède un profil de clairon. Il existe deux sortes de systèmes conducteurs : la vis cruciforme et la vis à embout femelle. Les vis cruciformes sont plus faciles à placer dans l'embout de votre perceuse mais lors du serrage, l'embout a tendance à faire du surplace, ou à « déraper » à l'intérieur de la tête de vis cruciforme. Peut-être vous faudra-t-il une demi-seconde de plus pour charger votre embout de perceuse avec une vis à embout femelle, mais au moins, elle restera en place et ne dérapera pas, même en vissant dans du bois dur.

Les embouts ne sont pas chers, aussi peut-être voudrez-vous les mettre tous les deux à l'épreuve afin de déterminer lequel vous convient le mieux.

Les tire-fonds. Les tire-fonds sont des vis à la tige épaisse et au filetage brut munis d'une tête compatible aux clés à cliquet à douille. Assurez-vous de toujours insérer une rondelle pour éviter que la tête du tire-fond ne se noie dans le bois et que son pouvoir d'emprise diminue. Utilisez les tire-fonds pour assembler la lambourde à l'ossature de la maison et partout aussi où la solidité d'attache est de mise et que vous n'avez accès que d'un seul côté.

LES BOULONS

Les boulons peuvent assembler deux pièces avec extrêmement de solidité. Lors de la construction d'un patio, ils servent souvent à fixer les madriers de soutènement ensemble ou à attacher un poteau à un madrier.

Le boulon traverse les deux pièces de bois assemblées qui, à leur tour, sont retenues par une rondelle et un écrou. Les boulons à tête hexagonale sont faciles à installer, car vous pouvez les visser avec une clé à cliquet à douille. Pour éviter que le boulon ne se noie dans le bois, assurez-vous d'insérer une rondelle entre la tête et l'écrou. Les boulons de carrosserie ont une tête ronde et un collet carré. Elles ne requièrent aucune rondelle et sont pratiques pour donner un cachet plus esthétique aux éléments de fixation les plus en vue de votre patio.

TRUCS ET ASTUCES

LES FIXATIONS POUR LE BOIS TRAITÉ

Il a été démontré que les nouveaux produits chimiques contenus dans le bois traité sont davantage corrosifs que les scellants traditionnels imbibés dans le bois traité sous pression. (Voir « Les produits en bois traité », page 100.) Assurez-vous de bien lire la documentation associée au produit en ce qui a trait aux méthodes de fixation recommandées. Certains fabricants de systèmes de fixation suggèrent d'utiliser des vis ou des clous en acier inoxydable pour assembler ce nouveau type de bois traité.

LA QUINCAILLERIE

Pour assembler les différentes pièces de votre patio, il existe des fixations métalliques autres que les vis, les clous et les écrous.

LES ATTACHES MÉTALLIQUES

La quincaillerie spécialisée pour patio vous permet de poser les planches de votre tablier sans attaches apparentes. Plusieurs options s'offrent à vous, y compris les attaches pour patio et les systèmes de fixation continus. Ces systèmes de fixation sont plus dispendieux que ceux de type traditionnel et leur temps d'installation est plus long. Mais il vaut peut-être la peine d'investir ce surplus de temps et d'argent pour obtenir une surface de tablier lisse et exempte de clous, particulièrement si vos planches de platelage sont en cèdre ou en séquoia.

Normalement, les attaches pour patio se vissent au-dessus des solives. Les pièces du tablier sont maintenues en place par les vis ou les clous enfoncés dans le chant des planches. Cependant si le bois rétrécit, ces attaches peuvent perdre une partie de leur emprise.

Les systèmes de fixation continus consistent en de longues bandes métalliques assemblées le long de toutes les solives. Les vis enfoncées dans les trous prévus à cet effet assemblent les pièces du platelage à la structure, mais par en-dessous. Ce système offre une meilleure emprise que les attaches pour patio. Les bandes de fixation sont efficaces pour maintenir les joints d'about solidement en place. Elles peuvent aussi limiter le fendillement des planches occasionné par l'usure normale du patio.

LE SOLIN

L'installation du solin est un véritable jeu d'enfant – à partir du moment où vous disposez des bons matériaux. Achetez, autant que possible, des pièces préformées de la dimension requise. Vous pouvez aussi vous procurer une pièce de tôle plate façonnée selon vos besoins.

La durabilité d'un solin d'aluminium est pratiquement illimitée. Mais avec le temps, ce type de solin a tendance à prendre de l'expansion et à se rétracter, provoquant ainsi une infiltration d'eau dans l'espace créé autour de la tige des clous.

Si votre solin est fabriqué en aluminium, assurez-vous d'utiliser des clous en aluminium pour éviter les problèmes de corrosion. Avec le temps, la surface d'un solin galvanisé peut devenir rouillée en quelques endroits, mais ce matériel est plus épais et plus résistant que l'aluminium. Il est aussi moins susceptible de fléchir au gré des variations de la température.

LES OPTIONS DU BRICOLEUR : LES FIXATIONS DE PATIO

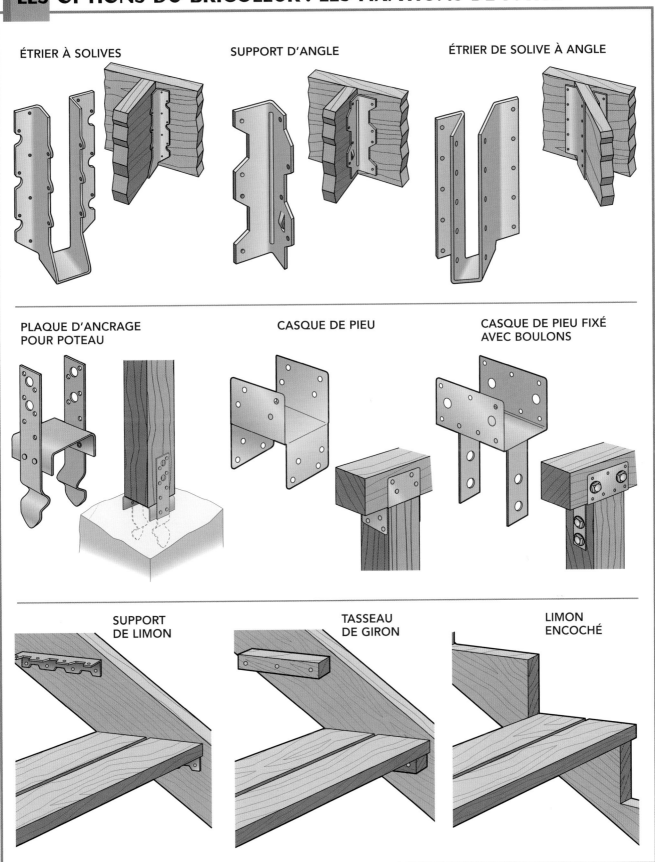

ÉTRIER À SOLIVES

SUPPORT D'ANGLE

ÉTRIER DE SOLIVE À ANGLE

PLAQUE D'ANCRAGE
POUR POTEAU

CASQUE DE PIEU

CASQUE DE PIEU FIXÉ
AVEC BOULONS

SUPPORT
DE LIMON

TASSEAU
DE GIRON

LIMON
ENCOCHÉ

ÉTAPE-PAR-ÉTAPE
CONSTRUCTION

PROPOSITIONS DE PATIOS

1 Les patios ne sont pas toujours une structure isolée du reste du bâtiment. Ici, une véranda pourvue d'un grillage moustiquaire protège les utilisateurs pendant qu'ils profitent de cette aire de récréation extérieure.

1

2 Même le concept d'un patio à petite surface peut bénéficier de l'utilisation de niveaux multiples.

3 Ce patio construit sur le toit propose une oasis de fraîcheur comme antidote aux journées brûlantes de l'été.

4 L'alliance des banquettes intégrées à ce design à niveaux multiples confère au patio des aires de divertissement discrètes. Envisagez l'idée d'incorporer une terrasse à votre aire de patio.

5 N'oubliez pas d'accessoiriser votre patio. L'ensemble de chandelles disposées sur la banquette agrémente la soirée d'une lumière d'effet des plus originales.

PROPOSITIONS DE PATIOS

1 L'ajout de portes-fenêtres ou de larges portes à deux vantaux donnant sur votre patio implante l'idée qu'il constitue une pièce de plus.

2 Les ventilateurs de plafond procurent une brise rafraîchissante aux terrasses et aux patios recouverts.

3 Une structure recouverte peut vous servir d'abri contre la chaleur accablante du soleil, mais elle peut aussi constituer une aire de repos distincte située à une distance discrète des autres activités.

4 Un patio construit à proximité d'une cuisine devient souvent le nouvel endroit tout désigné pour y prendre le repas.

5 Au moment de concevoir votre patio, essayez d'imaginer quelles activités s'y dérouleront afin d'intégrer à vos plans tout l'espace nécessaire pour les réaliser.

TECHNIQUES DE CONSTRUCTION

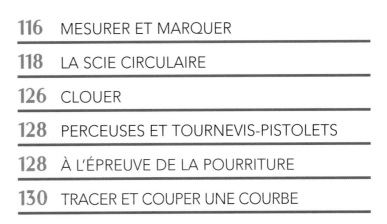

Il existe plusieurs façons de construire un patio, mais vous devez nécessairement en choisir une qui sera approuvée par l'inspecteur des bâtiments. Même si les méthodes d'inspection peuvent varier, l'attention des inspecteurs se dirige toujours vers deux éléments : les semelles, afin de s'assurer qu'elles sont enfouies le seuil de gel, et la lambourde, pour vérifier si le patio est fixé de manière sécuritaire à la maison.

MESURER ET MARQUER

Un bon travail de menuiserie commence toujours par des mesures et des marques précises. Prenez l'habitude d'utiliser les mêmes techniques chaque fois. Vos coupes n'en seront que plus précises.

LE RUBAN À MESURER

Lors de la construction de votre patio, vous allez vous servir de votre ruban à mesurer pour prendre la plupart des mesures. Vous aurez sans doute remarqué que le crochet métallique situé à l'embout du ruban est un peu lâche. Cela est voulu: s'il bouge de $1/8$ de pouce dans les deux sens, c'est parce que cette distance équivaut exactement à son épaisseur. Ce jeu vous permet de toujours obtenir une mesure précise autant lorsque vous accrochez l'embout du ruban à l'extrémité d'une planche que lorsque vous l'appuyez contre une surface pour prendre la mesure intérieure d'une pièce.

Avant de faire une lecture, assurez-vous que le ruban soit bien à plat. S'il est le moindrement courbé, vous pourriez obtenir une lecture erronée. Si un aide vous donne la mesure des coupes à effectuer à haute voix, assurez-vous que le crochet métallique de vos deux rubans soient compatibles: il arrive parfois qu'il gauchisse, ce qui a pour effet d'excentrer votre véritable point de mesure d'à peu près $1/8$ de pouce.

LE GABARIT

Parfois, la façon la plus simple et la plus précise de prendre une mesure consiste... à ne prendre aucune mesure, et de tenir plutôt la pièce de bois en place et de la marquer en prévision de la coupe. Cela implique habituellement de coincer une extrémité de la planche précisément à l'endroit prévu et de se servir de l'autre extrémité pour marquer une ligne de coupe.

Si vous devez tailler plusieurs pièces d'une même longueur, coupez-en d'abord une, puis utilisez-la comme gabarit pour tracer la ligne de coupe sur les autres.

Il est même préférable à l'occasion de ne pas couper les pièces d'avance mais de laisser plutôt chacune d'entre elles courir en liberté. Vous pourriez très bien, dans un premier temps, laisser toutes les planches de votre platelage courir en liberté puis vous servir d'un cordeau à tracer pour guider votre coupe, qui se ferait alors en une seule passe.

MARQUER POUR COUPER

Lorsque vous marquez le bois d'une petite marque au crayon afin d'indiquer précisément la ligne de coupe, sachez avec certitude quelle partie de cette marque constitue réellement la ligne de coupe. La plupart des menuisiers inscrivent un V dont la base situe exactement la ligne de coupe. En vous servant d'une équerre, divisez la base de ce V d'une ligne droite, puis tracez un X sur le côté de la pièce qui constitue la chute. (Voir « Trucs et astuces », ci-contre.)

Pour tracer de longues lignes, claquez la ficelle d'un cordeau à tracer. Demandez à un aide de tenir une extrémité ou sinon enfoncez une broquette et attachez l'embout du cordeau autour de la tige de celle-ci. Assurez-vous que la ligne soit bien tendue et qu'elle soit aussi à la bonne position aux deux extrémités de la trajectoire de coupe. Puis déployez le cordeau de plusieurs pouces vers le haut et relâchez-le. Pour tracer une ligne encore plus longue, ou si la surface est ondulée, vous aurez peut-être à claquer d'abord la ficelle à votre bout et à demander ensuite à votre aide de la claquer à l'endroit où il se trouve.

Enfin pour tracer de très longues lignes, fixez d'abord l'embout du cordeau à l'une des extrémités. Ensuite, demandez à votre aide d'appuyer son doigt à mi-chemin le long de la ficelle déployée, puis faites claquer le cordeau de chacun des deux côtés.

LES OPTIONS DU BRICOLEUR : METTRE À NIVEAU AVEC PRÉCISION

Voici quelques types de niveau dont l'usage est répandu.

1. Le niveau à eau est un outil de base très utile pour la mise à niveau effectuée sur de longues distances. (Voir à la page 122.)

2. Le niveau de menuisier est habituellement muni de fioles qui contiennent une bulle. Ce modèle indique le niveau à l'aide d'un affichage numérique.

3. Le niveau à laser ne servait jadis, qu'aux entrepreneurs. Certains nouveaux modèles se vendent maintenant à peu près 300 $. Le faisceau rouge peut projeter une ligne de mise à niveau le long de toutes les surfaces de votre chantier de construction.

TRUCS ET ASTUCES

UN AIDE-MÉMOIRE PRATIQUE

Le procédé selon lequel les menuisiers indiquent au crayon l'emplacement prévu d'une pièce peut paraître un tant soit peu simplet pour bon nombre de bricoleurs inexpérimentés. Après tout, il s'agit seulement de déterminer à quelle distance vous devez marquer la position de la pièce transversale de l'ossature (habituellement 16 pouces de centre à centre) puis de vous servir d'un crayon et d'une équerre combinée pour tracer une ligne de guide. Pourquoi vous donneriez-vous la peine d'ajouter un gros X pour marquer l'emplacement prévu des solives? La réponse est simple: pour vous assurer d'éviter toute confusion possible au moment de l'assemblage. Si, au moment d'aligner la solive à la marque que vous avez tracée vous recouvrez toujours systématiquement le X avec la pièce, vous ne vous éloignerez jamais de la disposition centre à centre initialement prévue.

CI-DESSUS Il existe bon nombre de façons de mener un projet de construction à terme. Assurez-vous simplement d'en choisir une qui soit conforme au code du bâtiment de votre localité.

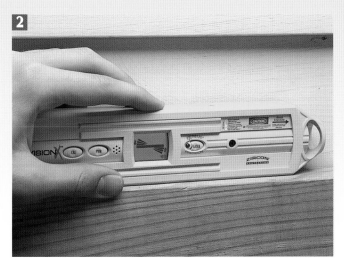

LA SCIE CIRCULAIRE

Au cours de la construction de votre patio, vous allez tellement vous servir de votre scie circulaire que la manipulation de cet outil deviendra tout à fait naturelle. Cependant soyez toujours vigilant. Quand il s'agit de manier des outils électriques, méfiez-vous des coupes à répétitions qui peuvent engendrer des mouvements nonchalants. En un seul moment d'inattention, une scie circulaire peut vous blesser gravement.

Prenez soin de bien suivre les mesures de sécurité de base suivantes et assurez-vous que votre protège-lame fonctionne adéquatement. Lorsque vous effectuez une coupe, placez la planche correctement pour éviter le retour de l'outil. Quand vous manipulez votre scie circulaire, ne vous placez pas directement derrière l'outil, placez-vous plutôt à côté. Et gardez toujours votre lame bien affûtée de manière à éviter qu'elle ne se coince dans la pièce.

LE TEST D'ÉQUERRE

Vous ne pouvez pas toujours vous fier aux graduations de l'échelle de biseau de votre scie. Avant de procéder à plusieurs coupes, assurez-vous qu'elle soit bien au point.

Réglez le pointeur du biseau de votre scie sur zéro, puis sciez une chute de 2 x 4 de part en part. Prenez l'une des deux pièces et placez-la debout contre une surface plane. Si votre lame n'est pas à l'équerre, vous remarquerez un espace au-dessous ou au-dessus de la coupe équivalant au double de la mesure à régler pour que votre lame fasse une coupe perpendiculaire. (Voir dessin « Le test d'équerre » à la page 121.)

Si vous remarquez un espace, débranchez la scie et retournez-la sur elle-même ; libérez le levier de réglage du biseau. Placez une équerre à la base de la scie et tenez-la en place entre la lame et la semelle. (Voir « Trucs et astuces, » ci-contre.) Posez l'équerre contre le corps de la lame et non contre les dents ; les dents sont décalées et elles pourraient fausser votre lecture. Puis

TECHNIQUES DE COUPE SÉCURITAIRES

1. Ajustez la profondeur de coupe de votre scie de manière à ce que la lame dépasse d'environ $1/4$ de pouce sous la pièce de bois. Vous utiliserez ainsi davantage le tranchant des dents de votre lame en augmentant du même coup l'efficacité de votre coupe.

2. Placez vos pièces de bois de manière à ce que la chute tombe du côté situé à l'opposé de la scie. Si vous effectuez une coupe au-dessus d'une pile de bois, tenez la chute pour éviter qu'elle ne s'affaisse et se plie avant la fin de votre coupe.

3. Gardez toujours un contrôle absolu de votre outil en vous montant un poste de coupe muni d'une cale d'espacement sur lequel vous pouvez placer la pièce. Vous pourrez ainsi tenir votre scie à deux mains et laisser tomber la chute juste à côté.

réglez la vis du biseau jusqu'à ce que la lame soit à un angle de 90° par rapport à la semelle.

DES COUPES D'ÉQUERRE PRÉCISES

Travaillez sur une surface stable qui ne bougera pas durant la coupe. Pour éviter le retour de l'outil, assurez-vous que la chute puisse tomber librement sans se torsader.

Positionner la pièce de bois. Si vous prévoyez que la chute de bois sera d'une bonne longueur, ne la laissez pas tout bonnement tomber par terre. Comme cette pièce n'est pas supportée, son poids pourrait entraîner la planche à se sectionner avant la fin de la coupe et laisser une pointe effilée de bois à l'une de ses extrémités. Si la chute n'est pas trop longue, vous pouvez la maintenir en place avec votre main libre. Ou encore, placez une cale d'espacement sous la pièce que vous coupez afin que votre chute tombe seulement d'un pouce ou deux sur la surface de votre poste de coupe.

Aligner la lame. Lorsque la lame d'une scie tourne à haute vitesse, elle creuse un sillon dans le bois. Ce sillon s'appelle un trait de scie. L'un des rebords du trait de scie s'aligne avec la marque de votre crayon, alors que le reste de l'espace laissé par le trait de scie devrait se trouver du côté de la chute. Autrement dit, de l'autre côté de la marque de crayon. Les lames de scies circulaires de type standard ont un trait de scie d'une épaisseur de $\frac{1}{8}$ de pouce. Vous pouvez trouver des modèles dont le trait de scie est encore plus mince. Certaines lames laissent un trait de scie d'une épaisseur d'environ $\frac{1}{16}$ de pouce. Comme elles déplacent moins de bois durant la coupe, la manipulation de la scie requiert un peu moins de fermeté lors de l'opération.

Peu importe la largeur du sillon de votre trait de scie, assurez-vous d'effectuer la coupe du côté de la chute de manière à ce que votre planche ne soit pas plus courte que la longueur prévue.

N'oubliez pas que les dents de votre scie sont dénivelées les unes par rapport aux autres. Une dent vire vers l'extérieur, la prochaine vire vers l'intérieur, et ainsi de suite, en alternance. N'oubliez pas d'en tenir compte au moment d'aligner votre scie à la ligne de coupe : choisissez d'abord une dent dénivelée par rapport à la ligne de coupe tracée au crayon, puis alignez la scie de manière à ce que cette dent touche la marque. Ensuite, regardez du côté avant de votre scie, vers le bas, et localisez la guide de coupe. Pivotez la scie jusqu'à ce que la marque de zéro définie par les graduations de l'échelle du biseau soit alignée avec votre ligne de coupe.

Couper. Appuyez sur la détente et entamez la coupe en exerçant une légère pression de manière constante pour ainsi laisser la lame, en quelque sorte, déterminer la vitesse d'amenage. En attendant d'être à l'aise avec la manipulation de votre outil, vous voudrez peut-être vous servir d'un guide de coupe lors de vos premières coupes. Mais si vous voulez effectuer plusieurs coupes avec une

TRUCS ET ASTUCES

RÉGLER VOTRE SCIE

Afin de vous servir de votre scie circulaire en toute sécurité, placez vos pièces de bois sur un appui. Vous éviterez ainsi de coincer la lame et de subir le retour de l'outil. Au fur et à mesure que la coupe s'entame, la pièce tombera au lieu de s'affaisser et se plier. Les lames munies de dents en carbure métallique donnent de meilleurs résultats (ou sinon, affûtez votre lame d'acier avec une lime). Assurez-vous que la semelle de votre scie soit à l'équerre.

Un bouton de verrouillage pour immobiliser la lame.

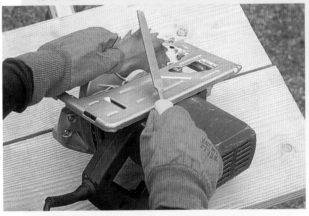

Une lime pour affûter les lames d'acier.

Une équerre pour régler l'angle de la lame.

TECHNIQUES DE CONSTRUCTION

plus grande efficacité, vous devrez aussi vous habituer à faire des coupes à main libre.

Vous y arriverez plus vite que vous pensez. Prenez l'habitude de garder un œil sur la partie avant de la lame et familiarisez-vous avec la méthode pour aligner votre scie. Quand vous effectuez une coupe, maniez votre outil en exerçant une pression constante. Au cours de l'opération, n'essayez pas de gérer votre coupe à outrance en corrigeant la trajectoire à répétition. Avant longtemps, vous serez en mesure de pratiquer des coupes précises avec plus de facilité.

Si vous devez réaliser une coupe précise, servez-vous d'un guide. Une équerre peut très bien faire l'affaire (voir photo 2, ci-contre). Assurez-vous que la semelle de votre scie soit bien appuyée contre le rebord du guide et qu'elle ne glissera pas sur le dessus de celui-ci durant la coupe. Glissez l'équerre et la scie jusqu'à ce que la lame s'aligne avec la ligne de coupe. Tenez l'équerre fermement en place afin qu'elle ne bouge pas au cours de l'opération.

COUPER EN BISEAU

Une coupe en biseau ne traverse pas la pièce de bois de part et d'autre à angle droit. C'est une coupe en angle en travers la face d'une pièce qui laisse un côté de la planche plus long que l'autre. Lors de la construction d'un patio, la coupe en biseau que vous aurez à effectuer le plus souvent est celle de 45°. On l'utilise surtout pour tailler les pièces du platelage et les mains courantes qui se croisent à angle droit.

Il peut être difficile de faire une coupe en biseau précise. Au début de la coupe, le protège-lame s'accroche parfois sur le chant de la planche. Il devient alors plus compliqué de bien aligner votre scie pour entamer la coupe. De plus, la position que vous devez adopter pour faire cette coupe n'est pas usitée, alors cela prendra un certain temps avant de vous y habituer. Si votre tablier ou le design de vos balustrades nécessitent plusieurs coupes en biseau, vous devriez peut-être envisager la location d'une scie à onglets électrique.

CI-DESSUS **Les banquettes encastrées de cette aire de divertissement sont pratiques et en plus, elles ajoutent un cachet particulier au concept du patio.**

COUPER À ANGLE DROIT

ans la mesure du possible, gardez toujours vos deux mains sur la scie quand vous effectuez une coupe.

1. Utilisez une équerre pour marquer la ligne de coupe. Puis placez la scie de manière à ce que la semelle soit parallèle à la marque ; alignez-vous à la ligne de vue ; entamez la coupe.

2. Vous pouvez vous servir d'une équerre pour vous guider lors des coupes qui requièrent plus de précision, mais cette technique ne vous laisse qu'une seule main pour manipuler la scie.

3. À l'aide d'une réglette de guidage vous pourrez refendre le bois dans le sens du fil avec une très grande précision. Le guide en forme de T se vend avec la plupart des scies mécaniques.

Le test d'équerre

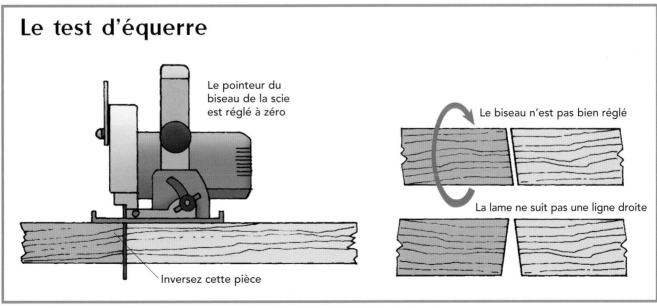

Le pointeur du biseau de la scie est réglé à zéro

Inversez cette pièce

Le biseau n'est pas bien réglé

La lame ne suit pas une ligne droite

REFENDRE

Lorsque vous refendez avec votre scie circulaire – autrement dit, lorsque vous coupez dans le sens du fil de manière à rendre la surface longitudinale d'une planche plus étroite – une réglette de guidage peut vous être utile. (Voir la photo 3, à la page 121.) Ce guide est muni d'une semelle qui longe le rebord de la pièce au fur et à mesure que votre scie progresse le long de sa surface. Cette réglette métallique est conçue spécialement pour votre scie. Elle se fixe habituellement à la base de l'outil à l'aide des vis de serrage.

ENGRAVURES ET FEUILLURES

Une engravure consiste techniquement en une rainure horizontale creusée dans un montant. Une feuillure est semblable à une engravure, mais elle est située à l'extrémité de la pièce. Lors de la construction d'un patio, si vous voulez que le couronnement soit affleuré avec le poteau, vous aurez peut-être à entailler des engravures dans les poteaux de vos balustrades. Peut-être aurez-vous aussi à ménager des feuillures au-dessus d'un poteau de soutènement afin de recevoir un madrier.

Des entailles en trait de scie. Pour effectuer des feuillures ou des engravures, vous devez d'abord régler la lame de votre scie circulaire précisément au même niveau que celui de la profondeur de coupe; exercez-vous d'abord sur une chute pour vous assurer de ne pas gaspiller une pièce.

La partie de l'entaille perpendiculaire au grain s'appelle l'épaulement et celle parallèle au fil s'appelle le siège. Une feuillure située à l'extrémité d'une pièce de bois sera constituée d'un épaulement et d'un siège. Une engravure est composée de deux épaulements et d'un siège. Marquez l'emplacement des épaulements (ou du seul épaulement s'il s'agit d'une feuillure) sur la pièce de bois (plus souvent qu'autrement un poteau). Coupez les épaulements; ensuite, pratiquez des entailles en trait de scie très près les unes des autres le long de la partie qui sera encochée. **1** Puisque les coupes sont peu profondes, assurez-vous de manipuler votre outil avec soin lors de l'opération, car le corps de la scie et la poignée sont plus élevés qu'à l'habitude, ce qui rend la scie plus instable.

Dégagez la surface du siège. Ensuite, à l'aide d'un marteau ou du côté plat de votre ciseau, frappez le côté des bandelettes de bois entaillées pour les faire tomber. **2** Plus les traits de scie sont rapprochés, plus il est facile de faire tomber les bandelettes de bois.

Enfin, en vous servant du côté plat de votre ciseau, aplanissez le siège de l'engravure ou de la feuillure. **3**

LA COUPE D'ENTAILLES

Une entaille est essentiellement une engravure ou une feuillure pratiquée dans une planche en lieu et place d'un poteau ou d'un madrier. Lors de la construction d'un patio, vous aurez surtout à ménager des entailles au moment d'affleurer une planche de platelage à un poteau. La première étape consiste à marquer l'entaille.

Marquer l'entaille. Commencez par poser la planche que vous devez entailler par-dessus la dernière planche complète à avoir été installée à côté du poteau. Glissez-la ensuite contre le poteau. En vous servant du poteau en guise de gabarit, marquez la largeur de l'entaille sur la surface de la planche. Mesurez ensuite la profondeur requise de l'entaille, puis tracez la ligne de coupe avec une équerre. En effectuant vos calculs, n'oubliez pas de tenir compte de l'espace situé entre les planches de platelage. Lorsque vous tracerez vos marques, laissez la planche en place afin de mieux visualiser l'entaille prévue. Vous éviterez aussi de commettre l'erreur habituelle qui consiste à tracer les marques de l'entaille du mauvais côté de la planche.

La coupe de l'épaulement. Entamez la coupe ou les coupes avec une scie circulaire de manière à ce que le trait de scie effleure à peine

TRUCS ET ASTUCES

LE NIVEAU À EAU

Le niveau à eau est un outil de technique traditionnelle qui s'inspire d'un principe élémentaire de la physique: un corps liquide se maintient toujours à niveau. Cet outil peu coûteux consiste en un long tuyau souple pourvu d'une attache à chacune de ses extrémités afin de maintenir le tuyau en place. Pour vous en servir, vous n'avez qu'à remplir le tuyau d'eau (et de colorer celle-ci pour faciliter la lecture du niveau), et à attendre que le liquide se stabilise à chaque extrémité du tuyau. Même si la partie centrale du tuyau serpente un peu partout le long du sol, l'eau contenue dans chacune des extrémités restera quand même parfaitement au niveau.

Trouvez le niveau entre deux points éloignés.

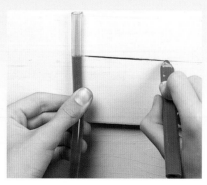

De l'eau colorée facilite la lecture.

LA COUPE DES FEUILLURES ET DES ENGRAVURES

OUTILS ET MATÉRIAUX
- Chevalets
- Poteaux 4 x 4
- Équerre
- Crayon
- Scie circulaire
- Marteau
- Ciseau
- Maillet

La technique pour couper les feuillures et les engravures se situe un peu au-delà des connaissances requises en menuiserie pour la pose des joints d'about mais en deçà de celles requises pour assembler un tenon à une mortaise. Ce type d'assemblage confère une fière allure à votre patio.

1 Pratiquez une série d'entailles en traits de scie très rapprochés les uns envers les autres. Réglez la lame de votre scie au même niveau que la profondeur de l'engravure.

2 À l'aide d'un marteau, brisez les bandelettes de bois. Cette étape est facilitée si vos traits de scie sont rapprochés.

3 Enlevez le rebut. Aplanissez les côtés avec un ciseau bien affûté.

À DROITE

Les concepts de patio élaborés sont agréables à regarder mais la variété de coupes requises exige un minimum de savoir-faire. Avant d'exécuter un nouveau type de coupe, exercez-vous avec une chute de bois.

TRUCS ET ASTUCES

LA PLANITUDE D'UNE LAMBOURDE

Pour vérifier la planitude d'une lambourde ou du mur d'une maison, clouez deux blocs de bois de la même épaisseur à chaque extrémité de la surface, puis tirez un cordeau entre les deux. Un troisième bloc de la même dimension devrait pouvoir s'insérer juste au-dessous du cordeau. Là où ce n'est pas le cas, vous aurez une mesure de l'amplitude des creux et des bosses le long de la surface.

Fixer une lambourde

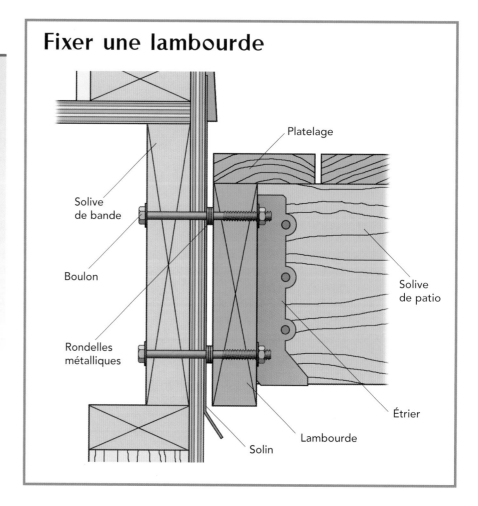

Platelage

Solive de bande

Boulon

Rondelles métalliques

Solive de patio

Étrier

Lambourde

Solin

À GAUCHE Les entailles pratiquées autour des poteaux ou lors de l'exécution des engravures et des feuillures créent des affleurements de joints exempts de défauts visibles qui rehaussent l'aspect de votre patio.

la marque de la ligne de coupe pour le siège de la pièce. Au cours de la coupe, la lame de la scie circulaire suit une trajectoire courbée. Il restera donc du bois à enlever dans la partie inférieure de la pièce. Vous devrez alors compléter la coupe de l'épaulement avec une scie à tronçonner, une scie alternative ou une scie sauteuse. Si la coupe est encore inégale une fois l'entaille terminée, aplanissez les surfaces avec un ciseau.

La touche de finition. Procédez de la même façon pour une entaille située à l'extrémité d'une planche. Si l'entaille se trouve au milieu de la pièce et que le fil du bois est droit et exempt de nœuds, servez-vous d'un ciseau pour entailler le siège. Placez votre ciseau sur la ligne de coupe avec le côté plat de l'outil faisant dos à la partie qui sera entaillée. Assurez-vous que le ciseau soit perpendiculaire à la planche, puis frappez solidement sa tête d'un coup de marteau.

Vous pourriez aussi effectuer cette coupe à l'aide d'une scie sauteuse ou d'une scie alternative. Une autre possibilité, serait de rogner l'entaille du siège en pratiquant de multiples coupes avec votre scie circulaire, comme pour les coupes de l'épaulement, puis d'aplanir le tout avec un ciseau.

LA COUPE EN PLONGÉE

Vous aurez parfois à pratiquer une ouverture au milieu d'une planche. Vous pourriez toujours percer un avant-trou et vous servir ensuite d'une scie sauteuse. Mais pour effectuer une coupe en plongée (aussi appelée coupe borgne) aux lignes plus franches, servez-vous de votre scie circulaire.

Assurez-vous d'abord que le cordon de la scie ne nuise pas à votre manœuvre, puis empoignez l'outil à deux mains. Inclinez la scie au-dessus de la ligne de coupe en vous servant de l'avant de la semelle comme point d'appui. Relevez le protège-lame de manière à exposer la lame, puis alignez le guide-coupe de la scie avec la ligne de coupe. Assurez-vous de mener l'opération de façon sécuritaire et d'être précisément aligné pour effectuer la coupe. Appuyez sur la détente et

TRUCS ET ASTUCES

LA COUPE DES POTEAUX

La plupart des bricoleurs ne possèdent pas une scie circulaire dotée de la puissance requise pour effectuer la coupe d'un poteau de soutènement de 4 x 4 en une seule passe. Deux options s'offrent alors à vous. Vous pouvez soit utiliser une scie à tronçonner pour faire une coupe franche ou vous servir d'une scie circulaire standard pour effectuer deux passes (une de chaque côté). Prenez le temps de tracer des lignes de coupe à l'équerre sur les quatre faces du poteau. Et comme les poteaux sont habituellement en bois traité, n'oubliez pas de porter un appareil de protection respiratoire, des gants et des lunettes de protection.

abaissez graduellement l'arrière de la scie afin que la lame s'enfonce dans la pièce. Si votre trajectoire demeure rectiligne, vous pourrez peut-être poursuivre la coupe une fois que la lame aura traversé la pièce. Mais auparavant, assurez-vous que la semelle de l'outil soit bien à plat sur la planche.

LA COUPE DES POTEAUX 4 x 4

Une scie circulaire munie d'une lame d'un diamètre de 7 $\frac{1}{4}$ pouces ne peut pas couper un poteau 4 x 4 en une seule passe. Vous devrez donc tronçonner cette pièce des deux côtés opposés. En vous servant d'une équerre, tracez une ligne de coupe sur chacune des faces du poteau : si votre dernière ligne rejoint la première au même endroit, vous saurez alors que vos lignes de coupe sont d'équerre. Puis pratiquez vos coupes des deux côtés de la pièce. Si votre lame est d'équerre et que vous manœuvrez votre outil avec précision, la coupe devrait se faire assez bien, mais ne vous attendez pas à la perfection. Quoi qu'il en soit, dans la majorité des cas, le dessus d'un poteau 4 x 4 se retrouve souvent recouvert par d'autres pièces de bois.

Si vous devez sectionner un poteau 4 x 4 déjà assemblé à une autre pièce de bois telle une poutre composée ou une solive extérieure, commencez par vous servir de la scie circulaire afin d'entailler la pièce le plus possible ; puis complétez votre coupe à l'aide d'une scie à tronçonner ou d'une scie alternative.

CLOUER

Certains entrepreneurs soumettent leurs apprentis menuisiers à une courte épreuve de connaissance pratique : ils leur tendent un marteau puis ils observent leur manière de l'agripper. Si l'apprenti place son pouce autour du manche, il passe le test haut la main. Mais s'il déploie son pouce le long de la poignée en direction de la tête, on lui montre la porte, et pour cause : cette méthode offre moins de puissance pour chaque coup asséné et, en plus, elle risque d'occasionner de sérieux dommages aux tendons du poignet. Lorsque vous aurez maîtrisé la bonne technique pour clouer, elle vous semblera toute naturelle.

TRUCS ET ASTUCES

L'AVANT-TROU

Quand vous devez poser un joint d'about entre deux pièces, prenez d'abord soin de percer un avant-trou légèrement de biais. Ainsi, le bois risquera moins de fendre au moment d'enfoncer les clous. Sur un tablier à grande surface, assurez-vous de bien répartir vos joints d'about de manière à ce qu'ils ne soient pas toujours assemblés à la même solive ou aux deux mêmes solives.

Percez un avant-trou dans chacune des deux pièces du joint d'about.

Les clous ne fendilleront pas le bois percé d'avant-trous.

CLOUER EFFICACEMENT

La plupart des bricoleurs, et même parfois certains menuisiers professionnels, ne maîtrisent pas l'art de bien planter les clous. Une erreur souvent commise est d'empoigner le marteau avec trop de fermeté, le poignet bien rigide. Laissez plutôt votre poignet fléchir un peu, puis complétez chacun de vos coups en déployant légèrement votre poignet. Prenez le temps de répeter ce mouvement. Plus vous serez en confiance, plus votre geste sera détendu. Avant longtemps, la flexion du poignet vous viendra tout naturellement.

Commencez par vous servir d'un marteau que vous pouvez manier avec aisance, d'un poids d'environ 16 ou 20 onces. Tenez le clou en position et frappez-le une ou deux fois, jusqu'à ce qu'il tienne en place. Puis enfoncez-le à l'aide de plusieurs coups solides.

ÉVITER LE FENDILLEMENT

Chaque fois que vous enfoncez un clou à l'extrémité d'une planche (ou à un endroit qui deviendra l'extrémité de la planche une fois que la pièce sera coupée), prenez toujours soin de limiter le fendillement du bois. N'oubliez pas que toutes les petites fentes qui sont présentement visibles s'élargiront avec le temps et que certains endroits tout à fait exempts d'imperfections visibles peuvent développer des fentes plus tard.

Il existe deux techniques pour éviter le fendillement. La première consiste à percer un avant-trou. Cela peut vous sembler contraignant, mais si vous le faites à raison d'une rangée de clous à la fois, vous verrez que cela peut se faire en peu de temps. Et ce quart d'heure investi maintenant maintiendra votre patio attrayant de longues années durant. Utilisez un foret au diamètre légèrement inférieur au diamètre de la tige de votre clou.

Une autre technique un peu plus simple mais moins efficace consiste à émousser la pointe du clou avant de

LE MARTEAU-CLOUEUR PNEUMATIQUE

Afin de vous assurer que la puissance de votre compresseur d'air se prête bien à l'utilisation d'un marteau-cloueur pneumatique, vérifiez la nomenclature de vos outils. Un cloueur pneumatique requiert 3 pieds cube d'air comprimé par minute (ou cfm, pour *cubic feet per minute*) à une pression de 90 livres par pouce carré (ou psi, pour *pound per square inch*).

1. Le marteau-cloueur accélère votre rendement. Une bande de clous insérée dans une fente située sous la poignée est enfoncée automatiquement par un compresseur d'air.

2. Le dispositif de sécurité le plus important du marteau-cloueur est le bouton de verrouillage. Celui-ci empêche l'outil de tirer des clous de façon accidentelle, et ce, même si vous appuyez sur la détente.

TRUCS ET ASTUCES

CLOUER EN BIAIS

Lorsque les deux pièces que vous voulez assembler ne se trouvent pas directement l'une au-dessous de l'autre, clouez en biais. Commencez par placer le clou légèrement en angle. Après quelques coups, augmentez la valeur de l'angle puis finissez d'enfoncer le clou. Il ne faut pas vous fiez uniquement à ce type de clouage pour assembler les éléments de soutien de votre structure.

Placez le clou en biais, légèrement en angle d'abord.

Augmentez la valeur de l'angle à mesure que vous enfoncez le clou.

l'enfoncer. Placez le clou sur une surface rigide, la tête vers le bas. Puis frappez légèrement la pointe à quelques reprises afin de l'émousser. Cela réduira la pression externe exercée par le clou lorsqu'il pénètre dans la pièce.

CLOUER EN CROIX

Si vous assemblez une planche de platelage à une solive située juste au-dessous à l'aide d'une paire de clous, enfoncez-les obliquement. Autrement dit, clouez-les en angle, l'un légèrement en face de l'autre, comme si vous vouliez faire un X avec les deux clous sous la surface du bois. En accrochant, en quelque sorte, les deux planches de cette manière, la solidité de l'emprise est accrue et la possibilité de fendillement est réduite.

CLOUER EN BIAIS

La plupart du temps, quand vous devez assembler deux planches qui se croisent à un angle droit, vous enfoncez un clou dans la surface d'une pièce et celui-ci traverse directement la seconde.

Mais parfois, la surface de la deuxième pièce est difficile d'accès, ou la deuxième pièce est tout simplement trop épaisse. Dans les deux cas, mieux vaut assembler les deux pièces en clouant en biais.

Clouez en biais signifie assembler une pièce à une autre en traversant la surface de la première pièce avec un clou enfoncé en angle. Placez un clou de dimension 8d ou 10d à une distance d'à peu près 1 $\frac{1}{2}$ pouce de l'extrémité de la planche. Enfoncez légèrement votre clou ; puis augmentez l'angle de pénétration de manière prononcée afin que la pointe du clou ressorte par le fil d'extrémité de la planche. Si cela est possible, enfoncez deux clous de chaque côté de la pièce.

La technique du clouage en biais est efficace pour assembler les pièces qui ne sont pas des éléments de soutènement et pour maintenir provisoirement deux planches en place. Mais ne vous fiez pas à la solidité des clous enfoncés en biais pour assembler un élément de la structure nécessitant une bonne résistance à la compression. Dans la mesure du possible, consolidez plutôt l'assemblage avec de la quincaillerie pour ossature.

TECHNIQUES DE CONSTRUCTION

PERCEUSES ET TOURNEVIS-PISTOLETS

Le clouage a beau avoir certains avantages, il n'en demeure pas moins qu'il n'atteint pas le niveau de qualité d'un assemblage réalisé avec des vis. Les vis ont un pouvoir d'emprise supérieur aux clous. Elles s'enlèvent plus facilement et l'on peut même les resserrer. Les vis sont plus coûteuses mais cette dépense additionnelle est négligeable par rapport à l'ensemble du budget de vos matériaux. Avec un peu de pratique, vous considérerez peut-être qu'elles se manipulent plus facilement que les clous.

Si vous consentez un peu d'efforts, vous pouvez facilement maîtriser l'art d'enfoncer des vis. Un tournevis-pistolet ou un adaptateur spécialement conçu pour votre perceuse peut être utile: il règle automatiquement la profondeur de pénétration et il réduit ainsi le risque de voir l'embout du système conducteur déraper de la tête de vis.

Un tournevis-pistolet diffère d'une perceuse standard, qu'elle soit électrique ou sans fil. Le mandrin n'a qu'une seule utilité: enfoncer des vis. Vous ne pouvez pas y insérer un foret pour percer des trous. La profondeur de pénétration est ajustable.

Enfoncez toutes vos vis à la même profondeur, c'est-à-dire juste au-dessous de la surface du bois. L'espace crée par une tête de vis noyée favorise l'accumulation d'eau, qui entraîne à son tour la pourriture de la pièce.

À L'ÉPREUVE DE LA POURRITURE

Mis à part le choix de la meilleure qualité de bois possible, certaines techniques de construction comme celles qui suivent peuvent réduire la pourriture et

GUIDE POUR LES FIXATIONS

Si l'on veut éviter d'endommager la surface du bois lors de la pose des planches du platelage, il faut manipuler le marteau avec beaucoup de doigté. Un chasse-clou vous permet de régler ce problème, mais il ralentit votre travail. En ce qui a trait aux vis, la meilleure option consiste à utiliser un tournevis-pistolet muni d'un réglage pour la profondeur de pénétration. Autre recours: plusieurs pièces de quincaillerie dissimulent les fixations sous le tablier, laissant la surface des planches exempte de traces.

Quand vous enfoncez des clous, le dernier coup que vous assénez devrait bien asseoir le clou sans laisser de marque. (1) Les creux créent des cavités qui retiennent l'eau. (2)

Lorsque vous utilisez un marteau-cloueur pneumatique, la puissance de l'outil devrait être compatible avec la densité du bois afin d'affleurer le clou avec la surface de la pièce. (3) Un jet d'air comprimé trop puissant enfoncera le clou au point de fendre le bois et de faciliter du même coup l'accumulation d'eau. (4)

Tout comme les clous, les vis doivent elles aussi affleurer la surface de la pièce. (5) Pour obtenir de meilleurs résultats, utilisez une perceuse ou un marteau-cloueur muni d'un correcteur de couple. Une vis trop enfoncée endommagera la surface du bois. (6)

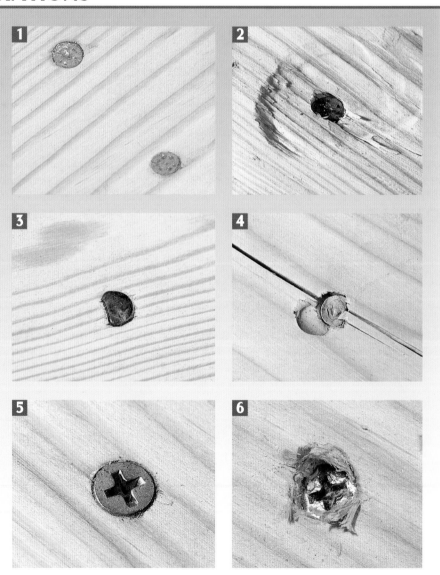

diminuer les contrecoups de la contraction du bois pour une longue période de temps.

PROTÉGER LE GRAIN EXPOSÉ

La face située à l'embout d'une planche s'appelle le grain exposé, ou le fil d'extrémité. Le grain exposé absorbe l'eau des précipitations et tout autre liquide, d'ailleurs comme une véritable éponge. Cette partie de la pièce est donc la plus vulnérable qui soit sur une planche de bois.

Il est donc important de toujours s'assurer, dans la mesure du possible, de bien recouvrir l'embout exposé des planches. Cela est particulièrement important si le fil d'extrémité est horizontal, ou orienté vers le haut, car l'eau peut s'y accumuler avec plus de facilité. Planifiez la construction de vos balustrades avec soin afin que le grain plat situé à l'embout de la pièce soit le moins possible exposé aux intempéries.

L'eau emprisonnée. Bien entendu, le fil d'extrémité de certaines pièces reste inévitablement exposé aux intempéries. Le grain situé à l'embout des pièces de platelage en est un exemple. À partir du moment où les planches peuvent s'assécher assez rapidement après avoir été mouillées, cela n'est pas un problème en soi. En fait, si vous protégez le grain droit d'une planche à l'aide d'une autre pièce de bois ou en l'appuyant contre la maison, vous risquez plutôt d'accroître la possibilité que celle-ci ne pourrisse. À moins que votre pièce soit maintenue solidement en place contre la maison durant plusieurs années, ce qui est peu probable, il existera toujours des interstices dans lesquels l'eau s'accumulera et stagnera.

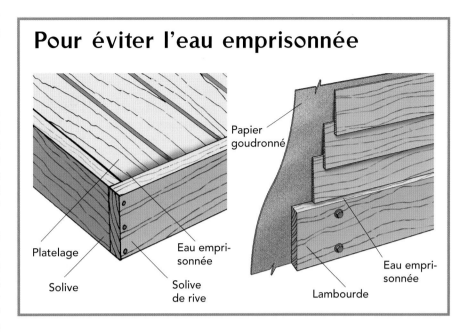

Pour éviter l'eau emprisonnée

Papier goudronné · Platelage · Solive · Eau emprisonnée · Solive de rive · Lambourde · Eau emprisonnée

CONSOLIDER LES JOINTS D'ABOUT

Si cela est possible, essayez de prévoir un motif de platelage qui minimisera le nombre de joints d'about. Vous aurez peut-être à dépenser davantage pour vous procurer de plus longues planches mais à long terme, la surface de votre patio nécessitera moins de réparations.

Quand vous posez des joints d'about, assurez-vous que la solidité de l'assemblage perdure. Commencez par choisir du bois sec afin de réduire le risque de rétrécissement. Une fois que vous aurez installé la première planche, servez-vous d'un marteau pour y appuyer fermement l'embout de la seconde avant de procéder à l'assemblage. Puis enfoncez vos clous ou vos vis obliquement de manière à ce que vos fixations retiennent encore plus solidement les planches du platelage.

TRAITER LE GRAIN EXPOSÉ

Si vous ne voulez pas vous en faire au sujet du grain exposé, appliquez un préservatif ou une teinture scellante aux endroits concernés.

Pour les planches les plus exposées à l'humidité, la méthode la plus efficace consiste à placer l'embout de la pièce dans un récipient de préservatif et de le laisser tremper quelques minutes. La solution la plus courante est d'appliquer le préservatif à l'aide d'un pinceau. Soyez prévenant : en certains endroits vous serez en mesure d'appliquer le préservatif après vos travaux de construction. En d'autres endroits par contre, comme au point d'intersection entre le platelage et la maison, vous ne pourrez pas atteindre le bois une fois le patio complété.

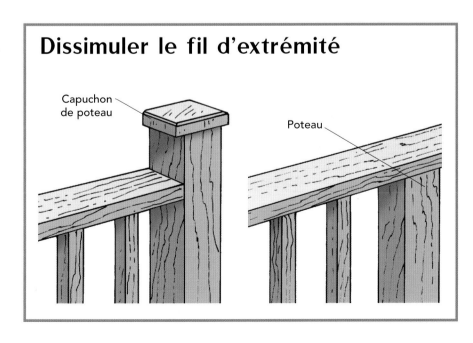

Dissimuler le fil d'extrémité

Capuchon de poteau · Poteau

TECHNIQUES DE CONSTRUCTION

TRACER ET COUPER UNE COURBE

Pour les rebords courbés de petit gabarit, tracez une ligne de coupe à l'aide d'un compas. N'y allez pas simplement à l'œil nu, vous risqueriez d'être déçu. Pour les courbes à plus grand diamètre, assemblez-vous un compas à l'aide d'un crayon, d'une longueur de cordeau et d'un clou légèrement enfoncé dans la surface du tablier.

Expérimentez entre divers points de départ pour le centre et variez l'ouverture de votre compas jusqu'à ce que vous obteniez la courbe que vous désirez. **1** Plantez un clou peu profondément et attachez votre cordeau autour de la tige. Attachez l'autre extrémité du cordeau à votre crayon, puis effectuez quelques passages pour vous assurer de la précision de votre courbe. Il est possible que vos premières mesures ne soient pas précises, aussi exercez-vous à quelques reprises sans laisser de trace sur la surface du platelage. Assurez-vous de tenir le crayon au même angle en tout temps durant le tracé. **2**

Quand vient le temps de faire la coupe, assurez-vous d'utiliser une scie sauteuse de qualité industrielle qui se manœuvre avec aisance et dont la lame n'oscille pas. **3** Auparavant, prenez le temps de bien vous exercer sur des chutes de bois; une erreur de coupe à ce stade-ci des opérations se corrige assez difficilement. Durant la coupe, ne forcez pas indûment la lame de votre scie; laissez-la plutôt progresser à sa propre vitesse. Si vous appuyez trop sur votre outil au cours de l'entaille, la lame pourrait dévier de sa trajectoire et déformer le motif de votre courbe.

APLANIR ET ARRONDIR

C'est une bonne idée de prendre le temps d'adoucir les surfaces rugueuses et d'arrondir les arêtes un peu trop abruptes de votre platelage et de vos balustrades. En peu de temps et avec un minimum d'effort, votre patio sera doté d'une touche de finition plus personnalisée. Et vos amis et vos proches risqueront moins de s'accrocher sur un éclat.

La meilleure façon d'arrondir le platelage et les autres éléments d'un patio est d'utiliser une toupie munie d'une fraise à arrondir. **4** Si vous y allez avec soin, cette méthode est pratiquement infaillible. Mais la toupie ne pourra assurément pas se rendre à tous les endroits de votre patio qui ont besoin d'être arrondi. Aussi, vous aurez à faire une partie du travail à la main, à l'aide d'une lime.

Les endroits qui bénéficient le plus d'une surface arrondie sont les arêtes du platelage, les couronnements, les banquettes encastrées ainsi que les solives et les poteaux exposés. Le reste des surfaces peut être aplani à l'aide d'une ponceuse ou d'un bloc à poncer. **5** Vous commencerez sans doute par utiliser un papier abrasif à gros grain (un grain de 80 convient pour la finition; un papier à grain plus fin est rarement nécessaire). Au lieu d'effectuer de petits gestes saccadés essayez d'y aller plutôt avec de longs mouvements de va-et-vient. Vous n'obtiendrez pas de meilleurs résultats en appuyant fort sur le papier; en fait, une pression modérée enlève tout aussi bien les aspérités de la surface à sabler. Habituellement, les seules parties du patio que vous devriez aplanir sont les éléments qui sont appelés à être le plus manipulés ou que les gens vont effleurer le plus souvent tels les couronnements, les tables, les sièges et les aires de divertissement.

Avant d'arrondir, il faut d'abord déterminer jusqu'à quel point vous voulez adoucir les courbes de votre structure, et de respecter ensuite ce modèle pour le reste de la structure. Si certaines parties sont à peines arrondies alors que d'autres le sont beaucoup plus, votre patio aura l'allure bâclée d'une construction mal improvisée.

Pour les bois plus tendres, comme les résineux, vous pouvez arrondir une bonne partie des arêtes à l'aide d'un bloc à poncer. En dépit du fait qu'il requière beaucoup d'effort à utiliser, le bloc à poncer vous offre tout de même un avantage non négligeable: il vous évite des erreurs coûteuses. Pour les travaux répartis sur une plus grande surface vous devriez envisager une ponceuse à courroie. Cependant méfiez-vous; car si vous tenez une ponceuse à courroie au même endroit trop longtemps, vous risquez de creuser malencontreusement la surface du platelage.

TRUCS ET ASTUCES

SCELLER OU NE PAS SCELLER

La plupart des patios ont besoin d'un peu de scellant, mais à peine – la structure est déjà légèrement inclinée pour prévenir l'accumulation d'eau. Mais il faut du scellant pour les éléments qui touchent au bâtiment: le point d'intersection entre la balustrade et le parement de la maison par exemple, ou celui entre la lambourde ou le solin et l'ossature. Si vous appliquez du scellant, assurez-vous d'en choisir un qui offre une bonne adhésion et une longue durabilité. Le scellant au silicone ou le scellant au latex siliconé sont deux bons choix.

Le scellant recouvre les têtes de clou du solin.

ARRONDIR UN COIN

OUTILS ET MATÉRIAUX

- Ruban à mesurer
- Crayon
- Clou
- Marteau
- Scie sauteuse
- Ponceuse et fraises
- Ponceuse

Les rebords arrondis ajoutent beaucoup d'intérêt visuel à un patio, mais la structure doit être soigneusement planifiée. (Voir à la page 192.) Il est essentiel que le tracé de la courbe soit parfait, aussi prenez tout votre temps au moment de mesurer et d'effectuer la coupe.

1 *Essayez de vous représenter la courbe que vous souhaitez tracer comme faisant partie d'un cercle. Déterminez le centre en mesurant le rayon à partir des deux côtés.*

2 *Le centre est constitué de l'intersection de ces deux lignes. Servez-vous du clou, du cordeau et du crayon pour tracer la courbe sur la surface du tablier.*

3 *À l'aide d'une scie sauteuse, entaillez la courbe. Durant la coupe, tenez les plus grosses chutes en main.*

4 *Pour une plus belle finition, aplanissez les rebords avec une ponceuse munie d'une fraise à arrondir.*

5 *Pour la touche finale, sablez l'arête de la courbe. Vous pouvez vous servir d'une ponceuse orbitale ou d'un bloc de ponçage.*

TECHNIQUES DE CONSTRUCTION

CHAPITRE

LES
SEMELLES
ET LES
FONDATIONS

7

Essayez de vous représenter les semelles comme étant des troncs d'arbres en béton supportant tout un réseau de pièces de bois situées juste au-dessus. Si les semelles sont solides, les solives, le platelage, les balustrades et les escaliers qu'elles supportent ne bougeront sans doute jamais. Il va sans dire que les semelles constituent la base de tous les patios bien conçus et que leur aménagement commence par un travail d'excavation bien mené.

RÉPARTIR LA CHARGE

Les semelles ne doivent pas seulement supporter la charge statique du patio, c'est-à-dire le poids total de l'ossature, du platelage, des balustrades, des banquettes et des jardinières. Elles doivent aussi soutenir ce que l'on appelle la surcharge, qui comprend la charge dynamique — les gens et le mobilier — et la charge climatique, soit la neige et la pluie. Les codes de bâtiment standards stipulent qu'un patio doit supporter une charge statique de 10 livres par pied carré et une surcharge de 40 livres par pied carré. Autrement dit, vos semelles doivent être assez solides pour soutenir une charge totale de 50 livres pour chaque pied carré de patio (ce qui représente 8 000 livres pour un patio de 10 x 16 pieds).

Cette charge se répartit à travers l'ossature de la structure jusqu'aux semelles de béton coulées dans le sol. La lambourde s'acquitte facilement de sa tâche de soutènement. Comme elle est boulonnée à la maison, elle peut facilement transférer sa part de charge aux fondations de la maison. Si la surface de votre patio surplombe une poutre, celle-ci supportera une charge plus importante que la lambourde. (Voir « Le niveau de surplomb maximal » à la page 140.)

Un sol meuble ne sera peut-être pas en mesure de supporter une charge importante, même pour aussi peu que 500 livres par pied carré. Si votre terrain n'est pas ferme, vous aurez peut-être à couler davantage de semelles ou, du moins, à les élargir. En augmentant la surface de votre assise — la partie du sol non remaniée sur laquelle repose la semelle — vous pouvez compenser pour la porosité du sol. Si votre terrain peut supporter une charge de 800 livres par pied carré, une semelle de 12 x 12 pouces peut soutenir seulement 800 livres. Mais si vous installez une assise de 24 x 24 pouces sous une semelle de la même dimension, ce quatre pieds carrés de soutien supplémentaire peut désormais supporter une charge colossale de 3 200 livres. Certains sols, surtout s'ils sont argileux, peuvent être fermes par temps sec mais perdre vite de leur solidité lorsqu'ils sont mouillés. Si vous soupçonnez que la densité de votre sol n'est pas adéquate, renseignez-vous auprès de l'ingénieur ou de l'inspecteur du service des bâtiments de votre localité. Il évaluera la situation et vous proposera des solutions.

AMÉNAGER L'EMPLACEMENT

L'ombre que projette votre patio ne favorise habituellement pas la pousse de végétaux. Mais pour vous assurer que les mauvaises herbes ne poussent pas, posez des longueurs de plastique ou une membrane géotextile sous le lit de gravier. C'est beaucoup plus simple d'y remédier maintenant qu'après la construction de votre patio. La membrane géotextile est préférable au plastique, car c'est un matériau qui peut laisser s'échapper l'humidité.

À GAUCHE **La hauteur de votre patio détermine le type de piliers et de poteaux dont vous aurez besoin. Renseignez-vous auprès de l'inspecteur des bâtiments de votre région pour connaître les normes du code du bâtiment à respecter.**

Si vous habitez une région où la végétation est fournie et tenace, vous pourriez envisager de découper le gazon et de déterrer toutes les plantes et les racines afin de les retirer de l'emplacement. Ce nouvel espace aménagé serait ensuite recouvert d'une membrane géotextile et de gravier. (Voir « Enlever le gazon » et « L'aménagement d'un lit de gravier » aux pages 136 et 137.)

LES EMPLACEMENTS DÉTREMPÉS

Vous trouverez peut-être que l'emplacement de votre patio vous apporte son lot de défis et que ceux-ci sont souvent constitués de variantes autour d'un même thème: l'eau. Voici quelques exemples d'embûches typiques assorties de solutions proposées.

Un emplacement déjà détrempé. Il est possible de construire un patio au-dessus d'un emplacement moyennement détrempé. Mais vous devez toutefois mettre en place un système d'évacuation de l'eau pour éviter qu'elle ne s'accumule sous le patio. Même si sa structure permet de diminuer la quantité de pluie qui tombe au sol, un patio projette aussi de l'ombre au-dessus de l'emplacement. L'eau s'évapore donc plus lentement, surtout si votre patio est construit près du sol. Au bout de quelques jours, toute flaque d'eau stagnante située au-dessous d'un patio favorisera la prolifération d'insectes. Et durant les journées les plus chaudes de l'été, l'eau peut aussi dégager une odeur nauséabonde.

La façon la plus simple de régler ce problème est de donner une pente uniforme au terrain, sans creux ni bosses, et qui s'incline légèrement en s'éloignant de la maison. Vous pouvez remuer tout simplement la terre à l'aide d'une pelle et d'un râteau, mais vous risquez de vous échiner. Cela dit, facilitez-vous la tâche en mesurant l'inclinaison que vous voulez donner à votre terrain à l'aide d'un ruban à mesurer et d'un niveau de ligne.

ENLEVER LES ARBUSTES

OUTILS ET MATÉRIAUX
- Pelle
- Toile
- Ficelle
- Brouette

Avant de construire votre nouveau patio, vous aurez peut-être à bouger certains de vos végétaux. Gardez les arbustes et les plantations que vous estimez le plus et transplantez-les ailleurs sur votre terrain.

1 *Utilisez une pelle pour creuser sous les racines de l'arbuste. Les racines de plantes matures peuvent être difficiles à enlever.*

2 *Dégagez l'arbuste et ses racines du trou et placez l'ensemble des racines sur une toile.*

3 *À l'aide d'une ficelle, resserrez la toile autour de l'arbuste. Vous protégerez ainsi les racines, surtout si le nouvel emplacement de l'arbuste n'est pas encore prêt à l'accueillir.*

Une autre solution consiste à construire le patio de manière à ce que les planches du tablier soient légèrement inclinées pour favoriser l'écoulement de l'eau vers l'un des côtés de la structure. Bien entendu, vous aurez à vous occuper de cette eau qui s'écoule, mais vous pouvez y remédier après la construction du patio, une fois que vous aurez une meilleure idée de l'ampleur de la situation.

Pour les problèmes plus critiques de l'écoulement de l'eau, creusez un fossé de drainage pour recueillir les eaux et les acheminer loin de votre emplacement. Excavez un fossé d'une profondeur d'à peu près 1 pied à sa partie la plus profonde. Puis à tous les 10 pieds, donnez-lui une inclinaison d'un pouce ; déposez environ un pied de gravier au fond du fossé ; placez un drain perforé (avec les trous vers le bas) ; ajoutez du gravier ; couvrez le tout avec de la terre. Si votre terrain possède une pente assez accentuée et que vous pouvez rediriger l'eau ailleurs, la partie la plus éloignée du drain peut émerger du sol. L'eau pourrait aussi se déverser dans un puits sec, c'est-à-dire, une fosse remplie de roches et recouverte de terre et de gravier.

L'eau d'écoulement des précipitations abondantes. Si vous avez un tuyau de descente qui déverse les eaux pluviales à proximité de votre patio, envisagez de changer le parcours de vos gouttières de manière à ce qu'elles s'écoulent ailleurs.

Lorsque les eaux d'une précipitation abondante coulent sur la surface du patio, vous pourriez vous retrouver avec une petite douve emplie d'eau autour du périmètre de la structure. Il est difficile de prévoir cette situation avant d'entamer les travaux, mais il est relativement simple cependant, d'y remédier par la suite. Occupez-vous des petites flaques d'eau en ceinturant votre patio de plantations aménagées dans un parterre de copeaux de bois. Pour les problèmes de plus grande

ENLEVER LE GAZON

OUTILS ET MATÉRIAUX
- Pelle carrée
- Gants de travail
- Brouette

Le gazon que vous enlevez est encore réutilisable si vous le replantez dans les deux jours qui suivent. Assurez-vous de garder les rouleaux de gazon humide.

1 À l'aide d'une pelle, découpez le gazon en bandes d'une largeur de 16 pouces. Affûtez l'arête de votre pelle avec une lime.

2 Enroulez les bandes de gazon. Lorsque vous enroulez, assurez-vous de préserver de 2 à 3 pouces de terre sous les bandes.

3 Les rouleaux de gazon peuvent être lourds. Découpez-les en sections que vous pouvez manipuler facilement.

envergure, vous aurez peut-être à creuser un lit de gravier d'une profondeur de 6 pouces ou même de vous installer un fossé de drainage tel que décrit un peu plus haut.

L'érosion de l'eau. Sur un terrain très onduleux, l'érosion pourrait être un problème ; l'accumulation de petits ravins provoqués par l'érosion est souvent un indice révélateur. Un problème de ravinement qui s'aggrave peut affaiblir vos semelles de béton, les faire s'enfoncer, s'incliner ou carrément défaillir.

En plantant les végétaux appropriés, vous pouvez limiter les dégâts causés par l'érosion et protéger le sol. Renseignez-vous auprès d'une pépinière de votre localité pour savoir quels types de plantes vous devriez vous procurer. Vous aurez peut-être à mettre un système d'évacuation de l'eau en place : un simple fossé pourrait suffire, sinon vous devrez sans doute creuser un fossé d'écoulement.

Un sol instable. Toutes les semelles de béton ou les poteaux plantés dans un trou doivent nécessairement reposer sur un sol non remanié. Vous atteindrez habituellement ce niveau de solidité en vous rendant à une profondeur d'à peu près 16 pouces. Les semelles qui sont installées sur un sol meuble ou instable se déplaceront au même gré que les mouvements du sol et même, à l'occasion, de manière inégale. Les sols marécageux ont tendance à être instables, de même que les aires fraîchement excavées et remblayées. Un terrain dont le sol vient d'être recouvert d'une couche considérable de terre aura besoin de temps pour se stabiliser. Si vous n'êtes pas certain du niveau de stabilité de votre sol, informez-vous auprès d'un ingénieur en mécanique des sols, d'un architecte, ou du service d'inspection des bâtiments de votre localité. Ces experts sont sans doute bien renseignés au sujet de la condition des sols de votre localité et des types de fondations qui conviennent le mieux pour votre emplacement.

L'AMÉNAGEMENT D'UN LIT DE GRAVIER

OUTILS ET MATÉRIAUX
- Râteau
- Pelle
- Rouleaux de plastique perforé ou de membrane géotextile
- Gravier
- Brouette

Cette technique empêche les mauvaises herbes de pousser. Mais en plus de suivre les étapes ci-contre, vous pouvez aussi utiliser un herbicide écologique.

1 *Déblayez le sol des roches, des racines et des autres débris. Le sol devrait être légèrement incliné en s'éloignant de la maison.*

2 *Déroulez le plastique. Faites en sorte que les bordures se chevauchent d'environ 6 pouces, à la manière de bardeaux, afin de faciliter l'écoulement de l'eau à partir de la maison.*

3 *Répartissez plusieurs piles de gravier sur l'emplacement. À l'aide d'un râteau, égalisez la surface.*

DÉLIMITER LES FONDATIONS

Les semelles constituent l'élément le moins visible de votre patio. Aussi est-il tentant de traiter leur installation avec un peu de nonchalance. Mais si vos semelles ne sont pas coulées et placées correctement, il pourrait s'avérer pratiquement impossible de corriger le tir plus tard au cours des travaux. Allez-y avec soin et vérifiez chacune des étapes, puis contre vérifiez-les, et vérifiez-les à nouveau.

Faites-vous aider pour délimiter les fondations, car vous aurez besoin de quelqu'un pour tendre solidement les cordeaux, tenir l'embout du ruban à mesurer et vous aider lors de certains ajustements. Sans compter que lors d'un projet de construction, deux têtes valent souvent mieux qu'une.

L'emplacement de la lambourde. La lambourde constitue souvent le point de départ du patio. Vous pourriez

même commencer par installer la lambourde avant la délimitation des fondations et leur excavation. (Voir « Préparer la lambourde, » de la page 154 à 158.) Quoi qu'il en soit, avant de déterminer l'emplacement des semelles, vous devez d'abord marquer les extrémités de la lambourde. Si vous avez des solives extérieures et une planche de façade, n'oubliez pas de prendre en considération leur épaisseur respective avant de faire vos marques. Par exemple, si vous comptez poser une planche de façade d'un pouce d'épaisseur, votre lambourde devra mesurer $2\frac{1}{4}$ pouces de moins que la longueur du patio fini à chacune de ses extrémités ($1\frac{1}{2}$ pouce pour la planche de l'ossature et $\frac{3}{4}$ de pouce supplémentaire pour la planche de façade).

La ligne de référence. Une fois que vous avez marqué l'emplacement des extrémités de la lambourde sur le mur de votre maison, servez-vous d'un fil à plomb pour transposer ce point de référence un peu plus bas

DÉTERMINER L'EMPLACEMENT

OUTILS ET MATÉRIAUX
- Pièces de dimension 1 x 4
- Scie à tronçonner
- Perceuse électrique
- Cordeau de maçon
- Mètre à mesurer enroulable
- Niveau de menuisier
- Fil à plomb

Pour marquer l'emplacement d'un coin à angle droit, vous n'avez qu'à vous servir de la formule dite 3-4-5 et l'appliquer à l'échelle qui vous convient : servez-vous simplement de multiples du même nombre, tels 9-12-15.

1 Fabriquez-vous des chevalets d'implantation à partir des pièces de dimension 1 x 4. Taillez les extrémités en pointes de manière à pouvoir enfoncer les planches dans le sol.

3 Calculez 3 pieds à partir d'un chevalet ; calculez 4 pieds à partir de l'autre ; pour un coin à angle droit, la distance entre les deux points équivaut à 5 pieds.

4 Vous pourriez aussi mesurer les diagonales. Si elles sont égales, les coins sont à l'équerre.

sur la maison, près du sol. Si votre terrain s'incline considérablement vers le bas en s'éloignant de la maison, placez cette marque près du sol. Si votre terrain est passablement au niveau, placez cette marque à une hauteur d'à peu près un pied du sol. Enfoncez une vis ou un clou à cet endroit de manière à pouvoir nouer un cordeau autour de la tige.

Les chevalets d'implantation. Pour chacun des coins extérieurs de votre patio que vous aurez à repérer, vous devrez assembler deux chevalets d'implantation. **1** Assemblez une traverse d'une longueur de 36 ou de 48 pouces placée perpendiculairement au sommet de deux piquets. Vous pouvez soit acheter des piquets pré-frabriqués au centre de rénovation de votre localité ou vous tailler des pièces de 2 x 4 ou de 1 x 4 munies d'une pointe à l'une des extrémités. Même si les chevalets d'implantation ne servent qu'à tenir en place des cordeaux et que leur utilisation n'est que pro-

2 *Placez une paire de chevalets d'implantation à quelques pieds de l'emplacement prévu de la structure. Attachez-y le cordeau.*

5 *À l'aide d'un niveau de menuisier ou d'un fil à plomb placé à l'intersection des cordeaux, déterminez l'emplacement précis du coin.*

visoire, ils devraient être assemblés solidement. Ils risquent fort de se faire ébranler au cours des travaux.

Tracer le périmètre. Afin de déterminer l'emplacement de vos poteaux, prenez vos mesures à partir de la maison puis marquez à peu près leur position prévue à l'aide d'un cordeau ou de longues pièces de bois. La ligne que vous dressez passe par le centre du poteau. Vous devez donc prendre en considération l'épaisseur des poutres et des solives extérieures: une planche de dimension nominale « deux sur » possède en réalité une épaisseur de 1 ½ pouce, et le centre d'un poteau 4 x 4 se situe réellement à 1 ¾ pouce à partir de chaque côté. Enfoncez un piquet dans le sol ou sinon marquez l'emplacement (encore là, de manière approximative) comme étant l'intersection des lignes.

Le point central des semelles de coin. Enfoncez solidement deux chevalets d'implantation dans le sol à une distance d'environ 16 pouces de part et d'autre du piquet. Tendez un cordeau de la maison au chevalet d'implantation et d'un chevalet d'implantation à l'autre si cela est nécessaire. **2** Depuis la lambourde, le point de départ du cordeau sera habituellement situé 1 ¾ pouce à l'intérieur de son embout.

Vérifiez maintenant l'équerre en vous servant de la méthode 3-4-5: à partir du clou autour duquel est noué le cordeau, mesurez une distance de 3 pieds le long de votre maison ou de la lambourde. Puis mesurez une distance de 4 pieds le long du cordeau et marquez ce point avec un morceau de ruban cache. Enfin, calculez la distance entre les deux marques. Si cette mesure équivaut à exactement 5 pieds, alors vous avez un coin à l'équerre. **3** Si vous bénéficiez d'un plus vaste aménagement, vos mesures seront plus précises si vous avez recours à des multiples de 3, 4 et 5 pieds, 9, 12 et 15 par exemple.

Vérifiez de nouveau si votre tracé est d'équerre en prenant trois autres paires de mesures, soit: les deux longueurs de votre rectangle, qui devraient être égales l'une par rapport à l'autre; les deux largeurs mais surtout, les deux diagonales. **4** Une fois qu'il est clairement établi que les intersections de vos cordeaux sont à l'équerre, nouez-les solidement aux chevalets d'implantation à l'aide d'une vis ou d'un clou en vous assurant qu'ils ne bougeront pas si quelqu'un s'accroche dans le cordeau.

L'emplacement des poteaux. Servez-vous d'un fil à plomb ou d'un boîtier de cordeau à tracer qui peut servir de substitut à un fil à plomb pour marquer l'emplacement du centre de chaque poteau – autrement dit, le centre de chaque trou pour l'implantation des poteaux. Pour les poteaux de coin, suspendez le fil à plomb à partir de l'intersection des cordeaux. **5** Suspendez le fil à plomb (ou le boîtier de cordeau) tant qu'il n'arrête pas d'osciller, puis marquez l'emplacement d'un petit piquet.

Le niveau de surplomb maximal

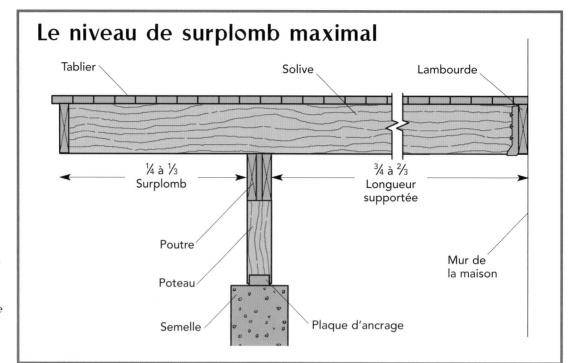

Tablier — Solive — Lambourde

¼ à ⅓ Surplomb ← → ¾ à ⅔ Longueur supportée

Poutre

Poteau

Semelle — Plaque d'ancrage

Mur de la maison

CI-DESSOUS

Même si elles ne sont pas toujours visibles, des fondations bien conçues vous donneront plusieurs années de rendement fiable.

L'EMPLACEMENT DES SERVICES D'UTILITÉ PUBLIQUE

Avant de commencer à creuser vos semelles, assurez-vous de bien connaître l'emplacement des services d'utilité publique enfouis dans le sol, telles une conduite de gaz naturel ou une canalisation d'égout. Pour un chantier de construction de plus grande envergure au cours duquel vous faites appel à un entrepreneur pour effectuer l'excavation, celui-ci devrait marquer l'emplacement exact de tous les services d'utilité publique. Donnez-vous tout de même la peine de vérifier auprès des différents services public. Dans la plupart des régions, la compagnie dépêchera un représentant sur les lieux pour localiser le câblage et la tuyauterie de manière à ce que vous puissiez marquer l'emplacement à l'aide de petits drapeaux.

LES SEMELLES

Il est fort probable que vous aurez besoin d'installer des semelles et de couler du béton. Consultez les codes du bâtiment de votre localité. Avant d'arrêter votre choix par rapport au type de semelle, posez-vous les questions suivantes :

- La semelle est-elle de la bonne dimension et sera-t-elle suffisamment stable ?
- Si vous voulez que votre patio soit construit au ras du sol, la semelle se rend-elle bien en deçà de la ligne de gel ?
- La semelle est-elle assez élevée par rapport au niveau du sol pour protéger le poteau de l'humidité ?
- Les codes du bâtiment de votre localité exigent-ils que les semelles soient renforcées d'une barre d'armature ?
- Devez-vous mettre en place un système d'évacuation de l'eau ?

Les blocs de béton. Si le sol de votre emplacement est stable, peu sablonneux, qu'il ne gèle pas l'hiver et que votre patio n'est pas fixé à la maison, vous pouvez utiliser des semelles prémoulées. Au lieu de couler des semelles en béton, vous n'avez qu'à placer ces blocs directement sur la surface du sol non remanié. Enlevez la couche de sol meuble située en surface, puis aménagez un endroit stable et mis à niveau sur lequel les semelles pourront être déposées. Assurez-vous que ce système de soutènement est conforme aux normes du code de bâtiment de votre localité.

LES SEMELLES CREUSÉES

Sans seuil du gel. Si le sol est stable, vous n'avez qu'à creuser un trou qui agira au même titre qu'un coffrage pour le béton. Pour les régions peu affectées par le gel, un trou d'un diamètre de 12 pouces et d'une profondeur de 8 pouces, par exemple, constituera une semelle d'une solidité suffisante. Vous n'avez qu'à remplir le trou de béton et de donner à sa partie supérieure une forme légèrement effilée afin que la surface de la semelle se retrouve à un ou deux pouces au-dessus du sol. Insérez une plaque d'ancrage ou un boulon directement dans le béton humide.

Sous la ligne de gel. Une autre option consiste à creuser un trou de forme cylindrique dont la profondeur dépasse le seuil du gel de plusieurs pouces, puis de l'emplir de béton. Évasez quelque peu le fond du trou afin d'ajouter un peu de stabilité à la semelle coulée. Ce système de soutènement est idéal pour les semelles de diamètre plus important.

LES OPTIONS : LES TYPES DE SEMELLES

LE BLOC DE BÉTON

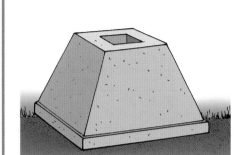

LA SEMELLE CREUSÉE

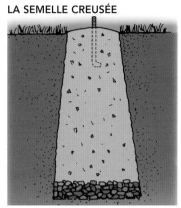

LA SEMELLE CREUSÉE AVEC COFFRAGE

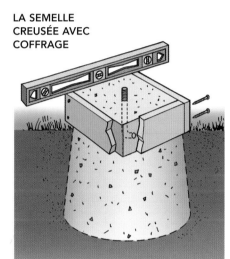

LA SEMELLE CREUSÉE AVEC COFFRAGE TUBULAIRE

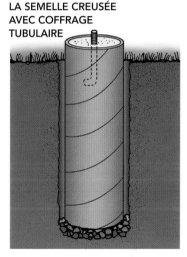

CI-DESSUS **Planifiez soigneusement l'emplacement de vos piliers.**

LES COFFRAGES

Le dessus d'une semelle formée en coulant du béton dans un trou est habituellement de niveau avec le sol. Le dessous du poteau fixé au niveau du sol se retrouve donc exposé à l'humidité. Mais vous pouvez régler ce problème en surélevant l'assise du poteau c'est-à-dire, en prolongeant la hauteur de la semelle à l'aide d'un coffrage assemblé de pièces de 1 x 6 ou à partir de panneaux de contreplaqué.

Bloc de ciment posé sur béton humide. Vous pouvez acheter un bloc de ciment et le poser sur le béton humide. Avant d'insérer le poteau à une profondeur de 1 ou 2 pouces dans le béton humide, il est préférable d'appliquer une couche de liant hydraulique sous la base.

Ciment coulé dans un coffrage tubulaire. Voici une façon pratique et efficace de couler une semelle de béton. Les coffrages tubulaires sont disponibles dans plusieurs formats, mais le plus utilisé est celui d'un diamètre de 8 pouces. Les coffrages sont faits de carton-fibre et peuvent être facilement taillés de la lon-

gueur désirée. En comparaison à l'excavation d'un trou dans lequel vous coulez du béton, un coffrage tubulaire offre plusieurs avantages: il permet à la semelle de dépasser le niveau du sol à la hauteur désirée; il satisfait les inspecteurs en leur donnant la dimension précise de vos semelles; il simplifie votre travail, car il vous évite d'avoir à mélanger trop de béton. L'intérieur des tubes est ciré. Une fois le béton aura pris, vous pouvez facilement retirer la partie du coffrage qui dépasse du niveau du sol.

LES ANCRAGES DE POTEAU

La plupart des ancrages métalliques sont noyés en partie dans le béton pendant qu'il est encore humide. Habituellement, vous n'avez qu'à insérer un boulon de J ou une plaque d'ancrage et fixer le reste de la quincaillerie plus tard. Certains systèmes de fixation sont de type monopièce. Vous n'avez qu'à noyer la partie inférieure. Optez pour un ancrage que vous pouvez ajuster latéralement. Les ancrages ajustables vous offrent un pouce ou deux de jeu dans deux directions.

LES OPTIONS : QUINCAILLERIE POUR POTEAUX

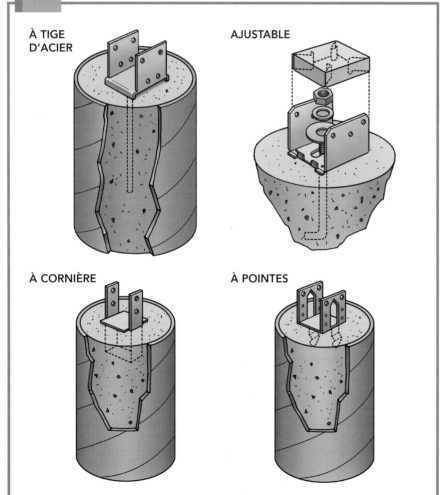

À TIGE D'ACIER

AJUSTABLE

À CORNIÈRE

À POINTES

TRUCS ET ASTUCES

POUR BIEN VOUS ALIGNER

Quand vous creusez et que vous coulez vos semelles de béton, il se peut que le boulon d'ancrage soit légèrement excentré. Voilà une bonne raison de vous procurer des plaques d'ancrage ajustables. Au lieu d'un simple trou, la plupart sont munies d'une fente. Cela vous permet de faire de légers ajustements dans toutes les directions de manière à positionner le poteau exactement là où vous le voulez.

LES OPTIONS DU BRICOLEUR : LES FONDATIONS

Plusieurs produits préfabriqués disponibles sur le marché vous aident à construire des semelles et des piliers plus rapidement. Les murets pré-moulés de type « Dek-block » (à droite) reposent tout simplement sur le sol. Les éléments de l'ossature s'emboîtent dans les espaces aménagés sur le dessus des murets. Ce système de soutènement reçoit l'aval de plusieurs codes du bâtiment parce qu'il confère au patio l'appellation de structure flottante. Autrement dit, la structure peut être considérée comme non permanente puisque le patio n'est pas rattaché à la maison. Assurez-vous cependant de vérifier auprès du service

d'inspection des bâtiments de votre localité que tel est bien le cas. Le pilier de type « Bigfoot » (à l'extrême droite) est une moulure en plastique haute densité compatible avec les coffrages tubulaires pour

piliers. Sa forme en cloche située à la base du pilier ajoute de la solidité et de la stabilité au système de soutènement. De plus, sa forme évasée éloigne l'eau de la semelle.

Ils vous permettent ainsi de compenser pour les petites erreurs commises au moment de prendre les mesures.

LES POTEAUX CONTINUS

Vous pouvez aussi prolonger vos poteaux à l'intérieur des trous excavés. En dépit des apparences, cela consolide rarement une structure principalement érigée sur le plan horizontal, tel un patio. Presque toute la résistance latérale de votre patio – ce qui l'empêche de vaciller, en quelque sorte – dépend principalement de l'ensemble de ses fixations. Chaque fois que vous ajoutez une vis, un clou ou un boulon à votre structure, celle-ci se retrouve encore davantage consolidée. De plus, vous pouvez sans doute augmenter le degré de rigidité de votre ossature en la rattachant à votre maison. Bref, à moins de construire un patio auto-porteur à plus de deux pieds du sol, des poteaux coulés dans le béton ne consolident pas la résistance latérale de votre patio de manière significative.

Sans parler des désavantages reliés aux poteaux enfoncés dans le béton ou le gravier : en premier lieu, vous n'avez pas droit à l'erreur. Deuxièmement, un poteau enfoui dans le sol a de bien meilleures chances de pourrir. Et troisièmement, si jamais les poteaux se détériorent, ils sont très difficiles à remplacer. À moins d'avoir une raison particulière de vouloir en installer, servez-vous-en seulement pour soutenir les rampes d'escalier car celles-ci requièrent souvent un peu plus de résistance latérale.

Dans les régions sujettes aux tremblements de terre, les poteaux continus sont cependant obligatoires. Si toutefois la structure est construite en hauteur, il peut arriver que de tels poteaux soient requis de manière à éviter que leur base ne s'ébranle. Les poteaux continus

TRUCS ET ASTUCES

LES POTEAUX CONTINUS

Dans certains cas, vous pouvez placer les poteaux directement dans un coffrage tubulaire. Par exemple pour consolider davantage l'extrémité d'une rampe d'escalier et pour éviter ainsi d'avoir à couler une autre semelle. Mais la technique de soutènement qui offre le plus de solidité consiste à fixer les poteaux au-dessus des semelles à l'aide des diverses quincailleries d'ancrage.

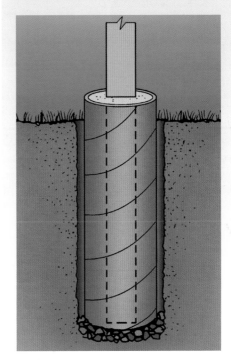

LES OPTIONS : L'EXCAVATION

Si vous devez faire des travaux d'excavation dans un sol rocailleux, vous apprécierez l'utilisation d'un pic ou, à tout le moins, d'une barre de démolition de qualité industrielle afin de vous aider à déloger les plus grosses pierres.

1. La pelle reste l'outil de base pour creuser des trous, mais vous risquez de vous échiner. Vous déplacerez aussi davantage de terre qu'il est nécessaire.

2. La bêche tarière est munie de deux poignées qui se manipulent à la manière d'une paire de ciseaux pour entailler la surface du sol et ramasser la terre. Elle vous permet de donner un contour net à un trou de petite envergure.

3. La tarière mécanique est un outil que vous pouvez louer. Il existe des modèles à un ou deux opérateurs qui creusent en tournant la terre. Même s'ils ne sont pas facilement maniables, les deux modèles sont efficaces.

sont souvent placés tout simplement dans des trous remblayés avec du béton. Ils peuvent aussi être insérés dans du béton humide préalablement coulé à l'intérieur de coffrages tubulaires de grand format.

L'IMPLANTATION DE POTEAUX

Si vous n'avez que quelques trous à creuser, vous pouvez très bien vous en sortir avec une bêche tarière. Cependant, pour les chantiers d'une plus grande ampleur, vous ne devriez pas vous passer d'une tarière mécanique pour aller plus vite. Certains modèles sont conçus pour un seul opérateur (bien qu'un aide pourrait certainement être utile), alors que d'autres en requièrent deux, mais vous devez être passablement costaud.

Creuser les trous. Une fois que les mesures indiquées par vos piquets d'emplacement sont bien établies, enlevez les cordeaux pour vous faire de l'espace pour creuser. Peu importe que vous utilisiez une bêche tarière ou son équivalent mécanique, vous aurez besoin d'une barre de démolition (aussi appelée pied-de-biche ou arrache-clou). Cet outil vous servira à fracasser ou à déloger les pierres que vous trouverez en creusant. Si des racines obstruent votre passage, coupez-les à l'aide de votre bêche tarière, d'une pelle ronde ou d'un sécateur. Au pis aller, vous aurez peut-être besoin de votre scie à tronçonner.

Damer le fond et remettre les cordeaux en place. Le fond du trou de votre semelle devrait être ferme. Même une fois rendu au niveau du sol remanié, le travail d'excavation laissera un pouce ou deux de terre meuble au fond du trou. Munissez-vous d'un poteau 4 x 4 pour damer le fond. Remettez les cordeaux en place. Assurez-vous qu'ils soient d'équerre ; vérifiez à nouveau l'emplacement de vos semelles.

Poser les coffrages. Une fois les trous creusés, posez le coffrage de votre choix. Assurez-vous de leur stabilité. Habituellement, si vous utilisez un coffrage tubulaire en carton-fibre, vous n'avez qu'à le remblayer avec de la terre pour le stabiliser. Certains concepts de patio exigent que toutes les semelles soient au même niveau les unes par rapport aux autres. Pour ce faire, remblayez tous les coffrages ; à l'aide d'un niveau à eau, tracez une marque ; puis taillez-les à la bonne hauteur avec une scie à tronçonner.

Ajouter du gravier et une barre d'armature. Versez de 2 à 3 pouces de gravier au fond du coffrage.

Si votre inspecteur des bâtiments exige que vous installiez une barre d'armature, vous devez le faire à ce stade-ci des travaux. Habituellement, cela implique d'enfoncer une longue section de la barre d'armature au fond du trou de manière à ce qu'elle se retrouve à peu près au centre du coffrage. Allez-y avec précaution afin que la barre d'armature soit positionnée le plus près possible au milieu du béton coulé.

Assurez-vous qu'elle ne dépasse pas du coffrage et qu'elle ne nuira pas à l'installation des systèmes d'ancrages que vous comptez noyer dans le béton humide.

COULER LE BÉTON

Vous voici enfin rendus à l'étape de composer un élément de patio permanent. Vos semelles remblayées jouent un rôle important car elles assurent une stabilité pour l'ensemble de votre patio.

EVALUER LA QUANTITÉ

Le béton se vend à la verge cube; une verge cube mesure 3 pieds par 3 pieds par 3 pieds, ou 27 pieds cubes. Un pied carré comprend 1 728 pouces carrés.

Pour les coffrages carrés, multipliez la mesure intérieure de la longueur par la mesure intérieure de la largeur par la hauteur, le tout calculé en pouces. Pour convertir en pieds cubes, divisez le produit par 1 728; divisez ensuite ce nombre par 27 afin de convertir le tout en verges cubes.

Pour déterminer le volume des semelles cylindriques, la formule est la suivante: volume = π2h. Pour obtenir le volume en pouces cubes, vous multipliez pi (3.14) par le carré du rayon par la hauteur. Vous convertissez ce nombre en pieds cubes en le divisant par 1 728; puis vous divisez la réponse par 27 pour obtenir la quantité de verges cubes requises.

LE MÉLANGE À BÉTON

OUTILS ET MATÉRIAUX
- Sac de ciment
- Gants de travail
- Brouette
- Binette
- Seau
- Eau

Afin de déplacer le moins de poussière possible, commencez par déverser environ les deux tiers de l'eau requise dans la brouette; puis ajoutez graduellement le reste du mélange.

1 *Que vous achetiez du ciment prémélangé ou que vous combiniez les éléments vous-même, préparez le mélange dans une brouette.*

2 *À l'aide d'une binette, mélangez les ingrédients secs. Formez un cratère au centre de la pile.*

3 *Ajoutez de l'eau graduellement en suivant bien les indications du fabricant afin de respecter les proportions. Trop d'eau gaspillera votre mélange.*

LE BÉTON

Il existe essentiellement deux manières d'obtenir un mélange de béton prêt à utiliser: vous pouvez ajouter de l'eau à des sacs de ciment prémélangé ou faire votre propre mélange à partir de granulats. (Voir « Trucs et astuces » ci-contre, concernant les plus grosses quantités de béton.)

Le ciment prémélangé. Vous pouvez vous procurer des sacs de ciment avec le sable et le gravier déjà combiné dans les bonnes proportions. Une brouette vous sera très utile pour ajouter l'eau et mélanger votre pâte pure. Chaque sac de 60 livres donne environ $\frac{2}{3}$ de pied cube de béton. Pour couler un coffrage tubulaire conventionnel d'un diamètre de 8 pouces et d'une hauteur de 42 pouces, vous aurez besoin de deux sacs. L'équivalent de $\frac{1}{2}$ verge cube nécessitera environ 20 sacs.

Le ciment que vous mélangez. Si votre chantier n'est pas suffisamment accessible pour recevoir un camion à bétonnière ou si vous n'avez besoin que de petites quantités de béton, soit l'équivalent de 2 ou 20 sacs, vous devriez envisager de le mélanger vous-même. Cela peut se faire aisément dans une brouette ou sur un panneau de contreplaqué. Pour de plus grosses quantités, vous pouvez louer une bétonnière électrique.

MÉLANGER ET COULER

Peu importe si vous achetez des sacs de ciment prémélangé ou si vous combinez le granulat et le ciment vous-même, la technique de base reste la même. Pour mélanger vos ingrédients, vous pouvez vous acheter une auge ou vous en construire une. Mais la méthode la plus simple consiste à combiner les éléments dans la même brouette qui servira à transporter le béton humide. (Voir « Le mélange à béton » à la page 145.)

Mélanger les ingrédients secs. Si vous mélangez vous-même les ingrédients secs, versez-les directement dans

LA CONSTRUCTION DE PILIERS

OUTILS ET MATÉRIAUX
- Coffrages tubulaires
- Niveau
- Ciment
- Truelle
- Plaque d'ancrage pour poteau
- Ensemble de clés à ouverture fixe

Une fois que les coffrages tubulaires sont installés dans leur trou, remblayez-les afin de les stabiliser. Ainsi, vous n'aurez pas besoin de les contreventer.

1 *Placez un coffrage cylindrique taillé à la bonne hauteur dans le trou. La partie supérieure devrait dépasser le niveau du sol de 6 pouces.*

3 *Coulez le béton à l'intérieur de la forme. Insérez le boulon de J compris dans les éléments de quincaillerie au centre de la semelle.*

4 *Une fois que le béton est durci, attachez le reste du système d'ancrage pour poteau.*

la brouette. Pour chaque pelletée de ciment, ajoutez-en trois de gravier et deux de sable. À l'aide d'une binette de maçon, mélangez bien tous les ingrédients secs, et ce, même si vous utilisez des sacs de ciment prémélangé. Si vous avez une grosse brouette, essayez de combiner deux sacs de ciment prémélangé à la fois.

Ajoutez de l'eau. Aménagez un trou au centre des ingrédients secs et versez-y un peu d'eau. Mélangez bien ; ajoutez graduellement de l'eau tout en vous assurant que le béton maintienne la consistance souhaitée. Même si cela facilite le mélange des ingrédients, n'ajoutez pas trop d'eau à la pâte pure. Elle n'en serait que trop liquide. Votre mélange devrait être juste assez fluide pour être coulé dans votre coffrage.

Couler et racler le béton. Transvidez le béton dans vos coffrages directement à partir de la brouette, ou allez-y une pelletée à la fois. Nettoyez l'excédent au fur et à mesure. Insérez une pièce de 2 x 2 ou un morceau de barre d'armature au fond du mélange à béton à plusieurs endroits afin d'éliminer les poches d'air. Lorsque le coffrage est comble, raclez le dessus avec une chute de 2 x 4 afin d'obtenir une surface lisse et à niveau.

Installer le système d'ancrage pour poteau. Insérez immédiatement votre plaque d'ancrage ou votre boulon de J. Alors que vous les enfoncez, faites-les osciller un peu de manière à vous défaire des poches d'air. À l'aide d'un fil à plomb, alignez votre quincaillerie au cordeau pour faire en sorte qu'elle soit bien centrée. Assurez-vous qu'elle dépasse du béton à la bonne hauteur. Vérifiez le niveau vertical de la quincaillerie avec un niveau torpédo. Couvrez lâchement le dessus de vos semelles avec du plastique afin que le béton ne prenne pas trop rapidement. Après un délai de 24 heures, vous pourrez déjà commencer à ériger des éléments sur vos semelles. N'oubliez pas que le béton a besoin de trois semaines avant de prendre complètement. Si vous le butez malencontreusement au cours des premiers jours, il pourrait s'effriter.

L'INSTALLATION DES POTEAUX

Si vous choisissez d'enfouir vos poteaux dans le sol, enduisez la partie de la pièce qui sera sous la terre d'une couche additionnelle de préservatifs, surtout le grain exposé à l'embout.

Des trous évasés. Évasez vos trous afin de leur donner plus de stabilité. Le diamètre du fond devrait être de 3 à 4 pouces plus large que celui de l'ouverture. Versez de 2 à 3 pouces de gravier au fond du trou afin de faciliter l'écoulement de l'eau. Une autre solution serait d'enfouir un coffrage tubulaire de grand diamètre et d'y insérer le poteau avant de couler le béton. Cela vous permet d'utiliser le béton à meilleur escient. L'utilisation d'un coffrage vous permet aussi de prolonger la semelle de plusieurs pouces au-dessus du niveau du sol.

Mettre les poteaux à niveau et les contreventer. Laissez vos poteaux courir en liberté puis une fois que le béton est pris, taillez-les à la bonne hauteur. Sur l'heure cependant, servez-vous d'un niveau de ligne afin de vous assurer que les poteaux soient tous de la bonne grandeur. Alignez les poteaux de paire avec les cordeaux, puis aplombez-les dans les deux directions. Ensuite, contreventez chacun des poteaux à l'aide de deux étais.

Couler le béton. En versant votre mélange dans le coffrage, enfoncez une section de barre d'armature ou une longue pièce de bois dans le béton. Remuez le mélange autour du poteau afin d'éliminer les poches d'air. Cela est particulièrement important si le poteau est inséré à l'intérieur de la semelle et que le béton s'écoule et s'enroule autour du poteau à la manière d'un long anneau effilé. À l'aide d'une truelle, donnez un angle ascendant à la surface de votre semelle de manière à ce que les eaux pluviales s'écoulent en s'éloignant de la base du poteau.

2 *Mettez le coffrage tubulaire à niveau, puis remblayez-le afin de le stabiliser. Durant le remblayage, vérifier de nouveau le niveau.*

TRUCS ET ASTUCES

LA LIVRAISON DU BÉTON

Si vous avez besoin de $3/4$ de verge cube de béton ou plus, il serait préférable de le faire livrer par camion à bétonnière, même si les cimenteries exigent un volume minimum d'une verge cube. Soyez prêt à recevoir le camion. Prévoyez un espace de stationnement. Désignez un endroit vers lequel la goulotte pourra déverser le béton dans la brouette.

LES
ÉLÉMENTS
DE
SOUTÈNEMENT

La lambourde, les poteaux et les poutres sont les composantes qui fixent le patio à la maison et au sol. Ils soutiennent le poids de votre nouveau patio. Dans la plupart des cas, l'apparence n'est pas de la première importance. L'important c'est le choix des bons matériaux pour faire le travail et, de ce fait, pour réussir une installation appropriée de ces éléments.

PRINCIPES DE BASE

Dans la plupart des cas, le bois traité de dimension nominale de 2 x ou 4 x représente le meilleur choix pour la charpente d'un patio. Dans certains cas, le séquoia ou le cèdre sont des options convenables, mais coûteuses. Le bois de construction traité coûte généralement un peu plus cher que les quantités de bois d'œuvre standard de sapin ou de pruche, mais il durera beaucoup plus longtemps. Vous voudrez sans doute la plus belle planche du lot pour les éléments les plus visibles de votre patio, telles les solives extérieures. Vous pourrez également vous défaire de l'apparence du bois traité et recouvrir la charpente avec un bois d'une qualité fine, par exemple le même bois de séquoia ou de cèdre utilisé sur la balustrade.

Une charpente de patio standard est composée de poteaux, d'une poutre, de solives et d'une lambourde. Les poteaux reposent sur les semelles, et sont habituellement fabriqués à partir de pièces de 4 x 4. Pour un patio construit en hauteur, des pièces de 6 x 6 pourraient être requises. La poutre maîtresse repose sur le dessus des poteaux, mais elle peut aussi être déposée directement sur les semelles dans le cas d'un patio construit au ras du sol. Le madrier de soutènement principal peut être composé d'une pièce à pleine dimension nominale de 4 x 4 ou de deux pièces ou plus de dimension de 2 x 2. Les solives qui soutiennent le platelage reposent habituellement sur le dessus de la poutre principale à l'une des extrémités, et fixées à la lambourde de l'autre. Les solives et les lambourdes sont fabriquées de pièces de dimension de 2 x 2 et ont habituellement la même largeur. La lambourde est fixée à la maison.

LA DIMENSION ET L'ESPACEMENT DES ÉLÉMENTS DE L'OSSATURE

La portée recommandée pour une pièce de bois d'œuvre équivaut à la distance sur laquelle elle peut être déployée en toute sécurité sans être soutenue par en dessous. Si vous dépassez une portée recommandée en utilisant par exemple des solives de 2 x 6, disposées à 16 pouces d'intervalle, pour couvrir une portée de 10 pieds, votre patio aura l'air fragile. Il risque aussi de s'affaisser avec le temps.

Le tableau de portée limite recommandé présenté à titre de référence à la page 173 penche du côté de la prudence. Les données peuvent vous aider à planifier votre patio. Vous pourriez par exemple choisir entre une poutre massive et seulement quelques poteaux de soutènement, ou une poutre plus petite avec davantage de poteaux. N'oubliez pas cependant de respecter les codes du bâtiment de votre localité concernant les dimensions du bois et les portées. Les nor-

mes peuvent varier d'une région à l'autre. Il n'est pas inusité que deux villes voisines suivent des normes différentes. À titre d'exemple, les projets de patio que vous trouverez à la fin de cet ouvrage ont été approuvés par l'inspecteur en bâtiment des municipalités dans lesquelles ils ont été construits. Mais certains de ces patios ne respectent pas les tableaux affichés dans ce chapitre et pourraient, par conséquent, ne pas être conformes aux normes de votre municipalité. Même si vous êtes certain des dimensions et que vous utilisez du bois d'œuvre de dimension plus large que celle des autres patios de votre voisinage, soyez vigilant. Vérifiez d'abord et demandez à un inspecteur en bâtiment local de vérifier les dimensions et les autres éléments du plan auprès du service d'inspection des bâtiments.

N'oubliez pas non plus que les mêmes dimensions de différentes espèces de bois peuvent être assujetties

CI-DESSUS **Les fixations entre la lambourde, les poteaux et**

par des normes différentes. Les pièces de dimension 4 x 12 ne bénéficient pas du même classement. Habituellement, les bois plus résistants tel le sapin de Douglas peuvent être déployés sur une distance plus importante que les bois plus souples comme le cèdre.

Vous constaterez aussi que les portées suggérées dans cet ouvrage (et dans la documentation du service d'inspection des bâtiments de votre localité) sont basées sur des charges normales. Si vous prévoyez placer des objets lourds sur votre patio, tels des jardinières remplies de terre ou un jacuzzi, vous devrez alors réduire les portées ou accroître les dimensions de votre bois de construction, voire les deux.

Vous avez à déterminer la portée de la poutre et la portée des solives. Vous pourrez ensuite choisir les bons matériaux pour le travail.

les poutres déterminent la stabilité de votre nouveau patio.

TRUCS ET ASTUCES

OPTIONS POUR L'ESPACEMENT

L'inspecteur en bâtiment détient le dernier mot au sujet de l'espacement des systèmes de soutènement, mais vous détenez une bonne marge de manœuvre à l'étape de la conception. Habituellement, si vous utilisez moins de piliers et de poteaux, vous aurez besoin d'une poutre plus large pour répartir le soutènement entre eux. Cette approche peut être avantageuse sur des emplacements dénivelés ou inclinés fait à même l'excavation de deux

piliers mais peut se révéler compliquée. En contrepartie, si votre concept fait appel à davantage de piliers et de poteaux, une poutre de plus petite dimension sera suffisamment forte pour répartir le soutènement entre les points d'appui plus rapprochés.

Des questions d'ordre pratique comme le coût du bois d'œuvre peuvent avoir un impact considérable sur l'espacement, mais vous pouvez aussi modifier le plan de l'ossature également en fonction de l'apparence.

SÉCURITÉ

MANIPULATION SÉCURITAIRE DES MATÉRIAUX

Obtenez les fiches techniques de tous les matériaux que vous utilisez pour votre patio. Plusieurs matériaux, tel le bois traité, exigent des précautions supplémentaires lors de la coupe, du sablage et de la mise au rebut. La fiche technique devrait décrire toutes les exigences particulières.

LES SOLIVES

Lorsque vous planifiez la quantité requise de solives, n'oubliez pas de considérer la dimension et le type de bois des solives, de même que l'espacement prévu entre elles. On appelle cette mesure centre à centre ou c.c.

Le surplomb. Si vous prévoyez faire surplomber vos solives au-dessus d'une poutre, autrement dit en les laissant dépasser au-delà du madrier de soutènement principal, le surplomb doit respecter une certaine limite. Le principe de base du surplomb consiste à obtenir une portée non soutenue ne devant pas dépasser le tiers de la longueur de la solive, avec les deux autres tiers soutenus. (Voir « Le niveau de surplomb maximal » à la page 140.) Mais pour construire un patio des plus solides, ne faites pas surplomber vos solives plus du quart de leur longueur. Ces principes de base s'appliquent aux solives, mais pourraient ne pas s'appliquer à la poutre. Les codes de bâtiment exigent souvent un poteau de soutènement à l'extrémité d'une poutre ou, à tout le moins, près de celle-ci.

Du point de vue pratique, il n'existe aucune raison valable de surplomber considérablement une pièce. Cela dit, une extension d'environ un pied contribuera souvent à dissimuler la poutre maîtresse et les poteaux. Si vous décidez de faire surplomber votre patio, assurez-vous de prendre des dispositions pour une force d'élévation à l'extrémité maison des solives situées près de la maison.

POUTRES

L'ossature d'une maison peut renfermer plusieurs types de madriers de soutènement, mais la plupart des patios ne possèdent qu'une poutre pour soutenir les extrémités des solives.

Il est parfois possible de réduire la taille de la poutre en ajoutant un poteau ou deux, ce qui vous permet d'économiser argent et matériaux. Il faut cependant savoir que ces économies seront probablement désavantageusement remplacées par le travail supplémentaire exigé pour l'extraction et l'installation de piliers. Les portées permises pour les poutres dépendent de la dimension et du type du bois, de même que de la portée des solives sur lesquelles elles s'appuient.

N'oubliez pas que le bureau d'inspection des bâtiments de votre localité pourrait tout aussi bien considérer qu'une poutre constituée de deux pièces de 2 x 8 est aussi résistante qu'un 4 x 8, ou moins résistante. La force de soutènement dépend aussi en partie de la manière selon laquelle la poutre de soutènement est assemblée.

Poteaux À moins que votre patio ne soit destiné à soutenir une charge inhabituelle, des poteaux de 4 x 4 feront l'affaire si votre patio se situe à moins de 6 pieds du sol. Par contre, des poteaux de 6 x 6 pourraient être exigés pour les patios qui s'élèvent à plus de 8 pieds du sol. Enfin si le patio se trouve entre 6 et 8 pieds du sol, vérifiez auprès du bureau d'inspection des bâtiments de votre localité ou utilisez des 6 x 6.

ENLEVER LE PAREMENT

OUTILS ET MATÉRIAUX
- Niveau à eau
- Crayon
- Scie circulaire
- Flipots de contreplaqué
- Gants de travail
- Lame de scie à métaux
- Levier plat ou marteau

Vous disposez d'une certaine marge de manœuvre pour déterminer la hauteur voulue de votre lambourde. La dénivellation entre le niveau de la maison et celui du tablier du patio peut varier entre 1 et 6 pouces. La meilleure solution consiste à choisir un endroit où vous pourrez boulonner solidement la lambourde à l'ossature de la maison.

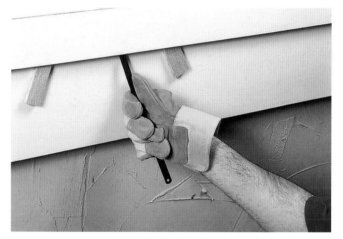

3 Soulevez le revêtement extérieur et insérez des flipots pour le maintenir surélevé. À l'aide d'une lame de scie à métaux, coupez les clous.

TRUCS ET ASTUCES

VÉRIFIER L'EMPLACEMENT DE LA LAMBOURDE

L'assemblage de la lambourde à la maison est une étape cruciale. La lambourde doit être fixée à la structure de la maison et non pas uniquement au parement extérieur. Pour localiser l'ossature, mesurez sa position à partir de l'intérieur de la fondation puis transposez cette mesure à l'extérieur. Effectuez ensuite une vérification supplémentaire en coupant d'abord un morceau de parement, en retirant le papier goudronné ou la membrane de plastique. À l'aide d'un clou, localisez l'ossature, ensuite les sections creuses et les régions solides de la charpente. Les boulons de la lambourde devraient s'insérer directement dans l'ossature de la maison ou en travers de celle-ci.

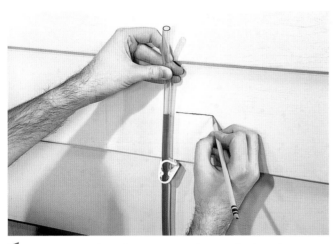

1 Déterminez d'abord les extrémités de votre lambourde; trouvez des points au niveau à chaque extrémité puis, à l'aide d'un cordeau à tracer, marquez votre ligne de coupe.

2 Ajustez la profondeur de coupe de votre scie pour qu'elle entaille le parement mais non le papier de construction. Pratiquez des coupes aux deux extrémités de la lambourde.

4 Pratiquez une coupe horizontale avec votre scie. Ajustez la profondeur de coupe de manière à ce qu'elle entaille le parement extérieur, mais non le papier de construction

5 Le parement devrait s'enlever facilement. Sinon, utilisez un levier plat ou un marteau pour le retirer.

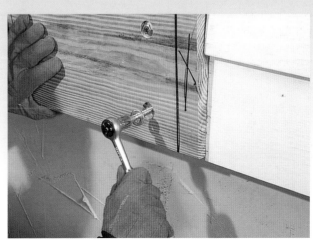

LES OPTIONS DU BRICOLEUR : LES LAMBOURDES

Il existe un moyen d'assembler solidement une lambourde, et ce, peu importe le type de parement que vous possédez. Vous devez cependant vous assurer que l'eau ne s'infiltre pas dans la lambourde pour se rendre à la maison. Pour ce faire, apposez un solin afin que l'eau s'écoule sur la surface avant de la lambourde ou insérez des cales d'espacement entre la lambourde et la maison, de sorte que l'eau s'écoule en longeant le mur. Vous devez également vous assurer que la lambourde soit solidement fixée à la charpente de la maison.

DIRECTEMENT AU PAREMENT

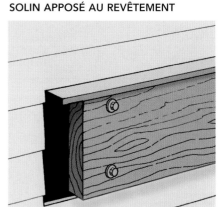

SOLIN APPOSÉ AU REVÊTEMENT

PRÉPARER LA LAMBOURDE

Lors de la construction d'un patio, la lambourde constitue habituellement le meilleur point de départ. Aussi vous voudrez sans doute l'installer avant même de creuser les trous de vos semelles. Il s'agit d'un élément essentiel qui doit être solidement fixé à la maison. Fabriquez votre lambourde à partir du même matériel de dimension moindre de 2 x que vos solives. Choisissez une planche droite et sans voilement, de manière à ce que l'embout des solives puisse s'y appuyer. Cette pièce est cruciale parce qu'elle occupe deux fonctions. Elle supporte beaucoup de poids et elle relie le patio à la maison. Il y a plusieurs façons d'installer une lambourde mais vous devez d'abord et avant tout consi-

dérer l'aspect sécurité. Assurez-vous que la lambourde soit solidement boulonnée à l'ossature de la maison – idéalement à l'une des solives du plancher. Vous ne pouvez pas assembler une lambourde de patio uniquement au parement ou au papier de construction.

PROPOSITION DE LAMBOURDES

La pluie et la neige peuvent s'infiltrer entre la lambourde et la maison et vous attirer des ennuis en les endommageant toutes les deux. Si vous avez un parement horizontal biseauté ou des bardeaux, le simple fait de fixer une lambourde vous causera des problèmes. L'eau s'accumulera dans le canal en forme de V situé entre le parement et la lambourde. Pour éviter ce genre de situation, vous devriez considérer l'une des cinq méthodes suivantes pour assembler une lambourde à la maison. (Voir ci-dessus).

Si vous effectuez votre assemblage à une surface plane au parement ou à la maçonnerie, fixez tout simplement la lambourde fermement contre la maison de manière à ce que l'eau ne puisse pas s'infiltrer par l'interstice. C'est la mesure la plus simple et la plus efficace sous réserve que vous parveniez à coincer solidement la lambourde à la maison. Il existe cependant de fortes chances pour que votre inspecteur en bâtiment s'attende à ce que vous ajoutiez un solin afin de rendre le tout le plus étanche possible.

LES OPTIONS : INSTALLATION DE LA LAMBOURDE

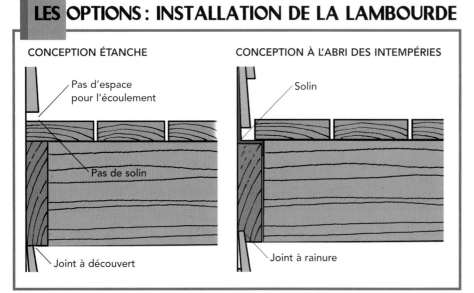

CONCEPTION ÉTANCHE

Pas d'espace pour l'écoulement

Pas de solin

Joint à découvert

CONCEPTION À L'ABRI DES INTEMPÉRIES

Solin

Joint à rainure

BARDAGE MURAL HORIZONTAL

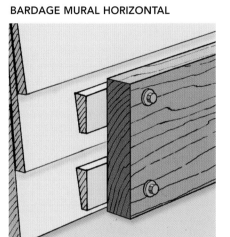

RONDELLES D'ESPACEMENT

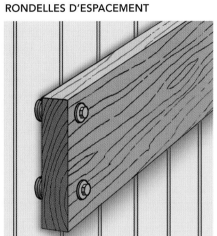

SÉPARATEURS EN CONTRE-PLAQUÉ

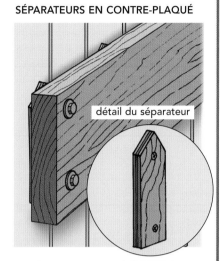

détail du séparateur

TRUCS ET ASTUCES

PRÉPARATION DE LA LAMBOURDE

Vous pouvez fixer les solives en fonction des marques tracées sur la lambourde et par la suite installer des étriers à solives, ou encore les installer à l'avance.

CI-DESSUS La hauteur du patio détermine la taille des poteaux.

Pour fixer une lambourde à un mur doté d'un parement plane ou biseauté à l'horizontale, entaillez une partie du revêtement et insérez la lambourde dans cet espace. Si vous agissez de la sorte, prévoyez un solin qui puisse prévenir l'infiltration de l'eau par l'ouverture pratiquée dans le mur en la redirigeant le long de la surface de la lambourde.

Pour les surfaces en stuc ou en maçonnerie, taillez une rainure au-dessus de la lambourde dans laquelle vous pouvez insérer le rebord supérieur du solin.

Si vous assemblez la lambourde à une surface dotée d'un parement biseauté à l'horizontale, vous pourriez prendre une pièce ou deux de parement en cèdre identique à la forme de celui de votre maison. Posez le tout à l'envers et vous obtiendrez ainsi une surface parfaitement verticale. Vous pourrez ensuite installer la lambourde le long de cette surface verticale et y ajouter un solin ou laisser l'assemblage tel quel.

Une autre option d'assemblage pour un tel type de surface consiste à insérer plusieurs rondelles ou encore

TRUCS ET ASTUCES

LES BOULONS POUR LA LAMBOURDE

Lorsque vous vissez la lambourde à la charpente de la maison, assurez-vous d'encastrer les boulons et les

têtes de tire-fond afin qu'ils soient de niveau avec la surface de la lambourde. Vous pouvez ainsi fixer un étrier à solives même s'il arrive au même endroit. Fraisez d'abord les espaces prévus à cette fin. Percez ensuite l'avant-trou pour le tire-fond ou la tige du boulon à travers la lambourde. Assurez-vous de respecter les normes du code de bâtiment de votre localité en ce qui a trait à l'installation de lambourdes.

des flipots de bois traités derrière la lambourde autour de la tige de tous les tire-fonds. Vous aurez ainsi un espace entre la lambourde et la maison. L'eau pourra s'écouler facilement derrière la lambourde et le mur de la maison pourra s'assécher entre les précipitations.

Toutes ces méthodes ont fait leurs preuves dans diverses régions à travers le pays. Les avis sont partagés quant à savoir quelle solution est la meilleure et votre inspecteur en préfère peut-être une par rapport à une autre. S'il exige que vous expliquiez une méthode particulière, il serait sage de suivre ses indications. L'objectif est d'éviter que l'humidité se retrouve derrière la lambourde ou le long de l'ossature de la maison durant de longues périodes.

PRÉPARER LA LAMBOURDE

Si l'une des propositions suivantes ne s'applique pas à la méthode d'installation prévue pour fixer votre lambourde, passez à l'étape suivante.

Positionner la lambourde D'aucuns estiment qu'il serait sage de construire le tablier de votre patio de niveau avec le plancher intérieur. Mais en agissant de la sorte, vous invitez la neige et la pluie à pénétrer et à s'infiltrer sous le seuil de votre maison. Vous devriez donc prévoir que la surface de votre patio se trouve un peu plus bas que votre plancher intérieur. Dans un seul même pouce, on pourrait voir un impact suffisant pour réduire l'humidité dans votre maison et cela, dans la plupart des régions. Vous pourriez allouer une plus forte dénivellation, toutefois elle ne devrait pas être supérieure à la hauteur d'une marche d'escalier intérieur. Une hauteur dépassant les 6 pouces est fortement déconseillée.

La considération principale doit consister à positionner la lambourde à un endroit à partir duquel vous pourrez facilement la boulonner directement et de manière sécuritaire à l'ossature du plancher de la maison. Cela devrait être possible avec une dénivellation d'un pouce ou deux vers le bas. Si la hauteur est de beaucoup supérieure à cela, la lambourde pourrait s'aligner peut-être contre la fondation de la maison plutôt que dans l'ossature du plancher. Vous pourriez toujours la fixer solidement, mais il est beaucoup plus simple d'assembler une pièce de bois à une autre pièce de bois.

Pour mettre votre lambourde en position, prenez la même mesure située entre le niveau de votre plancher de maison et le platelage. Cette mesure représente la hauteur de votre dénivellation. Ajoutez ensuite l'épaisseur du platelage qui est normalement de 1 ½ pouce pour un platelage de 2 x. Marquez cette mesure puis rapportez-la le long du mur de la maison afin de marquer la longueur de votre lambourde. Cette ligne doit être parfaitement de niveau (voir «Trucs et astuces» à la page 158). Le patio sera habituellement incliné vers le côté opposé de la maison afin qu'il soit dénivelé en s'éloignant de la maison, plutôt que le long de celle-ci et que l'eau puisse s'écouler loin d'elle plutôt que l'inverse.

Pour vous assurer que les marques qui déterminent le niveau de votre lambourde soient précises sur toute sa longueur, utilisez un niveau à eau ou placez votre niveau de menuisier sur la surface d'une planche droite. Peu de planches sont parfaites, aussi est-il préférable de placer le niveau près du centre de la planche. Vous pouvez aussi utiliser l'un des niveaux électroniques plus récents. Certains d'entre eux projettent un faisceau lumineux pour marquer le niveau des marques.

Lorsque vous aurez plusieurs marques, faites claquer la ficelle d'un cordeau à trame entre elles puis vérifiez à nouveau que ces lignes soient toutes à niveau.

Marques pour les solives extérieures, la planche de façade et le platelage. Cela vous aidera à visualiser les dimensions finale de votre patio, marquez tous les morceaux qui seront montés contre votre maison. Cela signifie qu'il faut ajouter $1\,^1\!/_2$ pouces pour la solive extérieure, $^3\!/_4$ de pouce pour la planche de façade (si vous en avez une), à ceci ajoutez la distance sur laquelle votre platelage sera prolongée en surplomb (si tel est le cas) de chaque côté du patio.

Entailler le parement. Si l'installation de votre lambourde implique de retirer une partie de votre parement, marquez le contour en prévision de la découpe. Tenez compte de tous ces éléments qui vont s'y insérer: la lambourde, l'embout des solives extérieures, $^1\!/_8$ de pouce supplémentaire en largeur pour le solin (si vous en posez) et possiblement l'extrémité de la planche de façade mais pas le platelage. Vous aurez plus de facilité à faire vos marques si vous clouez préci-sément une pièce de la même épaisseur que la lambourde pour y tracer vos lignes avec un crayon.

À l'aide d'une scie circulaire, coupez le long de cette ligne. Si votre parement est en aluminium ou en vinyle, suivez les consignes du fabricant ; on obtient souvent de meilleurs résultats en inversant la lame de la scie circulaire pour couper ce type de matériel. Ajustez votre lame de manière à ce qu'elle dépasse à peine le revêtement extérieur. Vous devrez d'abord effectuer une coupe en plongée. Pour le parement en bois, utilisez un marteau et un ciseau à bois pour finir proprement la découpe dans la partie du coin. Pour le revêtement extérieur de vinyle, finissez la découpe des coins avec un couteau à lame escamotable. Pour l'aluminium, servez-vous de cisailles à métaux. Lorsque vous pratiquez une coupe verticale le long d'un parement biseauté à l'horizontale, il peut être utile de clouer une pièce de 1 x 4 de manière à ce que la semelle de votre scie circulaire puisse se retrouver sur une surface plane.

Scellez la section entaillée avec du feutre (papier goudronné) ou une membrane de plastique afin de ne laisser aucun panneau de revêtement en bois exposé.

Vérifier la planitude Vérifiez la planitude de la surface contre laquelle vous poserez la lambourde en tendant un cordeau le long de sa surface. Si vous décelez la moindre dénivellation supérieure à $^1\!/_4$ de pouce entre le mur et le cordeau, clouez des flipots à la maison afin que la lambourde soit bien droite une fois assemblée. Vous pouvez aussi utiliser un cordeau et des blocs de bois afin de vérifier que votre lambourde soit bien à plat une fois installée. (Voir «Trucs et astuces», à la page 158.) N'oubliez pas qu'à moins de tailler chaque solive sur mesure (une tache que vous voudrez certainement éviter), le rebord avant de votre patio suivra les contours de votre lambourde.

Le solin Si vous avez entaillé une partie du parement extérieur, passez un solin de la même longueur que la découpe. (Il couvrira également le dessus des solives extérieures ; alors découpez le côté avant qu'il puisse les recevoir.) Faites insérer le solin sous le revêtement extérieur. Mais auparavant, assurez-vous que la voie

LES ÉLÉMENTS DE SOUTÈNEMENT

TRUCS ET ASTUCES

PATIOS FLOTTANTS

Certains patios n'ont pas de lambourde et ne sont pas reliés à la maison, même s'ils en ont l'air. Un patio en forme d'îlot, construit à proximité de la maison confère le même niveau d'agrément qu'un patio conventionnel, mais il vous évite la pose d'une lambourde. Par contre, une poutre supplémentaire devra être installée près de la maison. Assurez-vous de vérifier les codes du bâtiment de votre localité au sujet des patios flottants.

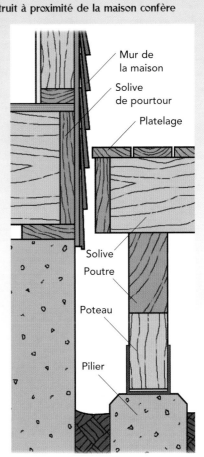

Mur de la maison

Solive de pourtour

Platelage

Solive

Poutre

Poteau

Pilier

soit libre. En soulevant le parement situé juste au-dessus, retirez tous les clous qui pourraient obstruer le passage du solin. Manipulez le solin avec soin car il se plie facilement. Reclouez soigneusement le parement de manière à maintenir le solin en place.

Pour l'installation de solin sans découpe, il est possible (mais certainement non recommandable) de fixer d'abord le solin à la maison en installant tout simplement la lambourde. Ensuite vous pouvez y placer le solin et le coller avec de la colle pour toitures ou du calfeutrage. Mais voici le hic: avec le temps, la colle séchera et perdra de son emprise et il sera difficile de

TRUCS ET ASTUCES

VÉRIFICATION DE LA LAMBOURDE

Bien entendu, assurez-vous que la lambourde soit de niveau, mais aussi qu'elle soit bien à plat contre le mur. Pour ce faire, munissez-vous de trois blocs. Clouez un bloc à chaque extrémité et tendez un cordeau entre les deux. Servez-vous du troisième bloc pour vérifier l'écart entre le cordeau et la lambourde. Si la lambourde est posée à plat, l'écart ne fléchira pas le long de la surface.

*Vérifiez que la lambourde soit de **niveau**.*

*Vérifiez que la lambourde soit bien à **plat**.*

réparer le tout, car le platelage vous empêchera d'y avoir accès. Il est donc préférable d'arriver à glisser le rebord du solin. Vous aurez peut-être à vous acheter un solin beaucoup plus large. Pour le parement biseauté à l'horizontale, cela dépendra de la hauteur de la prochaine pièce de parement ou de bardeau au-dessus de votre lambourde.

Pour le stuc ou la maçonnerie, achetez un solin (ou fabriquez-en un) muni d'une courbure supplémentaire afin qu'un rebord puisse être glissé directement entre la maison et la lambourde. À l'aide d'une lame de maçonnerie ou de votre scie circulaire, coupez une ligne droite dans laquelle vous pourrez insérer le solin.

Vous aurez peut-être à effectuer plusieurs passes selon la dureté du parement. Portez des lunettes protectrices. (Il est souvent plus facile de poser le solin après l'installation de la lambourde.)

Plusieurs types de solins prêts à poser sont disponibles sur le marché. L'un des plus pratiques a la forme d'un Z qui se plie deux fois: la première pour s'insérer sous le parement et la seconde pour recouvrir la surface de votre lambourde. Cette dernière portion du solin n'a pas besoin d'être très large, pour autant qu'elle le soit suffisamment pour empêcher l'eau de s'infiltrer entre le solin et le dessus de la lambourde. N'oubliez pas que les solives seront littéralement coincées contre le solin. Alors il est préférable que le solin épouse le contour de la lambourde à un angle droit afin de protéger sa surface horizontale.

Couper et marquer la lambourde La lambourde et la solive de rive, qui sont disposées à chacune des extrémités des solives, doivent être coupées de la même longueur. Bien entendu, si votre patio n'est pas rectangulaire, elles ne seront pas de la même longueur.

La lambourde et la solive de rive sont parallèles l'une par rapport à l'autre, et les solives, elles, sont perpendiculaires par rapport à ces deux dernières. Il est donc logique de couper la solive de la rive et la lambourde en même temps et de les marquer toutes les deux pour les emplacements des solives avant l'installation de la lambourde. Quand vous aurez marqué la partie supérieure des pièces, utilisez une équerre pour rapporter les marques à la partie inférieure des surfaces de la lambourde et de la solive de rive. N'oubliez pas de tracer un X pour indiquer de quel côté de la ligne les solives seront installées (voir « Trucs et astuces » à la page 155).

FIXER LA LAMBOURDE

Que vous la fixiez à du bois, à de la maçonnerie ou à du stuc, assurez-vous de fixer solidement la lambourde. N'oubliez pas qu'elle supporte une charge considérable. Environ la moitié de la charge totale de la partie de la structure la plus éloignée de la maison repose sur la poutre principale et les poteaux de soutènement. Mais le reste de la charge est maintenue par la lam-

FIXER LA LAMBOURDE À L'OSSATURE

OUTILS ET MATÉRIAUX

- Lambourde
- Solive de rive
- Serres
- Équerre combinée
- Crayon
- Scie
- Solin
- Perceuse et des forets
- Étais
- Clé à cliquet
- Tire-fonds de 4 pouces

Pour un accord des plus sécuritaires, boulonnez ou vissez directement dans la charpente.

1 *Transposez les marques des emplacements des solives de la lambourde à la solive de rive.*

2 *Percez des avant-trous. Fraisez-les afin de pouvoir rayer la tête de fixation. Vous laissez ainsi un espace libre pour les crochets à solive.*

3 *Maintenez la lambourde en place avec les étais. Enfoncez les tire-fonds avec une clé à cliquet, ou installez si possible des boulons.*

bourde. Sans l'apport d'un madrier solide et une rangée de poteaux de soutènement, la lambourde doit être assez forte pour transférer cette charge à la fondation de la maison. C'est une fixation d'importance cruciale.

La preuve de son importance est mise à jour lors des enquêtes portant sur les patios mal conçus. La plupart de ces échecs sont imputables à un mauvais raccordement au niveau de la lambourde.

FIXER LA LAMBOURDE À L'OSSATURE EN BOIS

Que le parement de votre maison soit en bois, en aluminium, en vinyle ou en stuc, vous devez toujours fixer la lambourde à l'ossature en pratiquant d'abord une ouverture dans le revêtement. La meilleure appro-che consiste à assembler la lambourde à l'ossature de la maison au niveau de la charpente du plancher (ou juste au-dessous afin de permettre une légère déni-vellation). (Voir : « assemblage des lambourdes à du bois », ci-dessus.)

Selon l'emplacement de la charpente du plancher, vous rencontrerez probablement l'une des deux condi-tions suivantes. Si les solives sont parallèles au mur de la maison, vous retrouverez une solive à âme pleine qui court le long du patio. Si les solives sont perpendicu-laires au mur de la maison, vous devriez tout de même trouver du matériel solide, car les extrémités sont cou-vertes d'une solive de rive ou solive de bordure.

Si vous assemblez la lambourde à un autre embout de l'ossature d'un patio construit en hauteur, vous

FIXER LA LAMBOURDE AU STUC

OUTILS ET MATÉRIAUX
- Lambourde
- Scie circulaire
- Serres
- Équerre combinée
- Crayon
- Scie
- Solin pour stuc
- Perceuse électrique et des forets
- Étais
- Clé à cliquet
- Tire-fonds de 4 pouces
- Rebuts de bois
- Vis 1 ½ pouces à béton ou à patio
- Mastic de calfeutrage

Pour le stuc posé par dessus du béton utilisez un tampon pour insérer les tire-fonds dans des avants trous. Pour du stuc posé par dessus du bois, utilisez des boulons.

1 Pour pratiquer une coupe à niveau, guidez le parcours de votre scie à l'aide d'une planche. Le solin s'insérera dans cette entaille.

2 Placez le solin dans la rainure. Prenez bien note du rebord situé au-dessus du solin.

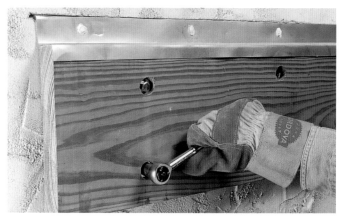

3 Placez des avant-trous dans le stuc et dans la lambourde. Fixez la lambourde à la maison avec des tire-fonds.

aurez une emprise dans les poteaux muraux. Quoi qu'il en soit, assurez-vous de bien vérifier l'emplacement de la charpente à âme pleine et d'avoir la certitude que vos tire-fonds ou vos boulons s'enfoncent directement dans une pièce. Les clous du parement enfoncés tous les 16 pouces peuvent constituer un indice de leur emplacement. Mais pour en avoir la certitude, retirez un morceau du parement, une section de papier goudronné ou la membrane de plastique et même une pièce du revêtement de bois si nécessaire. Vous aurez ainsi l'assurance de déterminer le modèle de l'ossature.

La plupart des codes du bâtiment vous permettent d'utiliser des tire-fonds de ⅜ de pouce ou de ½ pouce. Choisissez des vis d'une longueur suffisante pour pénétrer l'élément de l'ossature dans un espace de 1 ½ à 2 pouces. Munissez-vous d'une rondelle sur chacun des tire-fonds afin de consolider leur tête. Cela empêchera la tête de s'enfoncer dans le bois. Il est préférable de rayer tous les tire-fonds (ou les boulons) de

L'INSTALLATION DE POTEAUX

OUTILS ET MATÉRIAUX
- 2 x 4
- Niveau
- Crayon
- Cordeau
- Chaises
- Outil pour creuser un trou
- 4 x 4
- Serres
- Perceuse électrique et des forets
- Piquets et des contrevents
- Masse
- Vis de 1 ½ pouce

Le contact avec le sol peut favoriser le pourrissement. Utilisez du bois traité.

manière à ce qu'ils ne nuisent pas à l'assemblage des solives à l'extérieur des étriers à solives.

Si vous avez accès à l'ossature depuis l'intérieur de la maison (au sous-sol par exemple), vous pouvez peut-être utiliser des boulons au lieu des tire-fonds. Cela vous assure de la précision de votre fixation et vous permet également d'être absolument certain des raccords et vous donne la chance de consolider la lambourde à l'aide d'un boulon et d'une rondelle à l'extérieur et d'un écrou et d'une rondelle à l'intérieur.

Si votre maison est munie d'un parement biseauté à l'horizontale et que vous voulez obtenir une surface plane pour faciliter la pose de votre lambourde, entaillez des pièces de parement de la bonne largeur et de la bonne longueur et clouez-les en place. Il est préférable d'enduire cette pièce d'un scellant. Pensez toujours à l'eau qui pourrait s'écouler de long de la maison en ajoutant par exemple un solin ou un système d'espacement. Évitez d'assembler un élément qui emprisonnerait l'eau et qui favoriserait la pourriture.

Placez la lambourde; vérifiez de nouveau le niveau; percez des avant-trous tous les 24 pouces ou selon le même code. Percez des avant-trous pour les tire-fonds et fraisez les trous pour les boulons. Posez ensuite les fixations en vous assurant qu'elles sont bien ancrées dans l'ossature de bois.

L'ASSEMBLAGE DES LAMBOURDES À LA MAÇONNERIE

Si vous fixez une lambourde à un mur de béton ou de maçonnerie, percez des avant-trous dans la lambourde; maintenez-la en place, puis placez le foret à travers vos trous jusqu'à ce qu'il atteigne le mur. Ensuite, servez-vous d'un foret à maçonnerie afin de percer les trous des tampons pour tire-fonds d'une

profondeur d'environ ¼ de pouce supérieure à la longueur des tampons. Vous devez sortir souvent la mèche de son trou afin d'en retirer la poussière et d'éviter qu'elle ne surchauffe.

Insérez les tampons pour tire-fonds. Ils devraient s'emboîter de manière assez juste sans qu'il ne soit nécessaire de les enfoncer avec un marteau. Vous risqueriez sinon de déformer le tampon et d'empêcher le tire-fonds de s'assembler correctement.

Remettez ensuite la lambourde en place et fixez les tire-fonds et les rondelles. Si vous prévoyez laisser un espace entre la maison et la lambourde pour favoriser l'écoulement, insérez tous les tire-fonds dans la lambourde de manière à ce qu'ils dépassent d'environ ½ pouce. Insérez les rondelles ou les pièces d'espacement aux tire-fonds.

L'EMPLACEMENT DES POTEAUX

Vous pouvez assembler vos poteaux de deux manières: à la base ou au sommet. Si vous optez pour la base, vous pouvez enfoncer les poteaux dans le sol comme vous le feriez avec des poteaux de clôture et consolider le tout avec du béton. Vous pouvez également les poser sur des semelles de béton. Les normes de votre localité peuvent pencher pour une méthode au détriment d'une autre, aussi vous devez vous y conformer. L'utilisation de semelles de béton offre généralement davantage de stabilité et de durabilité. D'ailleurs, couler une semelle et la fondation en béton est la méthode la plus courante utilisée pour la construction de maisons. Les semelles de béton maintiennent également les poteaux quelques pouces au-dessus du niveau du sol, réduisant ainsi les risques de pourriture.

Si vous optez pour assembler vos poteaux par le haut, deux choix s'offrent à vous. Le premier consiste

POUR LES PATIOS SURÉLEVÉS

1 *Avant de placer les poteaux, prenez votre mesure à partir d'un point de référence le long de la maison puis rapportez-la sur le plan vertical.*

2 *Tendez des cordes à des marques verticales jusque vers les chaises. Marquez l'emplacement du tracé à l'aide d'un piquet.*

(Suite à la page 162)

à poser le poteau, sans le tailler, de la bonne longueur et d'y boulonner votre poutre et les autres madriers. L'autre possibilité consiste à couper les embouts des poteaux afin qu'ils apportent un soutènement de niveau juste au-dessus de la poutre principale. Lors de la construction d'un patio, cette méthode est la plus couramment utilisée.

Les deux méthodes d'assemblage vous assurent une solidité, mais celle du dessus des poteaux peut s'avérer légèrement plus efficace pour résister à la charge exercée sur l'infrastructure du patio. La méthode du boulonnage, quant à elle, offre l'avantage d'empêcher la poutre principale de gauchir. La méthode dite du dessus peut aussi être plus rapide car elle évite beaucoup d'assemblage et de trous à percer. Par contre, elle laisse moins de droit à l'erreur. Vous devez absolument tailler le sommet des poteaux de manière précise avant d'y installer le madrier. Et vous pourriez toujours régler une partie du risque de la torsion en installant des étriers de métal galvanisé pour resserrer le joint entre le poteau et la poutre.

Voici un récapitulatif de la procédure de base pour le système le plus souvent utilisé et somme toute le plus durable aussi.

POUTRE POSÉE SUR POTEAU ENFONCÉ DANS LA SEMELLE DE BÉTON

Vérifier la longueur approximative des poteaux. Dans la plupart des cas, vous couperez les poteaux à la bonne hauteur plus tard. Mais assurez-vous que tous les poteaux soient assez grands. À l'aide d'un niveau de ligne, d'un niveau à eau ou d'une longue pièce de bois surplombée d'un niveau, déterminez la hauteur requise pour les poteaux. Même s'il est préférable de construire

votre patio avec une légère inclinaison en vous éloignant de la maison, cette mesure est trop infime pour avoir une incidence. Donnez-vous quelques pouces de jeu et vous n'aurez pas à vous en soucier.

Situer et fixer les plaques d'ancrage pour poteaux. Si vous utilisez des plaques d'ancrage pour poteaux ajustables, voici venu le temps de finaliser leur position. La plupart des étriers sont munis d'une fente ou d'autres éléments pour vous permettre d'apporter des ajustements. Ainsi, si les pièces filetées préalablement rayées dans les semelles de béton ne sont pas exactement alignées les unes par rapport aux autres, il est alors possible de glisser la quincaillerie de poteau d'un côté ou de l'autre avant de les assembler.

La meilleure méthode consiste à rapporter de nouveau vos mesures à partir du mur de la maison et de vérifier à nouveau que le tout soit à l'équerre. Ensuite, tendez un cordeau ou marquez une ligne à l'aide d'un cordeau entre les semelles de béton situées aux extrémités. Centrez l'ancrage du poteau qui pourrait bien être excentré par rapport au boulon d'ancrage puis fixez-le fermement en place. La plupart de ces types de quincaillerie d'assemblage sont muni d'une plate-forme à l'intérieur du support, ce qui permet au poteau d'être légèrement surélevé et à l'abri de l'eau stagnante. Normalement, vous devriez assembler la plaque d'ancrage avant d'insérer la plate-forme. Assurez-vous de bien suivre les consignes du fabricant. Répétez ensuite ce processus à l'autre extrémité et utilisez la ligne de mesure indiquée par votre cordeau pour vous assurer que toutes les plaques d'ancrage intermé-diaires soient bien alignées.

Insérer et assembler les poteaux Pratiquez une coupe à l'équerre au-dessous de chaque poteau afin de vous assurer qu'il soit bien à plat dans la plaque

L'INSTALLATION DE POTEAUX *(suite de la page 161)*

3 *Retirez les cordeaux et commencez l'excavation. Creusez en profondeur jusqu'en dessous de la ligne de gel.*

4 *Le type de semelle qui soutiendra le poteau sera déterminé par le code du bâtiment de votre localité.*

d'ancrage. Si vous n'utilisez pas de bois traité sous pression, bien que ce soit le meilleur choix pour les poteaux, il serait préférable d'enduire le fil d'extrémité de l'embout fraîchement coupé d'une généreuse couche de scellant.

Si les poteaux sont assez courts, ils pourraient peut-être s'auto-porter dans la quincaillerie. Quoiqu'il en soit, vous devrez sans doute les fixer de manière provisoire. À ce stade-ci, vous n'avez pas besoin de vous assurer que les poteaux soient exactement de niveau sur le plan vertical. Contentez-vous de stabiliser vos poteaux et de les placer à peu près à l'équerre au moment d'assembler les plaques d'ancrage.

La procédure peut varier d'un fabricant à un autre, mais habituellement, la plaque d'ancrage est constituée d'une armature pour pouvoir y insérer le poteau. Lorsque la base du poteau est en position, pliez tout simplement ce rebord de métal à l'aide d'une paire de pinces puis enfoncer quelques clous à travers les trous perforés dans le rebord de la quincaillerie afin de fixer le poteau en place. Bien que le poteau soit maintenu à peu près dans sa position fixe, il est préférable d'attendre qu'il soit bien positionné avant d'enfoncer les clous. (Voir « Installer les poteaux », page 164.)

Vous ne voulez surtout pas frapper les clous avec vigueur et risquer de déloger la plaque d'ancrage ou pire même de fendre le patio de béton. Pour éviter cela, utilisez cette astuce éprouvée par maints menuisiers, qui consiste à consolider le poteau d'un marteau lourd tandis que vous clouez de l'autre côté. Le poids supplémentaire d'une masse, tenue en main par exemple, absorbe une grande partie de l'impact et empêche le poteau de bouger alors que vous clouez un marteau en main de l'autre côté.

TRUCS ET ASTUCES

LA VERTICALITÉ DES POTEAUX

Il peut être malaisé de rendre vos poteaux de niveau à la verticale, car vous devez manier à la fois un niveau, un support et une serre. Dans la plupart des cas, vous

devez ajuster une paire de supports tout en ajustant les poteaux et le niveau. Un outil pratique qui porte le nom de niveau à poteau s'attache directement au poteau et vous permet de faire une lecture dans les deux plans simultanément. Avec vos deux mains libres, vous pouvez ainsi procéder à des ajustements et ajouter des supports.

LES ÉLÉMENTS DE SOUTÈNEMENT

5 *Afin de maintenir le poteau en place, assemblez une pièce de 2 x 4 à un piquet enfoncé dans le sol à l'aide d'une serre et fixez-la au poteau.*

6 *Consolidez le poteau à deux endroits afin qu'il ne bouge pas. Mettez votre poteau à niveau.*

ANCRER LES POTEAUX

OUTILS ET MATÉRIAUX
- Poteau de 4 x 4
- Chevalet
- Équerre
- Scie circulaire
- Quincaillerie pour poteau
- Clés à douille
- Marteau
- Clous

Les semelles de béton et les plaques d'ancrage permettent au bois d'être en contact avec le sol humide et de réduire le risque de pourriture.

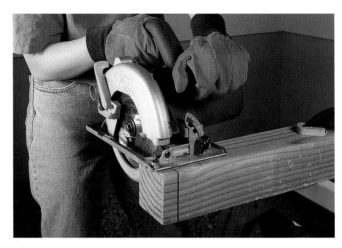

1 *Coupez le bas des poteaux à l'équerre afin qu'ils puissent bien s'emboîter dans les plaques d'ancrage.*

2 *Insérez le poteau dans la plaque d'ancrage. Les éléments ajustables de la quincaillerie vous permettent de donner un peu de jeu pour placer le poteau.*

3 *Relevez le rebord métallique de la plaque d'ancrage autour du poteau et enfoncez les clous à travers la plaque d'ancrage.*

TRUCS ET ASTUCES

LE CONTREVENTEMENT

Même les petits poteaux de 4 x 4 qui supporteront une poutre près du niveau du sol doivent être contreventés dans deux directions. Enfoncez deux piquets à la pointe effilée à environ 2 pieds du poteau, tel qu'illustré. Fixez un 2 x 4 à chaque piquet et ramenez-le jusqu'au poteau à un angle de 45° degrés. Fixez le tout avec des serres.

La verticalité et le contreventement des supports. Cette partie du travail s'accomplit mieux avec un aide, car vous aurez beaucoup de choses à faire en même temps. Vous devez d'abord relâcher les contreventements provisoires ; assurer la verticalité du poteau ; vérifier et vérifier de nouveau le niveau dans les deux plans, puis sécuriser la position finale du poteau et consolider les contreventements.

Idéalement, une personne pourrait vérifier le niveau et dire à l'autre que le poteau est parfaitement à l'équerre et d'enfoncer une vis au contreventement. Faites de même pour le deuxième contreventement et vérifiez de nouveau la première mesure. Ne soyez pas étonné d'avoir à répéter ces étapes plus d'une fois. Lorsque vous aurez atteint la pleine verticalité, consolidez le tout à l'aide de vis supplémentaires, soit au moins deux vis pour chaque point d'assemblage. Vous pouvez ensuite enfoncer le reste des clous de manière à fixer la plaque d'ancrage au poteau.

Si vous travaillez seul, enfoncez les piquets et les contreventements de 2 x 4 à 90° les uns des autres. Enfoncez une vis dans le piquet du 2 x 4 ; faites pivoter le contreventement sur le poteau à un angle d'environ 45° puis maintenez-le en place à l'aide d'une serre. Autrement dit, servez-vous de la serre comme d'un aide. Assurez-vous de garder un niveau de tension assez solide pour empêcher le contreventement de tomber mais pas assez pour vous permettre de bouger le poteau d'un côté ou de l'autre au moment de l'amener à sa pleine verticalité. Lorsque le poteau est d'équerre, consolidez les contreventements ; procédez de la même manière de l'autre côté ; enfin assemblez solidement les contreventements de plusieurs vis afin de maintenir le tout en place. Enlevez les serres. (Voir « Trucs et astuces », à la page 164.)

LES ÉLÉMENTS DE SOUTÈNEMENT

TRUCS ET ASTUCES

ALTERNATIVES AUX POTEAUX

L'installation la plus fréquente consiste à ériger une série de poteaux surplombée d'une poutre. Mais il existe d'autres options. Par exemple, vous pourriez assembler un sandwich en quelque sorte, avec la poutre en fixant des planches de part et d'autre d'un poteau. Une fois les planches mises au niveau, vous pouvez percer au travers du sandwich et boulonner l'une avec l'autre. Dans ce

design, le dessus du poteau doit être coupé de manière à affleurer le dessus des planches. Une autre approche est de laisser le poteau sur sa pleine longueur. Le prolongement du poteau d'une longueur de plusieurs pieds pourrait soutenir d'autres parties de votre patio, telles les balustrades et les banquettes intégrées.

LES OPTIONS DU BRICOLEUR : LE CONTREVENTEMENT

CONTREVENTEMENT PLACÉ SOUS LA POUTRE

CONTREVENTEMENT FIXÉ AU CÔTÉ DE LA POUTRE

CONTREVENTEMENT BOULONNÉ À L'INTÉRIEUR D'UNE DOUBLE POUTRE

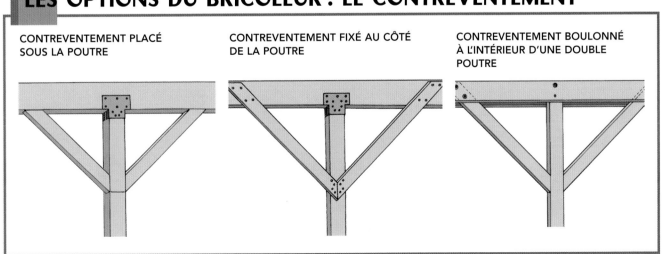

DÉTERMINER LA HAUTEUR DES POTEAUX

OUTILS ET MATÉRIAUX
- 2 x 4
- Niveau de 4 pieds
- Rebuts de poutre et de solive
- Crayon
- Équerre combinée
- Scie circulaire
- Capuchons de poteau
- Perceuse électrique et des forets
- Vis de patio de 1 ¼ pouce
  ou de clous 8d
- Marteau

Peu de propriétaires de maison possèdent des niveaux assez longs pour couvrir la distance entre la maison et les poteaux. Allongez la portée de votre niveau de 4 pieds en le plaçant sur le chant d'une planche droite.

1 Utilisez une pièce de 2 x 4 bien droite pour marquer la position de la lambourde à la hauteur du poteau.

2 À l'aide d'un rebut de solive, prenez la mesure à partir de cette ligne, pour marquer la position inférieure de la solive.

3 À l'aide d'un rebut de poutre, partez de cette marque pour situer la position inférieure de la poutre. Cette mesure constituera le dessus de vos poteaux.

4 Tracez une ligne de coupe avec une équerre. Utilisez la scie circulaire pour couper les poteaux. Vous devez faire la coupe en deux passes.

5 Assemblez les capuchons de poteau à chaque poteau et fixez-les en place avec des vis ou des clous. Percez des avant-trous pour les clous.

LA FABRICATION ET L'INSTALLATION DES POUTRES

Vous devez considérer plusieurs éléments au moment de choisir la poutre principale pour votre patio. Une simple caractéristique peu parfois l'emporter sur toutes les autres. Par exemple, si le sol rocailleux de votre emplacement risque de nuire à l'excavation, vous voudrez peut-être choisir la poutre la plus large possible et couler seulement deux semelles de béton. La plupart du temps, plusieurs facteurs entrent en ligne de compte pour déterminer la dimension et le type de poutre à utiliser.

Dimension de la poutre. Pensez d'abord en termes d'espace ou plus particulièrement au volume d'espace qu'occuperont la poutre et les solives. Si votre patio est construit au ras du sol, vous n'aurez peut-être pas suffisamment d'espace pour placer une large poutre au-dessus de poteaux accompagnée de l'épaisseur de solives au-dessus d'elle. Si vous voulez vous garder de l'espace, il est peut-être préférable d'enfoncer davantage de poteaux et de les combiner à une plus petite poutre ou à boulonner la poutre aux poteaux.

Une autre option consiste à utiliser la poutre en qualité de solive de rive. Vous pourriez par exemple avoir besoin d'un grand madrier composé de plusieurs pièces de 2 x 12. Mais plutôt que d'installer les solives au-dessus du madrier, vous pourriez utiliser de la quincaillerie d'ossature pour abouter les solives le long de son côté. Ainsi, la poutre se retrouve au même niveau que les solives et vous récupérerez presque un pied d'espace vertical.

Apparence de la poutre. Demandez-vous ensuite si la poutre sera visible ou non. Si c'est le cas, quelle apparence esthétique conférera-t-elle à l'ensemble de la structure ou de l'entrée de la maison. Peu importe le type de bois que vous utilisez, un assemblage des éléments espacés et des boulons proprement enfoncés peut avoir fière allure. Une pièce plus massive peut dégager un aspect à la fois classique et rustique. Mais vous devez composer avec la disponibilité des matériaux. Vous ne pourrez peut-être pas dénicher une pièce de 4 x 8 de haute qualité, par exemple.

Il existe plusieurs façons d'embellir une poutre. Vous pouvez biseauter les coins inférieurs à un angle de 45° pour alléger l'aspect de la structure pour créer un effet flottant ou encore chanfreiner ou aplanir les arêtes de manière décorative. Vous pouvez aussi teindre le bois avec de la teinture afin de rehausser l'apparence du bois traité ou recouvrir le bois d'œuvre avec une planche de façade finie.

Si la poutre a besoin d'être contreventée mais que vous ne voulez pas utiliser de quincaillerie galvanisée à un endroit de la structure bien en vue, ajoutez des pièces de 2 x 4 ou des 2 x 6 le long des côtés de soutènement et prolongez-les le long de la poutre. Vous aurez ainsi un fort sandwich structurel, en quelque sorte, que vous pouvez ensuite fixer à l'aide de boulons.

Poids de la poutre. Enfin, considérez le poids. Une pièce de pin jaune traité de 4 x 12 peut être plutôt difficile à manipuler. Sans compter que les choses peuvent devenir carrément dangereuses si jamais vous avez à soulever la poutre à une bonne hauteur. Il est alors plus avantageux et sécuritaire d'utiliser une poutre composée.

LES TYPES DE POUTRES

Vous pouvez utiliser plusieurs types de madriers en tant que poutre principale de soutènement au-dessous des solives d'un patio. Voici un récapitulatif des types les plus communs.

LA FABRICATION ET L'INSTALLATION D'UNE POUTRE COMPOSÉE

OUTILS ET MATÉRIAUX

- Poutre
- Serres
- Clous 10d
- Marteau
- Niveau
- 2 x 4
- Piquets
- Perceuse électrique et des forets
- Vis à patio de 1 ¼ de pouce

Localisez la poutre couronnée de vos pièces de bois puis assemblez la poutre avec les extrémités convexes tournées vers le haut.

1 *Alignez votre regard au-dessus de la pièce et localisez la section couronnée. Les deux extrémités convexes devraient se côtoyer.*

(Suite à la page 168)

Âme pleine. C'est un madrier constitué d'une seule pièce de bois de 4 x, habituellement posé sur le dessus des poteaux de 4 x 4. Il peut conférer un cachet classique et ordonné, mais il laisse peu de marge de manœuvre pour corriger certaines erreurs. De plus, il peut être difficile de trouver une pièce de dimension ronde de 4 x qui soit à la fois droite et esthétique.

Composé. Un madrier composé de deux planches de dimension normale de 2 x (voir photos ci-dessous). Des entretoises sont parfois insérées entre les deux (voir photos, page opposée). (Avant d'ajouter des entretoises, vérifiez l'épaisseur des poteaux sur lesquels la poutre sera posée. Les dimensions nominales du bois traité sont parfois inférieures à celles du bois non traité.) Cet assemblage composé peut s'avérer plus solide qu'un madrier à âme pleine et il est habituellement moins coûteux. Par contre, il requiert un certain temps d'assemblage. Une fois les pièces assemblées, il peut être aussi lourd et difficile à manœuvrer qu'un madrier conventionnel à âme pleine.

Espacé. Voilà un autre type de madrier constitué de deux planches de bois de dimension ronde de 2 x assemblées des deux poteaux. (Voir : «Fabriquer des poutres espacées», page 170.) Ce madrier exige un temps considérable à construire mais constitue peut-être le meilleur choix pour le bricoleur. Vous n'aurez pas autant à soulever de lourdes charges et il pourra faciliter l'apprêt de correctifs le cas échéant.

Lamellé. Ce genre de poutre résulte assurément d'une commande spéciale, car elle est composée de plusieurs planches de dimension ronde de 2 x vissées, clouées ou assemblées les unes aux autres. Vous pouvez aussi la construire vous-même. Par contre-vous devez envisager cette option seulement pour répondre aux conditions de soutènement de charge particulière que requiert une poutre de très grande dimension plus simple à assembler planche par planche que d'acheter en un seul morceau.

Il existe d'autres types de madriers fabriqués de grosses pièces composées de lames de bois entrelacées par exemple. Puisque ces madriers sont fabriqués et non coupés à partir d'arbres, il est possible d'en commander un aux dimensions de votre choix.

Inséré. Le madrier se niche dans les entailles pratiquées sur un poteau. Le système d'insertion d'un madrier, aussi appelé «dapping», est souvent utilisé dans la construction de structures en bois brut telles les maisons pièce sur pièce et les maisons sur poteaux. Ce genre de pièce est rarement utilisé dans la construction de patios modernes parce que les entailles ajoutent un élément de soutien au madrier, mais en contrepartie, elles en enlèvent aux poteaux. Si vous utilisez cette méthode, vous devrez avoir recours à des poteaux de 6 x 6. Les entailles doivent être coupées de façon nette et précise et ne laisser aucun interstice, sinon l'eau risque de s'infiltrer dans le bois fraîchement coupé, ce qui risque de vous attirer des ennuis.

EMPLACEMENT DES POUTRES

Les solives peuvent être placées sur le dessus d'une poutre (ce qui est habituellement la solution la plus simple, car vous dissimulez ainsi le madrier en surplombant la poutre, ou être assemblées sur le côté de la poutre avec des étriers à solives. Tous les types de madriers dont il a été question ci-dessus peuvent convenir à l'une ou l'autre de ces méthodes. Les deux méthodes d'assemblage seront conformes aux normes du code si vous utilisez du bois de la bonne dimension avec un espacement approprié et que vous l'espacez correctement.

LA FABRICATION ET L'INSTALLATION D'UNE POUTRE COMPOSÉE

2 Assemblez la planche à l'aide de clous. Enfoncez la fixation en groupe de vis réparties à 12 pouces d'intervalle de centre à centre.

3 Glissez la poutre à l'intérieur des capuchons de poteau avec les extrémités convexes vers le haut. Il se pourrait que vous ayez besoin d'un aide.

REMBALLER DES POUTRES

OUTILS ET MATÉRIAUX
- Planches pour fabriquer la poutre
- Cales d'espace d'une épaisseur de ½ pouce
- Serres
- Clous 10d
- Marteau

Certains codes du bâtiment exigent que les poutres soient de la même épaisseur qu'un poteau de 4 x 4.

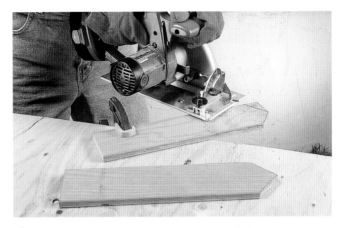

1 Taillez les séparateurs à partir de pièces de bois traité. Utilisez du bois traité même si les poutres ne le sont pas.

2 Clouez les séparateurs à la surface d'un côté d'une poutre. Placez les cales d'espacement à une distance de 16 pouces de centre à centre.

3 Placez l'autre planche sur le dessus de manière à prendre vos cales d'espace. Fixez le tout avec des clous 10d.

(suite de la page 167)

4 Assurez la verticalité de votre poutre. Des contrevents empêchent les poteaux de bouger.

5 Contreventez solidement la poutre. Enfoncez des vis à travers les orifices des capuchons de poteau.

LES ÉLÉMENTS DE SOUTÈNEMENT

LA FABRICATION DE POUTRES ESPACÉES

OUTILS ET MATÉRIAUX
- Niveau
- Soutènements
- Piquets
- Serres
- Perceuse électrique et des forets
- Vis de 2 pouces
- Boulons de carrosserie de 7 pouces
- Rondelles
- Clé à cliquet
- Scie à tronçonner

Il est parfois plus simple d'assembler une poutre espacée que de construire une poutre composée.

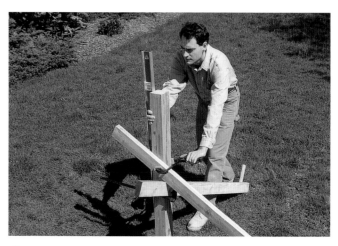

1 Commencez par assurer la verticalité des poteaux. Pour se faire, utilisez des soutènements et un niveau.

3 Percez des avant-trous à travers la poutre et les poteaux à une hauteur d'à peu près 1 pouce de l'arête.

4 Insérez les boulons de carrosserie (informez-vous auprès du bureau d'inspection des bâtiments de votre localité pour le diamètre des boulons). Insérez des rondelles entre le boulon et l'écrou.

Fixer les solives à l'extrémité supérieure. Au point d'intersection des solives et du sommet d'une poutre, il est possible d'espacer les solives de long de votre ligne. Vous pouvez ensuite les clouer obliquement avec quelques clous. Cela les empêchera de bouger, bien que le fait qu'elles soient assemblées à une lambourde, à une solive de rive et à la poutre traversière l'empêche pratiquement de bouger.

Il existe de petites pièces de quincaillerie (des petits rubans en métal galvanisé de forme tordue) que vous pouvez utiliser pour assembler la solive à la poutre sans clouer de biais. Dans certaines régions, il est possible que le bureau local d'inspection des bâtiments de votre localité exige que ces attaches soient utilisées pour aider à soutenir certaines charges particulières.

Fixer les solives sur le côté. En assemblant les solives sur le côté de la poutre, vous pouvez les affleurer avec elle. Dans les faits, la poutre remplace la solive de rive. Elle sera donc taillée précisément en fonction de la lambourde et sa surface marquée par l'emplacement de solives. Assurez-vous, comme toujours, que la partie convexe de la poutre soit tournée vers le haut quand vous marquez l'emplacement des solives. Tous les madriers ont tendance à s'affaisser quand ils supportent une charge. En les installant de la sorte, vous leur conférez une résistance supplémentaire.

L'ASSEMBLAGE DES POUTRES
Vous pouvez utiliser des tire-fonds et des rondelles pour assembler les éléments d'une poutre ou encore percer des avant-trous et boulonner d'une surface à

2 Utilisez des étaux de support et des serres pour maintenir les poutres planes, tel qu'illustré. Mettez les planches à niveau.

5 À l'aide d'une scie à tronçonner, coupez les poteaux. Le dessus des poteaux devrait affleurer la poutre.

l'autre. Mais la plupart des menuisiers choisissent plutôt de les clouer et se servent des tire-fonds et des boulons pour assembler la lambourde pour fixer les poutres de part et d'autre des poteaux.

Certains inspecteurs scruteront votre travail d'assez près pour évaluer combien de fixations vous utilisez pour un assemblage particulier. Dans la plupart des cas, si vous enfoncez des clous avec un marteau (ou vissez avec une perceuse électrique), vous respectez les normes. Pour encore plus de solidité, retournez la poutre et installez des fixations sur l'autre surface. Assurez-vous d'utiliser des clous ou des vis qui peuvent traverser tous les éléments sans dépasser de côté. Par exemple, vous pourriez utiliser des clous 8d (de 2½ pouces) pour une poutre standard constituée de deux planches pour une épaisseur de 3 pouces. (Certains menuisiers utilisent des clous 10d de 3 pouces mais les enfoncent de biais pour éviter qu'ils ne dépassent de l'autre côté).

LES OPTIONS DU BRICOLEUR

LES FIXATIONS POUR ASSEMBLER UN POTEAU À UNE POUTRE À ÂME PLEINE

POUR PRENDRE UN POTEAU EN SANDWICH ENTRE DEUX MADRIERS

POUR ASSEMBLER UNE SOLIVE ET UNE POUTRE À UN POTEAU

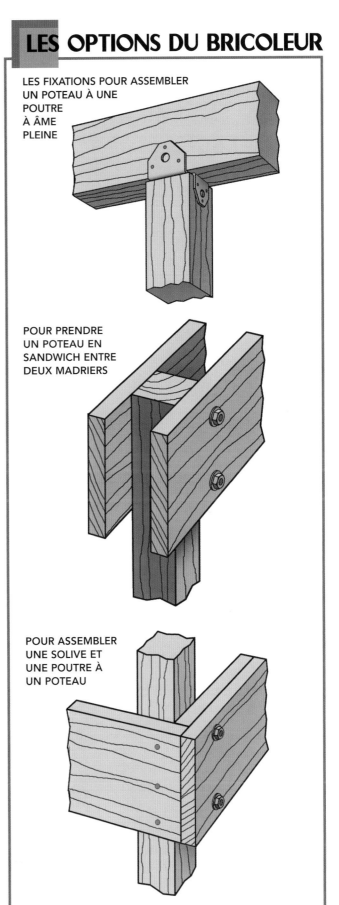

LES ÉLÉMENTS DE SOUTÈNEMENT

INSTALLATION D'UNE POUTRE

Voici les étapes à suivre pour bien positionner votre poutre principale.

Marquez les poteaux situés aux extrémités. À l'aide d'un niveau et d'une longue pièce de bois de construction bien droite, d'un niveau de ligne ou d'un niveau à eau, pour marquer l'emplacement de la poutre sur les poteaux. Il est préférable de marquer d'abord les deux poteaux de coin. Puis ensuite de vérifier et de contre-vérifier vos marques à partir de la lambourde et d'un poteau à l'autre. Une fois les poteaux marqués, tendez un cordeau entre eux pour marquer les poteaux intermédiaires alignés sous la poutre.

Vous voulez identifier l'endroit situé sur le poteau qui est de niveau avec la partie supérieure de la lambourde. Si vous désirez que le patio s'incline légèrement pour faciliter l'écoulement des eaux, allouez une dénivellation de $\frac{1}{16}$ de pouce chaque pied linéaire de vos solives. La plupart des constructeurs procèdent de la sorte seulement si la surface est pleine. À titre d'exemple, avec des planches de lamelle embouvetées comme celles souvent utilisées pour le plancher de véranda. Le plancher typique d'un patio constitué de planches suffisamment espacées entre elles peut suffire amplement à l'écoulement des eaux pluviales.

À partir de la ligne de mesure qui indique l'emplacement du dessus des solives, rapportez votre mesure de la hauteur d'une solive afin de déterminer l'emplacement de la poutre. Procédez ainsi pour les deux poteaux de coin et assurez-vous que les marques sur les poteaux soient bien au niveau.

Si vous prévoyez abouter les solives à la poutre principale, n'oubliez pas de prendre la dernière mesure. En vous mettant au niveau à partir du sommet de la lambourde, vous marquerez du même coup l'emplacement des parties supérieures des solives et l'enfoncement de la partie supérieure de la poutre.

Marquez les autres poteaux. Utilisez une ligne de craie pour prolonger votre repère entre les marques déjà faites sur les poteaux de coin. Vous voudrez peut-être vérifier à nouveau les marques à l'aide d'un niveau pour vous assurer que la coupe sera effectuée au bon endroit.

En cas d'erreur, ajoutez un flipot à l'embout du poteau. Mais si vous prenez le temps de vérifier vos lignes de niveau, vous ne devriez pas avoir à recommencer.

Une fois que vous êtes certain de la précision, servez-vous d'une équerre pour la transposer sur toutes la surface de vos poteaux. Vous aurez besoin de ces lignes au moment de la coupe car la plupart des scies circulaires ne peuvent pas couper assez profondément un poteau de 4 x 4 en une seule passe. (Voir «Trucs et astuces», page 125.)

Couper les poteaux. Afin de les couper en toute sécurité et avec précision, assurez-vous que les poteaux soient solidement contreventés. Vérifiez votre scie circulaire une seconde fois pour vous assurer que l'angle de coupe est d'équerre.

Cette coupe est inusitée et requiert que vous teniez la scie circulaire sur le côté. Aussi, placez-vous dans une position confortable avec les pieds solidement plantés au sol. Essayez de respecter la même marge le long de la ligne de coupe, la ligne de crayon en vue et en coupant juste au-dessus de celle-ci. Vous obtiendrez ainsi une surface plate sur le poteau même si vous devez le couper en deux passes.

Couper la poutre. Si la poutre est posée près du sol, il est préférable de la tailler de la bonne longueur avant de l'installer. Vous devriez probablement vérifier vos mesures à nouveau. À cette étape des travaux, vos poteaux devraient être fermement installés dans leur verticalité et alignés de manière à ce qu'ils soient d'équerre avec la lambourde assemblée à la maison.

Si vous utilisez un madrier de type espacé et que vous pouvez le construire en sections le long de plusieurs poteaux, assurez-vous que les entures coïncident avec le centre des poteaux. Procédez à ces assemblages avec minutie. Le pré-perçage est essentiel. Pour éviter de fendre le poteau et les pièces de la poutre, de même il est essentiel de percer des avant-trous. Si vous deviez pratiquer plusieurs entures sur votre poutre, prévoyez la longueur des pièces requises.

TRUCS ET ASTUCES

POUR SERRER LES COURONNEMENTS

La plupart du bois d'œuvre possède une couronne, convexe ou une légère dénivellation le long d'un chant. Mais il est peu probable de trouver deux morceaux courbés à la même amplitude. Même si vous clouez les rebords convexes vers le haut pour faire votre poutre, l'une des deux planches risque d'être un peu plus haute que l'autre. Afin d'aligner le chant des deux planches et d'offrir une surface plane pour les solives, enfoncez quelques clous de biais. Vous obtiendrez sans doute un meilleur résultat à l'aide d'une serre. Placez une extrémité de

la serre sur la planche la moins élevée et l'autre sur la planche la plus élevée puis resserrez. Les deux planches seront ainsi alignées.

LES OPTIONS : LES UNITÉS DE PORTÉE RECOMMANDÉE

Pin du sud ou sapin de Douglas

Dimension de la poutre	Portée maximale des solives	Portée maximale de la poutre
4 x 6	6'	6'
4 x 8	6'	8'
4 x 8	8'	7'
4 x 8	10'	6'
4 x 10	6'	10'
4 x 10	8'	8'
4 x 10	10'	7'
4 x 10	12'	7'
4 x 10	14'	6'
4 x 10	16'	6'
4 x 12	6'	11'
4 x 12	8'	10'
4 x 12	10'	9'
4 x 12	12'	8'
4 x 12	14'	7'

Pruche-sapin

Dimension de la poutre	Portée maximale des solives	Portée maximale de la poutre
4 x 6	6'	6'
4 x 8	6'	7'
4 x 8	8'	6'
4 x 10	6'	9'
4 x 10	8'	7'
4 x 10	10'	6'
4 x 10	12'	6'
4 x 12	6'	10'
4 x 12	8'	9'
4 x 12	10'	7'
4 x 12	12'	7'
4 x 12	14'	6'

Séquoia, pin ponderosa, cèdre rouge de l'Ouest

Dimension de la poutre	Portée maximale des solives	Portée maximale de la poutre
4 x 8	6'	7'
4 x 8	8'	6'
4 x 10	6'	8'
4 x 10	8'	7'
4 x 10	10'	6'
4 x 10	12'	6'
4 x 12	6'	10'
4 x 12	8'	8'
4 x 12	10'	7'
4 x 12	12'	6'
4 x 12	14'	6'

À noter : assurez-vous de vérifier les portées permises entre les poteaux de soutien ainsi que toutes les exigences concernant le bois de construction auprès de votre bureau d'inspection des bâtiments.

De sorte qu'ainsi, l'enture d'une surface de la poutre se retrouve sur un poteau et que l'autre soit sur un autre poteau.

Fixer la poutre. Si vous avez une lourde poutre à installer, faites-vous aider. Assurez-vous que les escabeaux que vous utilisez soient stables. Pour avoir la certitude que la poutre ne tombera pas de vos poteaux au cours de l'assemblage, prenez la précaution suivante.

Vissez temporairement mais avec solidité un morceau de 2 x 4 ou de 2 x 6, appelé scab, aux poteaux de coin en laissant au moins la partie supérieure dépasser de 6 pouces. En plaçant la poutre, elle s'appuiera sur les poteaux bien entendu mais grâce au scab, elle ne risque plus de tomber en bas de sa position. Vous pouvez avoir une serre à portée de la main et de manière à coincer la poutre dès qu'elle est en place. Cette méthode peut vous être utile lorsque vous installez de la quincaillerie

d'assemblage en métal galvanisé aux poteaux. Cette quincaillerie peut être exigée par les codes du bâtiment de votre localité, à moins que vous n'installiez des taquets à bois ou des supports pour empêcher la poutre de glisser hors de sa position.

Une prise d'assemblage typique est constituée de deux rebords qui s'insèrent au-dessus du poteau et de deux autres dans lesquels s'emboîte la poutre. Une fois le madrier en place, vous pouvez enfoncer des clous à travers les trous perforés de la fixation pour assembler les pièces.

Si vous préférez utiliser des taquets en bois, vous pouvez garnir les surfaces opposées de vos poteaux de 4 x 4 avec des 2 x 6. Si vous les prolongez vers le bas jusqu'aux semelles de béton, vous obtiendrez un poteau composé d'une grande solidité, en plus d'une section renforcée au sommet du poteau.

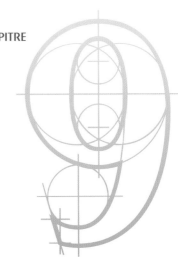

SOLIVES DE PATIO

Lorsque la lambourde et la poutre sont en place, l'installation des solives du patio devrait se faire en moins de deux. Installez un étage solide de solives, et le platelage qui sera posé par la suite sera solide sous les pieds. Vous devrez peut-être forcer quelques morceaux de bois de construction légèrement gauchis en place pour vous assurer que la charpente soit à l'équerre et d'aplomb.

DISPOSITIONS MODULAIRES

Toutes les sections d'un patio doivent être disposées avec soin, bien entendu. Mais quand vient le temps de planifier et d'installer les solives, vous devez assurer de tenir compte du platelage qui les couvrira. Puisque vous utiliserez fort probablement du bois de construction dans des longueurs disponibles en magasin, généralement comprises dans des multiples de 2 pieds, vous voudrez avoir une disposition modulaire qui vous fera utiliser vos matériaux achetés le plus efficacement possible.

Les dispositions modulaires des charpentes de la plupart des patios (et pour la plupart des charpentes de maison) s'accordent avec les multiples de 16 pouces. Cette distance est celle entre la ligne médiane d'une solive et la ligne médiane de la solive suivante en ligne. Deux unités font 32 pouces et 3 unités font donc 48 pouces, ce qui est une autre composante de base de la construction qui correspond à la largeur de panneaux muraux secs, de panneaux de contre-plaqués et d'autres matériaux en panneau. Multipliez cette unité de 48 pouces et vous obtiendrez la plupart des dimensions standards des solives.

Du point de vue pratique, si vous ne maintenez pas ce module de 16 pouces, vous n'aurez pas de solive là où vous en aurez besoin d'une à l'extrémité de votre planche. Vous finiriez par gaspiller beaucoup de bois.

Espacer les supports. Dans la plupart des cas, une longue planche obtient l'appui d'une solive entière partout sauf aux extrémités, où deux planches se rencontrent et doivent partager une même solive. C'est pourquoi la disposition modulaire est de centre à centre, afin qu'une moitié de la largeur d'une solive puisse soutenir la planche précédente et que l'autre moitié soutienne la planche suivante.

Mais il y a un problème technique potentiel dans ce système qui peut ennuyer les bricoleurs débutants. Puisque vous commencez à disposer vos planches à une extrémité du patio et que vous recouvrez entièrement cette première solive, vous devez raccourcir la disposition totale de ¾ de pouce, ou de la moitié de l'épaisseur d'une solive. Si vous ne le faites pas, l'extrémité avant de votre planche n'aura pas sa solive.

Mesures de la disposition. Voici la portion mathématique: une solive mesure 1 ½ pouce d'épaisseur. Vous voulez avoir 16 pouces du centre d'une solive au centre de la solive suivante, ce qui laisse un espace de 14 ½ pouces, ou travée, entre deux solives, soit 16 pouces moins la moitié de l'épaisseur (¾ de pouce) de chaque solive des deux côtés.

Afin de commencer la disposition correctement, raccourcissez tout simplement le tout par ½ largeur de solive, ce qui fait que la première travée aura environ 13 ¾ pouces de largeur. À partir de là, vous pouvez progresser avec des blocs de 14 ½ pouces.

PORTÉES DES SOLIVES

Dimension	Type de bois	Espacement	Portée
2 x 6	Pin du sud ou Sapin de D.	12" c. à c.	10'4"
2 x 6	Pin du sud ou Sapin de D.	16" c. à c.	9'5"
2 x 6	Pin du sud ou Sapin de D.	24" c. à c.	7'10"
2 x 6	Pruche-sapin	12" c. à c.	9'2"
2 x 6	Pruche-sapin	16" c. à c.	8'4"
2 x 6	Pruche-sapin	24" c. à c.	7'3"
2 x 6	Séquoia	12" c. à c.	8'10"
2 x 6	Séquoia	16" c. à c.	8'
2 x 6	Séquoia	24" c. à c.	7'
2 x 8	Pin du sud ou Sapin de D.	12" c. à c.	13'8"
2 x 8	Pin du sud ou Sapin de D.	16" c. à c.	12'5"
2 x 8	Pin du sud ou Sapin de D.	24" c. à c.	10'2"
2 x 8	Pruche-sapin	12" c. à c.	12'1"
2 x 8	Pruche-sapin	16" c. à c.	10'11"
2 x 8	Pruche-sapin	24" c. à c.	9'6"
2 x 8	Séquoia	12" c. à c.	11'8"
2 x 8	Séquoia	16" c. à c.	10'7"
2 x 8	Séquoia	24" c. à c.	8'10"
2 x 10	Pin du sud ou Sapin de D.	12" c. à c.	17'5"
2 x 10	Pin du sud ou Sapin de D.	16" c. à c.	15'5"
2 x 10	Pin du sud ou Sapin de D.	24" c. à c.	12'7"
2 x 10	Pruche-sapin	12" c. à c.	15'4"
2 x 10	Pruche-sapin	16" c. à c.	14'
2 x 10	Pruche-sapin	24" c. à c.	11'7"
2 x 10	Séquoia	12" c. à c.	14'10"
2 x 10	Séquoia	16" c. à c.	13'3"
2 x 10	Séquoia	24" c. à c.	10'10"

Longueur maximale de solives entre les poutres ou la lambourde

(Sapin de D. = sapin de Douglas.)

À noter: vérifiez les portées permises entre les poteaux de soutien ainsi que toutes les exigences concernant le bois de construction auprès du bureau d'inspection des bâtiments de votre localité.

PAGE OPPOSÉE **Tous les patios bien construits commencent par un système soigneusement conçu de poteaux, de poutres et de solives, peu importe l'apparence finale du projet fini.**

TRUCS ET ASTUCES

ASSISTANT DE SOLIVE

Lorsque les grandes solives sont trop lourdes à manipuler, ce petit accessoire peut vous aider. Vissez temporairement une bande de bois qui surplombe la solive. Quand vous mettez la solive en place, la bande repose sur la lambourde et supporte le poids.

SÉCURITÉ

SUPPORTER DES CHARGES SUPPLÉMENTAIRES

Un bain en fibre de verre ou en acrylique est peut-être assez léger pour que vous puissiez le soulever sans aide. Par contre, un grand tourbillon peut contenir des centaines de gallons d'eau et peut peser 1000 livres et même davantage. Jetez un coup d'œil aux normes et spécifications d'installation du fabricant puis vérifiez auprès du bureau local d'inspection des bâtiments pour être sûr que votre patio sera en mesure de soutenir ce type de charge bien concentrée. Vous pourriez devoir doubler les solives adjacentes et de plus ajouter des poteaux et des poutres secondaires pour soutenir ce poids supplémentaire.

UTILISATION D'OUTILS PRATIQUES

Jusqu'à ce point, dans un projet de construction de patio typique, vous n'avez pas encore fait de travail où vous avez eu à produire des douzaines de morceaux. Vous avez bien sûr installé quelques poteaux et cogné quelques clous, mais l'installation de solives est une autre paire de manches. Il y a de nombreuses solives sur la plupart des patios, ce qui signifie que vous devez créer une version « bricoleur » du travail de production de style entrepreneur quand vient le temps de les couper et de les fixer en place.

Scies. Une égoïne ferait le travail, bien entendu, et vous en aurez besoin pour compléter certaines coupes, mais une scie circulaire électrique rend le travail plus facile et plus rapide. Un modèle 7 ¼ pouces convient pour la majeure partie du travail au niveau de la charpente. Les plus petites scies ne peuvent pas couper un 2 x 4 en un seul coup et les plus grandes scies sont peu maniables. Utilisez une lame combinée dans le sens du grain et à travers ce dernier. Une lame comptant environ 24 dents est incluse avec plusieurs scies au moment de l'achat.

Marteaux. Avec les marteaux, l'inverse est vrai pour la plupart des gens. La version à l'huile de coude est celle qui travaille le mieux. Les marteaux pneumatiques sont agréables, mais peu pratiques pour la plupart des bricoleurs, qui sont plus à l'aise de travailler avec un outil qui leur est familier.

Dans la plupart des cas, un marteau à panne fendue de 16 onces est un bon choix. Il est facile à manœuvrer dans des espaces serrés et assez léger pour être utilisé plus quelques minutes. Les marteaux plus lourds frappent plus fort, autant pour les coups manqués que sur les clous, mais un grand marteau avec une panne fendue droite peut être encombrant et

vous épuiser si vous n'êtes pas habitué à marteler de la sorte. Faites votre choix parmi les marteaux avec des manches de fibre de verre ou d'acier avec des ajouts spéciaux et des anneaux antidérapants et des manches en caoutchouc. Bref, ce qui vous donne la meilleure sensation.

Même les entrepreneurs qui utilisent habituellement des outils pneumatiques transportent aussi dans leurs coffres les modèles de l'ancien temps.

Perceuses. Une autre option est d'utiliser une perceuse pour fixer votre patio avec des vis au lieu des clous, dans la plupart des endroits. Un modèle compact à pile peut vraiment être utile dans les endroits coincés où il n'y a pas assez de place pour cogner avec un marteau. De plus, les vis sont plus fortes que les clous.

Vous pouvez insérer un embout de tournevis dans votre perceuse, ou un trépan pour percer des avanttrous pour les vis si vous avez des difficultés à les visser. Une façon de simplifier cette opération et d'avoir un avant-goût du travail de production est d'utiliser un accessoire de changement rapide. Il se fixe dans le mandrin de la perceuse et possède une gaine à enclenchement rapide qui accepte les trépans et les embouts de tournevis. Vous n'avez donc pas à desserrer le mandrin et à enfiler un nouvel embout chaque fois que vous devez passer de l'étape du préperçage à celle de visser des vis.

Une autre option pratique est une gaine-rallonge qui se fixe dans le mandrin autour d'un embout de tournevis. L'idée est de joindre la tête de la vis avec l'embout de tournevis et d'abaisser ensuite la gaine sur la vis pour pouvoir ainsi la visser en ligne droite. Le petit gadget empêche l'embout de tournevis de s'échapper de la tête de vis, et de possiblement aboutir sur vos doigts. Il existe aussi d'autres gadgets qui alimentent des rangées de vis dans une perceuse standard, ce qui vous permet de ne pas constamment la recharger. Sachez cependant que les rangées de vis préchargées sont beaucoup plus coûteuses que des vis dans une boîte.

QUINCAILLERIE DE CHARPENTE

Avant de commencer à installer vos solives, Pensez à utiliser de la quincaillerie de charpente pour aider à enfoncer vos clous à chaque extrémité de chaque planche. (Plusieurs types de fixations en métal galvanisé aident à rassembler plusieurs autres raccords de charpente.)

La plupart des raccords de charpente sont tenus en place à l'aide de clous. Ils font un bon travail quand vous pouvez les enfoncer à travers la surface d'une planche jusque dans le bois de l'autre planche. Les clous ont beaucoup moins de force quand ils sont installés de biais, soit quand on les enfonce à un angle prononcé à travers une planche pour en rejoindre une autre.

INSTALLER LA SOLIVE INTÉRIEURE

OUTILS ET MATÉRIAUX

- Solive
- Gants
- Marteau
- Clous galvanisés de 3 pouces
- Équerre de charpentier
- Support d'angle
- Clous d'étriers à solives
- Attache de solive

Les patios qui sont installés dans un coin de maison n'ont habituellement besoin que d'une lambourde, et cette dernière sera habituellement fixée sur le plus long côté du patio. La solive intérieure peut ressembler de loin à une lambourde, mais c'est en fait la première solive et elle n'est pas fixée à la maison.

1 *Lorsque vous voulez installer la première solive, jetez-y un coup d'œil pour localiser le bord convexe et installez votre solive le bord convexe vers le haut.*

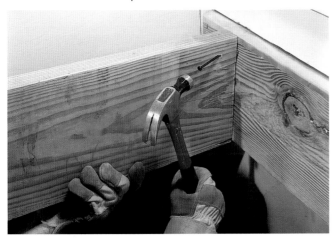

2 *Clouez l'extrémité de la solive à la lambourde en enfonçant quelques clous de biais.*

3 *Assurez-vous que le coin est bien à l'équerre. Il devrait y avoir un espace d'environ 1 pouce entre la solive et la maison.*

4 *Vous ne pourrez pas avoir accès aux deux côtés de la solive, alors vous devez la fixer fermement en place avec un support d'angle.*

5 *Afin de pouvoir bénéficier d'une force accrue, nous vous conseillons de clouer une attache de solive à l'endroit où la solive traverse la poutre principale.*

SOLIVES DE PATIO

CI-DESSUS Un simple patio se transforme en une aire de repos intime dans ce jardin. Même les modèles de patio les plus simples exigent un bon système de soutien.

Sur une nouvelle charpente, bien sûr, la plupart des morceaux de bois peuvent être cloués de face, mais il y aura certains endroits moins accessibles où il faudra clouer de biais. C'est bien pour clouer une solive à sa place, mais c'est encore mieux de se fier sur de la quincaillerie de charpente pour s'assurer que le raccord sera solide quand il devra soutenir une charge. Vous constaterez probablement que le bureau d'inspection des bâtiments de votre localité insistera pour que vous utilisiez des fixations en plus des clous.

Le morceau le plus commun consiste en un support de métal en forme de U qui s'insère autour de l'extrémité d'une solive où il s'aboute contre une seconde planche. Sur les côtés de la forme en U se trouvent des ailes perforées pour le clouage de la fixation.

TRUCS ET ASTUCES

REDRESSER LES SOLIVES

Étant donné la qualité du bois de construction que nous avons sous la main de nos jours, il ne serait pas surprenant que vous retrouviez quelques morceaux gauchis dans un chargement de solives de patio. Vous pourrez peut-être retourner les pires morceaux, mais il demeurera quand même dans votre lot quelques courbures qui ne s'aligneront pas avec les lignes bien à l'équerre de votre modèle. Pour vous débarrasser de ces courbures non désirées, fixez une serre près de l'extrémité et servez-vous de la poignée comme levier. Ce n'est pas la raison d'être première des serres, mais ça fonctionne. Pour augmenter votre effet de levier, servez-vous de plusieurs serres que vous aurez fixées à un 2 x 4, et utilisez-le comme poignée.

Une **solive gauchie** qui ne veut pas se redresser.

Tirer sur une serre peut redresser la courbure.

INSTALLER LA SOLIVE EXTÉRIEURE

OUTILS ET MATÉRIAUX
- Solive
- Ruban à mesurer
- Crayon
- Équerre de menuisier
- Scie circulaire
- Marteau
- Clous de 3 pouces
- Support d'angle et de clous

Il est important d'avoir une bonne coupe à l'équerre et un rebord droit avec la solive extérieure, ne serait-ce que parce qu'elle sera la solive la plus visible de votre patio.

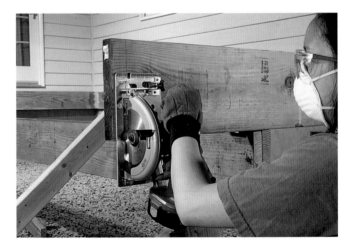

3 Coupez la solive extérieure avec une scie circulaire électrique. C'est habituellement un secteur qui sera bien visible, alors faites une belle coupe.

Vous pouvez installer la quincaillerie où vous devez clouer un raccord. Fixez ensuite la solive dans le support. Si vous n'êtes pas sûr de l'endroit exact où ira la solive, clouez-la de biais temporairement et fixez ensuite le support autour du joint. Une fois que vous aurez cloué de face à travers le support dans la première planche et à travers les ailes dans la deuxième planche, le raccord ne pourra plus bouger.

CAS SPÉCIAUX

Certains patios devront peut-être franchir quelques marches existantes de béton ou changer de niveau pour s'ajuster à une cour en pente. (Voir « Les options du bricoleur », page 188.)

Démolir des marches de béton avec une masse et emporter les décombres au loin peut représenter pas mal de travail. Tant que la marche supérieure est plus basse que le sommet des solives du patio, il est habituellement plus facile de laisser les marches en place et de monter la charpente autour d'elles. Avant de procéder ainsi, assurez-vous que vous ne remarquez pas de preuve que les marches se sont soulevées en raison d'un appui incorrect.

Si le béton est sain, arrêtez la lambourde des deux côtés des marches. Traitez le bois de bout de l'extrémité de la lambourde avec un produit imperméabilisant avant de le mettre en place. Encochez les solives afin qu'elles puissent s'adapter au sommet de la marche supérieure et reposer sur la seconde marche. Au besoin, insérez des flipots de cèdre entre les solives et la seconde marche. Installez des entretoises entre les solives. (Voir «Installer une charpente au-dessus des marches», page 182.)

1 *Mesurez à partir de la poutre pour déterminer la longueur du porte-à-faux.*

2 *Servez-vous de l'équerre de menuisier pour tracer une ligne de coupe sur la solive. Laissez les supports de la poutre et des poteaux en place.*

4 *Avant de clouer, vérifiez que la charpente du patio soit à l'équerre et que les deux solives extérieures soient égales.*

5 *Enfoncez un clou en biais à travers la solive jusque dans la poutre. Renforcez le raccord avec attache de solive.*

SOLIVES DE PATIO

Installer une charpente au-dessus des marches

Étrier à solives

Blocs de bois

Boulons

Lambourde

Flipots

Solive entaillée

Marches

Solive complète

INSTALLATION DE SOLIVES

Il y a plusieurs façons de procéder, mais une des façons les plus élémentaires est d'installer les solives intérieure et extérieure en premier, de mettre le tout à l'équerre et d'installer les autres solives. Une fois les frontières bien établies, la plus grande partie des solives s'installeront rapidement. (Voir « Installer la solive intérieure », page 179, et « Installer la solive extérieure », page 180.)

Les solives sont habituellement fixées à la lambourde à une extrémité. Il y a une solive ou une poutre à l'autre extrémité. Là où c'est possible, à la solive de rive, par exemple, vous pouvez fixer les solives en clouant de face, soit en clouant à travers la face de la solive de rive dans le bois de bout des solives. Utilisez des vis de patio de 3 pouces ou des clous galvanisés de 3 pouces, trois par joint. Mais sachez que l'utilisation d'étriers à solives est préférable et probablement

exigée par les bureaux d'inspection des bâtiments de toutes les localités.

Construire la boîte. Il est habituellement plus facile de commencer par assembler les morceaux extérieurs dans une boîte. Assemblez ces derniers bien soigneusement parce qu'ils seront probablement les plus visibles. Prépercez les endroits où iront les vis ou les clous près de l'extrémité d'une planche. Si vos solives extérieures reposent sur le sommet d'une poutre, fixez-les dans l'alignement des extrémités de la poutre. Dans les coins, vous fixerez la solive de rive et les solives extérieures ensemble avec des clous galvanisés de 3 pouces ou des vis de patio de 3 pouces qui seront enfilés à travers des avant-trous. Renforcez ces joints avec des supports à angles fixés aux solives avec des vis de patio de 1 ¼ pouces.

Souvenez-vous que les morceaux de bois de construction dans les dimensions que l'on achète au magasin n'ont généralement pas de coupe à l'équerre à chaque extrémité. Vous pourriez aussi trouver des extrémités grossières ou des fentes qui peuvent être coupées pour créer des joints bien serrés aux coins critiques de votre boîte.

Installer des étriers à solives. Vous pouvez installer chaque solive et les étriers à solives tel qu'indiqué dans la section « Installer les solives » à la page opposée, ou vous pouvez installer tous les étriers et revenir ensuite installer les solives.

Prenez un petit morceau de solive, et tenez-le en place: il devrait toucher la ligne et couvrir le X, mais plus important encore, son sommet devrait être dans l'alignement du sommet de la lambourde ou de la solive de rive. Faites glisser l'étrier à solives contre la solive afin qu'il ne touche qu'un seul côté. Il y a des petites pattes pointues sur l'étrier. Faites-les pénétrer dans le bois avec votre marteau, et ils pourront peut-être maintenir la solive en place. Enfoncez deux clous dans l'étrier pour maintenir la solive en place. Vérifiez une fois de plus que le morceau soit encore au bon endroit, puis refermez l'étrier et fixez-le sur l'autre côté avec le nombre de clous à solives recommandés.

Installez des supports à angles dans les coins intérieurs de votre boîte. Vous pouvez fabriquer vos propres supports à angles en coupant des étriers à solives standards avec des cisailles à métaux.

INSTALLER LES SOLIVES

OUTILS ET MATÉRIAUX

- Solives
- Équerre
- Crayon
- Gants
- Chevalet et une scie
- Marteau
- Retailles de bois
- Étriers à solives
- Attaches de solives
- Ruban à mesurer
- Support 1 x 4

Assurez-vous que les solives et la lambourde soient dans le même alignement, puis installez ensuite les étriers à solives.

1 Faites une coupe à l'équerre du côté « lambourde » des solives. Laissez l'autre extrémité des solives intacte pour le moment.

2 Pour vous aider à soutenir les solives, clouez une bande de bois avec un petit porte-à-faux à la solive.

3 Glissez l'étrier autour de la solive. Vérifiez que le tout soit au niveau et enfoncez des clous à travers l'étrier.

4 Pour plus de stabilité, ajoutez une attache de solives à l'endroit où la solive croise la poutre.

5 Reproduisez les lignes de la lambourde sur un support 1 x 4. Clouez le support au sommet des solives en plein centre, disposant ainsi les solives sur vos lignes.

COUPER LES SOLIVES

OUTILS ET MATÉRIAUX
- Ruban à mesurer
- Crayon
- Cordeau traceur
- Équerre de menuisier
- Scie circulaire

Claquez une ligne de craie et les solives que vous couperez formeront une ligne bien droite.

1 *Prenez vos mesures à partir de la lambourde jusqu'à l'extrémité de chaque solive. Marquez le sommet de l'extrémité des solives.*

Glisser les solives en place. Les extrémités des solives doivent être aboutées fermement contre la lambourde ou la solive de rive à tous les points de contact. Avant de prendre vos mesures pour couper les solives, assurez-vous que le bout que vous mesurez soit coupé à l'équerre. (La cour à bois vous remettra parfois dix solives qui seront coupées à l'équerre et une qui ne le sera pas, alors examinez-les toutes attentivement.) Coupez les solives à la bonne longueur.

Vous en êtes probablement rendu à un point maintenant où vous aimeriez faire des progrès visibles et réels à toute vitesse, mais vous devriez plutôt prendre un peu de temps pour appliquer un scellant sur les bouts de bois, ce qui est une très bonne idée.

Installez chaque solive avec le bord convexe vers le haut. C'est une opération qui se fait à deux. Si les solives sont serrées, vous devriez faire glisser les deux extrémités vers le bas en même temps. Il est acceptable de cogner un peu les solives pour les faire descendre, mais si une solive est si serrée qu'elle commence à courber, il faut alors la retirer, prendre une nouvelle mesure et la couper de nouveau.

Si vous avez installé ce type de solin qui est tourné à 90° pour couvrir la face de la lambourde, placez simplement la solive contre le rebord tourné. Si votre solin est seulement replié un petit peu vers le bas, vous pourriez glisser les solives sous le côté principal, mais ne déplacez pas le métal (et ne le déchirez pas) en pliant le solin vers le haut lors de l'installation des solives.

Finir d'installer les fixations. Regardez la charpente pour voir si le tout semble bien droit et parallèle. Finissez d'installer les vis ou les clous dans les étriers à solives, en ne laissant aucun trou vide. Enfoncez un clou ou une vis de biais dans les solives aux endroits où elles reposent sur les poutres pour minimiser les torsions. Les fixations « hurricane » procurent une force de maintien supplémentaire. Bien qu'elles ne soient généralement pas exigées par le code du bâtiment, les gens qui construisent des patios dans des secteurs enclins aux ouragans devraient vérifier les exigences locales.

SUPPORTS

Les patios qui sont surélevés, soit à plus de 4 pieds sur des poteaux de 4 x 4 ou à plus de 8 pieds sur des poteaux de 6 x 6, ont besoin de supports latéraux supplémentaires pour les empêcher de se balancer. Une poutre solide déposée sur les poteaux a moins de force latérale qu'une poutre boulonnée et peut avoir besoin de supports, même si elle est moins élevée.

Si vous planifiez d'installer une bordure solide (des panneaux qui fermeront votre patio sous sa surface), sachez que ces derniers fourniront beaucoup de soutien latéral et qu'ils peuvent prendre la place des supports. Une bordure de treillis est cependant beaucoup moins efficace. Les directives portant sur les supports varient énormément d'un secteur à un autre, alors vérifiez cet aspect avec votre inspecteur si vous croyez en avoir besoin. Dans la plupart des cas, des supports peuvent être ajoutés lorsque que le patio aura été construit.

Des supports peuvent ajouter une apparence classique du type « fait à la main » et peuvent représenter moins de travail que vous pourriez le croire. Il s'agit simplement de faire des coupes précises à 45° et de s'assurer que les supports soient en relation symétrique les uns avec les autres et qu'ils soient exactement de la même dimension pour une apparence uniforme.

2 *Alignez-vous avec le cordeau traceur ; la corde devrait toucher à chaque solive. Claquez la corde.*

3 *Tirez une ligne de coupe avec une équerre à menuisier. Coupez chaque solive avec une scie circulaire.*

Les supports en Y. Dans la plupart des cas, de simples supports en Y sont suffisants. Pour renforcer une poutre solide sur le dessus d'un poteau, coupez des morceaux dans le matériel des poteaux (4 x 4 ou 6 x 6) qui iront sous la poutre et sur les côtés des poteaux, ou utilisez des 2 x 4 ou des 2 x 6 et fixez-les contre la face des poteaux et de la poutre. Pour les poutres fixées aux côtés opposés d'un poteau, vous pouvez insérer les supports entre les planches et les fixer en utilisant des tire-fonds, des boulons ou des boulons de carrosserie.

D'autres modèles de support. Les projets de plus grande envergure peuvent nécessiter des modèles de supports plus élaborés. Ces modèles seront préférables si on les conçoit avec des 2 x 4 ou des 2 x 6 contre la face du poteau et de la poutre. En construisant ces types de structures, il vous faut d'abord marquer les poteaux et les poutres ; tenez ensuite les supports pour marquer plutôt que d'utiliser un ruban à mesurer.

Les supports qui auront une portée de 6 pieds ou moins peuvent être faits avec des 2 x 4 ; pour des portées plus longues, utilisez des 2 x 6. Réfléchissez à ce que vous ferez de votre patio quand vous déciderez des supports à utiliser. Si vous devez marcher sous votre patio, un simple Y pourrait être votre meilleur choix ; si vous avez besoin d'un réseau de supports plus élaboré, vous pourriez laisser une section libre de supports si vous renforcez vraiment beaucoup les autres sections.

PATIOS SURÉLEVÉS

Si vous construisez un patio à 8 pieds ou plus au-dessus du sol, sachez que votre disposition sera pratiquement la même, mais vos méthodes de travail pourraient différer radicalement. La plupart des opérations prendront deux fois plus de temps à exécuter, et vous passerez beaucoup de temps dans les échelles, à transporter des choses de bas en haut et à faire encore plus attention.

Le platelage, les lambourdes, les solives et les poutres ont tous les mêmes exigences que pour les patios construits près du sol.

Il y a cependant quelques différentes clés dont vous devrez tenir compte. Par exemple, les patios près du sol n'ont peut-être pas besoin d'une balustrade, ce qui pourrait modifier vos plans pour la disposition des solives et des poteaux. Vous devriez vérifier avec le bureau local d'inspection des bâtiments pour en

TRUCS ET ASTUCES

RETIRER LES SUPPORTS

À mesure que le patio prend forme et que le travail progresse, vous voudrez naturellement pouvoir retirer tous ces supports et nettoyer votre lieu de travail. Résistez à la tentation. En ce qui concerne les supports des poteaux 4 x 4, par exemple, il est préférable d'attendre que les poteaux soient fermement fixés dans leur position finale avec la poutre principale et les solives avant de les retirer.

TRUCS ET ASTUCES

CLOUER LA SOLIVE DE RIVE

Lorsque vous refermerez la boîte sur les extrémités libres des solives, vous pourrez remarquer que certaines extrémités sont un peu plus hautes ou un peu plus basses, et ce, même si les solives reposent toutes sur la même poutre. Faites en sorte de les aligner avec un assistant qui pourra soulever ou abaisser la portion libre de la solive de rive alors que vous travaillez à clouer les solives. Les sommets doivent être dans le même alignement pour que votre platelage soit bien droit. Vous perdrez cet effet de levier quand vous aurez fixé la plupart des solives, mais ce truc peut vous éviter de raboter ou de couper encore plus.

être sûr, mais les patios à 30 pouces ou moins du sol ne requièrent habituellement pas de balustrades pour prévenir les chutes. (Bien sûr, vous pouvez choisir d'avoir des balustrades pour une question d'apparence, c'est votre choix.)

Un patio surélevé à bonne hauteur du sol peut aussi nécessiter un système plus substantiel de supports pour les poteaux. Vous pourriez devoir utiliser des 6 x 6 au lieu des 4 x 4 standards. Vous devrez ainsi effectuer des ajustements dans vos semelles de béton et votre quincaillerie pour poteau. Vous aurez peut-être également besoin de supports latéraux, comme des croix de 2 x 4 ou de 2 x 6 qui relient plusieurs longs poteaux afin d'éviter les déplacements.

Soutenir les poteaux. De façon générale, les piliers de béton qui descendent plus profondément que la ligne de gel dans le sol offrent un soutien plus solide et durable aux poteaux de soutien de patios. De plus, avec ce système, les poteaux reposent à quelques pouces au dessus de la surface (fixés en place avec les supports en métal galvanisé), ce qui élimine virtuellement les possibilités de pourriture en raison du contact avec le sol. (Voir « Ancrer les poteaux », à la page 164.)

Utilisez des 2 x 4 ou même des 2 x 6 en qualité de supports temporaires. Enfoncez profondément les pieux dans le sol. Si vous n'avez pas de grand escabeau, la construction de votre patio sera bien plus facile si vous pouvez appuyer une échelle avec confiance contre un poteau solidement soutenu. C'est ce que vous devrez faire lorsque vous couperez vos poteaux à la bonne hauteur, lorsque vous installerez la poutre et lorsque vous commencerez à monter la charpente. Vous souhaiterez peut-être même utiliser quatre supports plutôt que deux.

Si votre inspecteur le permet, attendez jusqu'à ce que la charpente soit complétée ou même jusqu'à ce que le patio entier soit achevé avant de couler le béton autour des poteaux. Cela rendra votre béton plus fort parce qu'il ne ressentira pas les effets des coups répétés lors de la construction, ce qui pourrait affaiblir le lien entre le béton et le poteau ou avec le sol. Cela vous donnera de plus la chance de pouvoir apporter de petits réajustements aux poteaux, si cela s'avère nécessaire.

Entailler le poteau. Bien que cela ne soit pas recommandé en d'autres occasions, le fait d'entailler vos poteaux pour recevoir la poutre est la meilleure méthode à utiliser quand vous avez des poteaux de 6 x 6. À moins que votre poutre ne soit également un 6 x, la poutre qui sera assise sur le sommet des poteaux laissera un bout de bois exposé et aura une apparence peu soignée.

Une fois le poteau coupé à sa hauteur, utilisez votre équerre triangulaire pour marquer en prévision du madrier. La meilleure façon est de l'entailler complètement, afin que la face du madrier soit dans l'alignement de la face du poteau. Pour procéder, réglez d'abord la profondeur de coupe de votre scie circulaire afin qu'elle soit égale à l'épaisseur du madrier, par exemple 3 pouces pour un madrier fait de deux planches de 2 x. Faites d'abord la coupe où sera placé le madrier. Réglez ensuite votre scie à sa profondeur de coupe maximale et faites les coupes d'ancrage supérieur sur le sommet et les deux côtés en coupant de haut en bas. Complétez l'ancrage supérieur avec une égoïne.

Fixez le madrier avec des boulons traversants comme des boulons de carrosserie plutôt qu'avec des tire-fonds. Appliquez du mastic de calfeutrage au silicone aux joints, et badigeonnez les bouts de bois exposés des poteaux avec une bonne quantité de scellant.

MARCHES DU PATIO

Certains patios peuvent comporter plusieurs niveaux, ce qui signifie qu'il y aura au moins un endroit où les plates-formes de patio se rencontreront. Ces marches doivent être d'une hauteur convenable. De façon générale, les marches ne devraient pas être plus élevées que la hauteur d'une marche d'escalier d'une hauteur de 7 ½ pouces. La largeur réelle d'un 2 x 8 étant de 7 ¼ pouces, la façon la plus simple de réaliser un changement de niveau est de placer une solive de 2 x 8 sur le dessus de la charpente du dessous.

INSTALLER LA SOLIVE DE RIVE

OUTILS ET MATÉRIAUX

- Solives
- Serres
- Résidus de bois
- Marteau
- Clous de 3 pouces
- Supports d'angle
- Étriers à solives
- Clous pour étriers à solives

L'action d'installer une solive de rive, ou un che-vêtre, est la dernière étape avant d'installer des entretoises. Économisez du temps et conservez une disposition précise en marquant le chevêtre et la lambourde au même moment. Ces mor-ceaux devraient être de la même dimension.

1 La solive de rive, ou chevêtre, maintient les extrémités des solives en place et aide à conserver le bon espacement entre les solives.

2 Créez une tablette temporaire pour la solive de rive en clouant des bandes de bois au-dessous de trois ou de quatre solives.

3 Assurez-vous que le sommet de la solive de rive et des solives sont dans le même alignement, et clouez ensuite la solive de rive en place.

4 Installez des supports d'angle où la solive de rive rencontre les solives extérieures.

5 Renforcez la charpente du patio en installant un étrier à solives à l'endroit où les solives rejoignent la solive de rive.

SOLIVES DE PATIO

LES OPTIONS DU BRICOLEUR

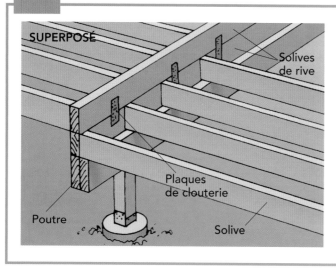

SUPERPOSÉ

Solives de rive

Plaques de clouterie

Poutre

Solive

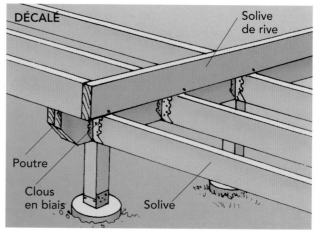

DÉCALÉ

Solive de rive

Poutre

Clous en biais

Solive

Souvenez-vous qu'un simple abaissement entre deux grandes plates-formes peut être considéré comme une marche et peut donc être soumis aux codes. Comme toujours, assurez-vous de vérifier les spécifications des changements de niveau avec votre bureau local d'inspection des bâtiments.

Lorsque vous planifiez et construisez un changement de niveau, assurez-vous qu'aucun morceau du platelage ne soit laissé sans soutien à son extrémité. Une façon de faire est de construire une deuxième boîte de charpente. Pour les petites régions surélevées, la méthode la plus simple est de construire le patio principal en premier et de construire ensuite une boîte de charpente qui sera assise par-dessus. Ce n'est cependant pas rentable pour les plus grandes régions surélevées, parce que la double charpente est sous la section surélevée.

Une autre façon de procéder consiste à créer un soutien de poutre partagé. De cette façon, le niveau supérieur chevauche partiellement le niveau inférieur, ce qui fait qu'ils partagent l'appui de la même poutre à une extrémité. Les solives de rive de la plate-forme supérieure peuvent s'appuyer directement sur les solives de rive et sur la poutre au-dessous ou elles peuvent chevaucher le niveau du dessous d'environ 12 pouces. Chaque niveau aura son propre soutien à l'autre extrémité. (Voir « Les options du bricoleur », ci-dessus.)

CONSTRUCTION AUTOUR DES ARBRES

Avant de construire une charpente autour d'un arbre, déterminez à quel rythme votre arbre grandira, et laissez suffisamment d'espace autour de lui pour au moins les dix prochaines années. Souvenez-vous également que les arbres peuvent bouger sous l'effet du vent. Il ne faut donc pas trop limiter le tronc. Cons-

truisez plutôt une charpente avec une ouverture ronde ou octogonale. Ajoutez des supports supplémentaires; vous pouvez couper un cercle dans le platelage si vous le désirez.

Le plan de la charpente est relativement simple. Quand une solive dans la structure de la charpente de base est interrompue, vous devez construire une entretoise structurelle pour supporter le poids autour de l'ouverture. C'est une des opérations les plus élémentaires de la construction.

Commencez par disposer l'ouverture grossière et observer ensuite où les solives arrivent dans votre disposition modulaire. Vous devrez probablement ajouter au moins une solive pour former une boîte autour de l'arbre. Vous pourriez devoir en ajouter deux.

Mais au lieu d'ajouter une solive entière, même si l'arbre n'est pas dans le chemin, ajoutez deux solives de rive à angle droit avec la charpente du patio. (Comme toujours, vérifiez ces exigences de solives de rive avec le bureau local d'inspection des bâtiments. Vous pouvez n'avoir besoin que d'une solive de rive, mais vous pourriez devoir les doubler.)

Lorsque les solives de rive sont en place et fixées avec des étriers galvanisés, vous pouvez combler la disposition avec deux pièces de solives. À l'endroit où la charge qui aurait été supportée par une solive continue est interrompue par l'ouverture de l'arbre, la charge est transmise par les solives de rive aux solives adjacentes. Dans quelques cas où vous devez faire une grande ouverture, vous pourriez également devoir doubler les deux solives entières à côté de l'ouverture.

Vous devez porter une attention particulière aux charges si vous construisez une ouverture dans le patio pour un bain tourbillon. Un arbre est porté par le sol, mais les bains tourbillons sont portés par le patio. Les unités en tant que telles n'ajoutent pas beaucoup de poids aux solives et aux solives de tête qui les entourent, mais un bain tourbillon, même s'il est petit, devient extrêmement lourd lorsque vous le remplissez d'eau. Le fait de doubler les solives de rive ou les solives adjacentes pourrait suffire, mais vérifiez les spécifications du fabricant sur le poids total à soutenir. Vous pourriez devoir prendre des dispositions pour le soutenir avec de la quincaillerie de charpente spéciale, avec une plus grande poutre ou avec des piliers et des poteaux supplémentaires.

ENTRETOISEMENT

Les solives seront fixées à chaque extrémité, mais flotteront librement entre la maison et le rebord extérieur du patio. Cela peut causer des problèmes sur tous les patios sauf sur les plus petits. Éventuellement, bien sûr, vous clouerez le platelage et vous aurez une chance d'aligner les solives, mais vous voudrez peut-être traiter ce patio comme une charpente de plancher d'intérieur et ajouter des entretoises. Il s'agit d'une série de petites planches ou de supports de métal qui sont typiquement installés au milieu de la portée des solives.

Il existe certains désaccords à propos de la force et de la stabilité réelle apportées par l'entretoisement à une charpente de plancher. Quelques rapports suggèrent que cela n'est pas vraiment nécessaire, mais ces conclusions se réfèrent généralement aux charpentes d'intérieur où les solives sont recouvertes d'un sous-plancher de contre-plaqué, liant les solives ensemble.

À l'extérieur, sur un patio, la plupart des personnes constatent que les entretoises contribuent réellement à renforcer la charpente. Les rebords supérieurs des solives seront ultimement fixés avec les planches du patio, mais les rebords inférieurs ne le seront pas.

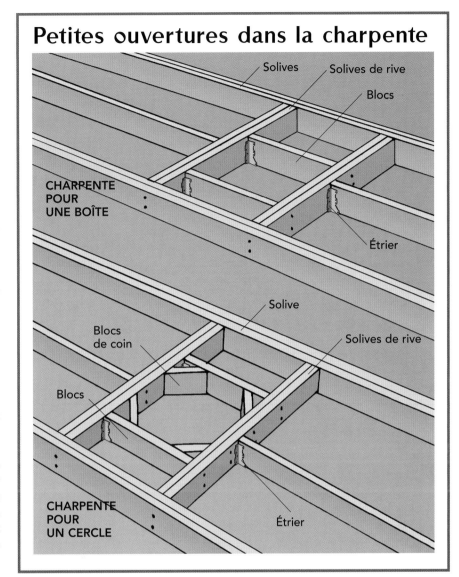

Petites ouvertures dans la charpente

Solives — Solives de rive
Blocs
CHARPENTE POUR UNE BOÎTE
Étrier

Blocs de coin — Solive
Blocs — Solives de rive
CHARPENTE POUR UN CERCLE
Étrier

À gauche

La construction d'une charpente pour permettre à un arbre ou à un arbuste de pousser à travers un patio ajoute un élément intéressant au projet. Cela élimine aussi la nécessité d'arracher de gros arbres, opérations parfois coûteuses et difficiles à réaliser.

INSTALLER DES ENTRETOISES

OUTILS ET MATÉRIAUX
- Ruban à mesurer
- Crayon
- Cordeau traceur
- Équerre combinée
- Scie
- Solives
- Marteau
- Clous de 3 pouces

Le meilleur matériel à utiliser pour les entretoises est souvent celui utilisé pour les solives.

1 Localisez le point central des deux solives extérieures. Tracez une ligne de craie entre elles. (Ce point est à mi-chemin entre le mur et la poutre principale.)

2 Reportez ces marques sur les côtés des solives. Utilisez une équerre qui vous permettra de rejoindre le bas des solives.

3 Chaque travée accueillera un bloc solide, mais vous devrez les positionner de part et d'autre de votre ligne pour pouvoir les clouer.

4 Coupez les entretoises à partir de vos solives restantes, et installez-les entre les solives. Le support aide à maintenir le bon espacement.

5 Enfoncez deux clous de chaque côté des entretoises. Retirez le support lorsque les entretoises seront installées.

C'est un autre secteur où l'entretoisement peut être utile : cela aide à prévenir les torsions des solives.

Il existe plusieurs types d'entretoises : les croix à l'ancienne installées dans un motif en X, le même genre de disposition élémentaire, mais en métal, et les entretoises solides fabriquées à partir du même bois que les solives. En ce qui concerne les patios, ce système d'entretoises solides est souvent le plus pratique, particulièrement si vous avez des retailles de solives.

DISPOSITION DES ENTRETOISES

Il est facile d'installer des entretoises qui ont été coupées à partir du matériel des solives. En résumé, il s'agit de faire claquer une ligne de craie à travers le centre de la portée des solives et d'ajouter des entretoises de part et d'autre de cette ligne en alternance, ce qui permet d'enfoncer des clous dans les bouts de bois plutôt que de clouer de biais. (Voir « Installer des entretoises », page opposée.)

Lorsque vous prenez vos mesures pour trouver le milieu de la portée, souvenez-vous de ne pas inclure la totalité de la longueur de la solive si une partie de cette dernière est en porte-à-faux. Prenez votre mesure à partir de la lambourde sur la maison jusqu'à la poutre principale, et divisez cette longueur en deux.

En théorie, chaque morceau d'entretoise devrait être de la même longueur, mais vous pourriez observer de petites différences dans la disposition des solives. Si vous ajoutez simplement le même morceau d'entretoise dans chaque travée, vous pourriez avoir à faire face à une accumulation d'erreurs.

Voilà une très bonne raison de clouer temporairement un support sur le sommet de vos solives. Vous pouvez, par exemple, utiliser un grand 1 x 4. L'idée consiste à disposer votre support le long de votre lambourde et d'y transférer la disposition des solives. Placez ensuite le support près de votre ligne de craie et assurez-vous que vos solives soient dans l'alignement de vos marques, selon la disposition prévue.

Vous devriez être capable de vous fier à ces mesures, mais jetez un coup d'œil sur chaque solive à partir de l'extrémité extérieure du patio pour vous assurer qu'elles sont bien droites. Vous avez seulement besoin d'un clou à travers le support dans chaque solive et vous n'avez pas à l'enfoncer jusqu'au bout.

L'étape suivante consiste à tracer des lignes à l'équerre sur les côtés des solives où les entretoises prendront place. Cela vous aidera à installer les entretoises correctement. Souvenez-vous que l'entretoise doit être d'un côté des lignes dans une travée donnée puis de l'autre côté des lignes dans la travée suivante, et ainsi de suite.

ALIGNER LES SOLIVES

OUTILS ET MATÉRIAUX
■ Équerre
■ Crayon
■ Support 1 x 4
■ Marteau
■ Clous de 3 pouces
■ Serre

Plutôt que de mesurer une nouvelle série de marques sur votre support, reportez plutôt les marques de votre lambourde.

1 Lorsque vous fixerez votre support (p. 183), vous remarquerez sûrement que certaines solives ne sont plus alignées correctement.

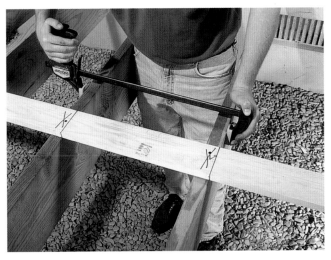

2 Poussez ou tirez ces solives délinquantes afin qu'elles soient bien alignées. Utilisez des serres ou un dispositif d'écartement.

SOLIVES DE PATIO

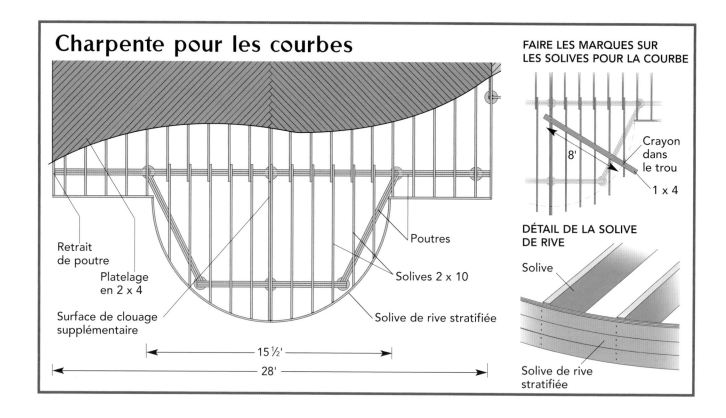

Charpente pour les courbes

Retrait de poutre

Platelage en 2 x 4

Surface de clouage supplémentaire

Poutres

Solives 2 x 10

Solive de rive stratifiée

15 ½'

28'

FAIRE LES MARQUES SUR LES SOLIVES POUR LA COURBE

8'

Crayon dans le trou

1 x 4

DÉTAIL DE LA SOLIVE DE RIVE

Solive

Solive de rive stratifiée

L'étape finale est assez simple et directe une fois que vous avez préparé le travail. Coupez simplement vos morceaux, placez-les en position sur vos marques et enfoncez au moins deux clous dans chaque extrémité. Si vous constatez que les morceaux d'entretoisement ne sont pas exactement de la même taille que les solives, maintenez le sommet dans l'alignement des sommets des solives. C'est là où le platelage ira, alors vous voulez que toutes les composantes de la charpente soient dans un même plan plat.

DÉPLACER DES SOLIVES

Pour pousser ou tirer une solive en place sur les marques de disposition de votre support provisoire, vous pouvez utiliser d'autres solives comme appui pour un 2 x 4 et forcer le bois de construction gauchi en place. Dans des cas extrêmes, vous pouvez utiliser un outil pratique appelé treuil. Cet outil à cliquet muni d'un câble tirera une série de solives en place tant que l'autre extrémité du câble est solidement ancrée.

Si vous devez redresser une solive, par exemple pour l'aligner avec votre marque à l'équerre sur une solive de rive, utilisez un levier. Une approche possible consiste à coincer solidement un court 2 x 4 avec une serre et à tirer simplement d'un côté ou de l'autre jusqu'à ce que la solive se corrige. Vous pourriez avoir besoin d'aide pour tenir la position tandis que vous vissez plusieurs vis ou que vous enfoncez quelques

clous. Dans un cas de redressement léger, la serre elle-même pourrait vous servir de levier. Corrigez la solive un peu plus que nécessaire, car elle reviendra probablement un petit peu vers son gauchissement d'origine. (Voir «Aligner les solives», page 191.)

CHARPENTE POUR UNE SECTION COURBÉE

Les poutres installées, laissez les solives dépasser librement de la section courbée. Marquez-les en vue de les couper seulement après les avoir solidement fixées en place. Vous aurez besoin d'une solive de rive stratifiée pour la section courbée.

Pour le platelage en forme de V, disposez les solives tel qu'indiqué ci-dessus. Commencez au milieu. Disposez la solive où le bout de la forme en V du platelage se trouvera. Mesurez ensuite 16 pouces centre à centre d'un côté ou de l'autre de cette solive. Installez les solives en utilisant des étriers à solives fixés à la lambourde. Installez les deux petites solives de rive en leur permettant de dépasser plus longuement que nécessaire. Pour la courbe, faites une enture sur les solives par-dessus la poutre, et permettez-leur de dépasser plus loin que la longueur où elles seront coupées. Doublez l'épaisseur de la solive du centre avec des morceaux de 2 x 4. Fixez les solives fermement en place.

À GAUCHE Une courbe ajoute un élément intéressant au design. Finissez le tout avec une planche de façade courbée, ou laissez les extrémités non recouvertes pour les patios au ras du sol.

Pour fabriquer une forme, coupez des morceaux de contreplaqué de la longueur nécessaire pour couvrir la courbe du patio. Stratifiez ensuite les bandes ensemble en utilisant de la résine époxyde, en fixant des serres à la forme courbe tous les 6 pouces. Vous devrez utiliser beaucoup de serres. Recouvrez largement chaque bande avec de la résine époxyde, ou les bandes pourraient se décoller. Allouez une période de 24 heures pour que l'assemblage puisse sécher, puis sabler le tout avec une ponceuse à courroie pour obtenir une belle finition.

Il n'est pas nécessaire d'ajouter une solive centrale doublée si votre patio doit être formé de platelage s'étendant dans une seule direction.

Marquer la courbe. Pour marquer les solives en vue de la courbe, fabriquez-vous un compas à verge ou compas à ellipse. Pour les dimensions présentées ici, percez deux trous à exactement 8 pieds de distance dans une longueur de 1 x 4 de 10 pieds. Faites un trou avec une mèche de $\frac{3}{16}$ de pouce et un autre trou avec une mèche de $\frac{1}{4}$ de pouce. Pour définir le point central du rayon, enfoncez un clou dans le plus petit trou et dans le centre de la solive doublée. Placez un crayon dans l'autre trou, et faites ensuite glisser votre compas le long de son arc pour marquer le sommet de chaque solive. Ajustez la taille du compas pour convenir aux dimensions de votre patio.

Utilisez une équerre pour marquer les lignes sur les côtés des solives à partir des marques du compas, et coupez ensuite chaque solive avec une scie circulaire. À noter : ajustez la fausse équerre de la scie pour chaque coupe, question de vous assurer que la lame suivra les marques de compas au-dessus de la solive.

Planche de façade courbée. Pour fabriquer une planche de façade/une solive de rive courbée, coupez des 2 x 4 en morceaux de $\frac{5}{16}$ par $3\frac{1}{2}$ pouces avec un banc de scie. Stratifiez ensuite cinq ou six de ces bandes ensemble. Coupez les 2 x 4 à des longueurs plus grandes que celles dont vous avez besoin afin que la planche de façade ne soit pas trop courte.

Mettez les morceaux en place et fixez-les aux extrémités des solives, en enfonçant deux clous dans les bouts de chaque solive. Une fois que vous avez empilé trois de ces assemblages au-dessus les uns des autres (pour des solives de 2 x 10), vous aurez une planche de façade solide.

TRUCS ET ASTUCES

BOULONS ENCASTRÉS

Il arrive bien souvent que des étapes supplémentaires dans certaines parties du projet de patio rapportent des dividendes plus tard. Par exemple, lorsque vous boulonnez la lambourde à la charpente de la maison, fraisez

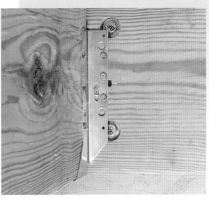

les trous afin qu'ils puissent recevoir les têtes des boulons. Ainsi, lors de l'installation des étriers à solives, les boulons ne seront pas dans les jambes.

PLATELAGE SUR UNE DALLE

Les patios de béton ont deux problèmes. Plusieurs dalles deviennent parfois si craquées qu'elles ont finalement l'air brisées, et une fois que vous réparez les craques, les réparations ressortent tellement à l'œil nu que cela donne une apparence encore plus terrible à la dalle. Vous pourriez continuer à réparer les craques ou détruire complètement la dalle avec un marteau perforateur et recommencez à zéro avec d'autre béton. Une autre solution est de recouvrir le béton craqué avec du platelage en bois. Cette approche utilise des longrines, des supports qui jouent le rôle des solives conventionnelles.

AVANTAGES AU NIVEAU DE LA CONCEPTION

Vous trouverez plusieurs avantages à cette approche. D'abord, vous n'avez pas besoin d'enlever la dalle, ce qui est un travail physiquement exigeant et qui peut faire augmenter considérablement le coût du projet. Cela est principalement dû au fait que le béton est lourd et que les coûts de transport sont généralement basés sur le poids.

Deuxièmement, même une vieille dalle dont la surface est laide peut servir de fondation pour un patio. Cela ne fait rien si la surface est rongée ou craquée parce que vous ne le verrez pas sous la nouvelle couche de bois.

Troisièmement, les planches de patio, qui sont généralement des 2 x 4 dans ce genre de projet, sont plus flexibles que le béton. Il est donc plus agréable de marcher sur du bois. Et ce dernier offre une petite élasticité qui peut absorber un peu de soulèvement saisonnier dans la dalle. Avec le béton, un mouvement même léger peut causer un fractionnement, et lorsqu'une fissure se produit, l'eau peut y entrer, geler et prendre de l'expansion en hiver, ce qui la rend encore plus large et qui fera entrer encore plus d'eau. Ainsi le cycle de détérioration continue.

Le plan de base est d'installer une bande de clouage en bois sur le béton et une surface de patio finie sur la bande de clouage. Pour empêcher la pourriture, utilisez du bois traité sous pression sur la dalle. Pour fixer les bandes de clouage, les entrepreneurs utilisent un pistolet à clou spécial qui tire une petite charge explosive permettant d'enfoncer un clou en acier trempé à travers le bois et jusque dans le béton. L'utilisation d'un de ces outils peut être dangereuse si vous n'êtes pas habitué. Ce n'est pas vraiment un outil pour les bricoleurs et vous pourriez même avoir des difficultés à trouver un détaillant qui vous en louera un. Sachez cependant que vous pouvez arriver à vos fins sans cet outil spécial, en utilisant à la place un bon vieux marteau à l'huile de coude. Le travail prendra peut-être un peu plus de temps, mais il sera plus sécuritaire. Voici comment installer, sans risque, des longrines dans une dalle de béton.

CI-DESSUS **Les patios construits au ras le sol s'intègrent facilement aux terrasses attenantes.**

CLOUER LES LONGRINES

Une fois votre disposition décidée, y compris les planches autour du périmètre et les planches de l'intérieur espacées d'environ 16 pouces centre à centre, il vous faut déterminer le matériel que vous utiliserez. Vous pourriez utiliser des bandes de clouage faites de 1 x 4, mais les 2 x 4 fournissent davantage de surface de clouage pour les planches de surface. Les bandes de clouage minces offrent suffisamment de soutien, mais se fendent trop facilement pendant que vous procédez au clouage.

Il est également sage de disposer les longrines perpendiculairement au mur principal de la maison. Cela permettra à l'eau de s'écouler loin de la maison.

Utilisez un masque de protection respiratoire en coupant du bois traité, particulièrement si vous utilisez une scie mécanique. Même au grand air, cette opération produit beaucoup de sciure de bois. (Quelques marques de bois traité plus récentes sont moins toxiques que le bois traité traditionnel.)

Portez des lunettes de sécurité en clouant. Le béton étant beaucoup plus dur que le bois, il pourrait arriver que les clous se brisent et que des morceaux de métal puissent voler dans les airs sans que vous vous y attendiez. Vous n'avez pas nécessairement besoin de lunettes de sécurité pour tous les petits travaux autour de la maison, mais voilà bien un cas où la protection des yeux est essentielle. À la différence du clouage dans le bois, où la force d'un coup mal placé fera plier un clou, il faut savoir qu'un coup mal placé sur un clou à béton peut le faire briser et ricocher de la dalle jusque dans votre visage à très grande vitesse.

Utilisez des clous en acier trempé, que l'on appelle aussi des clous coupés ou des clous à béton pour fixer les longrines. Vous constaterez que les clous communs que l'on utilise pour clouer le bois de construction se plieront plutôt que de pénétrer dans la dalle.

Soyez conscient d'un autre phénomène particulier au fait de clouer sur du béton, qui est le rebond du marteau. Le clou en acier trempé pourrait entrer en contact avec un morceau de pierre dans la dalle lors du coup de marteau, et toute la force du coup donné rebondirait alors de la tête du clou dans votre marteau. Faites l'essai de quelques clous pour avoir une idée de la sensation. Remarquez la différence entre le fait de faire pénétrer un clou librement dans le béton et la sensation éprouvée quand le clou frappe quelque chose d'immobile, ce qui vous obligera à planter votre clou à un pouce ou plus de l'endroit choisi au départ.

Avec ces avertissements en mémoire, fixez les bandes de clouage, à environ 16 pouces centre à centre sur la dalle. Faites en sorte de maintenir une distance de quelques pouces des rebords de la dalle pour éviter de voir des petits morceaux s'en détacher.

Voici encore une raison de plus d'utiliser des 2 x 4 au lieu des 1 x 4 pour votre bande de clouage.

Le platelage sur une dalle

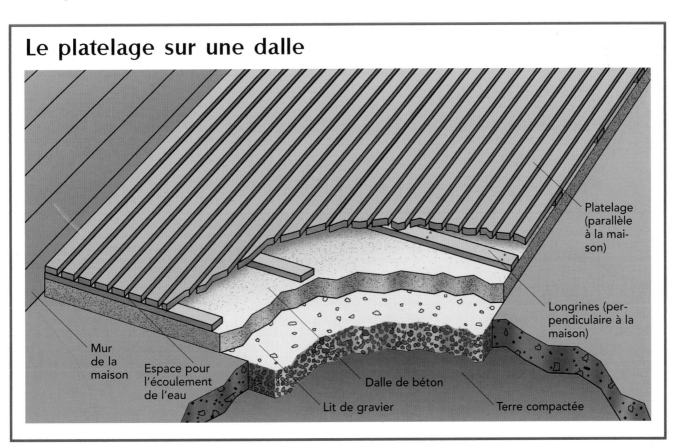

Platelage (parallèle à la maison)

Longrines (perpendiculaire à la maison)

Mur de la maison

Espace pour l'écoulement de l'eau

Dalle de béton

Lit de gravier

Terre compactée

Bien qu'il puisse vous prendre un peu plus de temps pour fixer les plus gros morceaux de bois (et vous coûter un peu plus cher), vous pourrez niveler certaines irrégularités de la dalle. Alors que des planches plus minces se surélèveraient sur des bosses ou s'enfonceraient dans les creux pendant le clouage, les 2 x 4 en bois traité demeureront intacts la plupart du temps.

Si vous avez quelques creux importants dans la dalle, clouez les longrines aux endroits surélevés et insérez des flipots (des pièces de bois traité sous pression biseautées ou des bardeaux de cèdre), afin de maintenir les 2 x 4 au niveau alors qu'ils s'étendent par-dessus les creux.

Platelage sur un toit

- Espace pour l'écoulement de l'eau
- Panneau de recouvrement dissimulé
- Planches de patio
- Section du panneau
- Revêtement de couverture
- Longrine
- Planches superposées
- Panneau amovible
- Travée d'écoulement de l'eau

DÉTAIL DE LA FIXATION

- Longrine
- Planche de patio
- Vis (laiton ou acier inoxydable)

- Planche recouverte
- Longrine

RECOUVREMENT À DEUX PLANCHES

PLANIFICATION DE LA SURFACE DU PATIO

Voici maintenant la portion agréable du travail, soit l'installation du platelage. Étant donné que le platelage de surface en 2 x 4 (ou en 2 x 6 si vous préférez) ne sera pas assise directement sur le béton, l'air pourra circuler autour du bois. Cela signifie que vous n'êtes pas obligé d'utiliser du bois traité sous pression, bien que les planches de bois traité dureront probablement plus longtemps que les planches de sapin, de séquoia ou de cèdre exposées aux éléments.

Certaines personnes n'aiment pas l'apparence de bois qui a subi un traitement chimique. La plupart des produits traités perdront leur apparence originale avec le temps, tandis que d'autres la conserveront. Vous pouvez utiliser des planches de bois traité et les recouvrir d'une teinture à bois semi-transparente pour faire disparaître la teinte, ou utiliser du bois de construction standard et appliquer un apprêt résistant à l'eau pour le protéger du bois.

CLOUER LE PATIO

Afin que la surface ait une apparence vraiment agréable, soyez minutieux en ce qui concerne l'espace laissé entre les planches pour l'écoulement des eaux et avec le positionnement des clous des planches de surface qui rejoindront les longrines. Un bon vieux truc fiable est d'utiliser la tête d'un clou commun comme séparateur entre les planches. Vous pourriez aussi utiliser n'importe quel séparateur pratique qui vous offrira un dégagement de ⅛ de pouce pour commencer. (Certains produits se contractent de façon considérable. Vérifiez les fiches techniques des produits ou informez-vous auprès du fabricant pour des instructions de clouage spécifiques.)

Chaque 2 x 4 ou 2 x 6 de surface devrait recevoir deux clous. Choisissez un clou commun galvanisé qui traversera les planches du patio et qui s'enfoncera presque jusqu'au bout dans les longrines sans pénétrer dans le béton.

PLATELAGE SUR UN TOIT

Il y a un autre endroit plus exotique où les longrines prennent la place des solives conventionnelles. C'est sur un toit plat ou ayant une très faible inclinaison. Si vous n'avez pas une si belle vue dans votre cour arrière, pourquoi construire un patio au niveau du sol quand vous pourriez bénéficier d'un perchoir sur le toit? Ce n'est pas une idée géniale pour les maisons d'inspiration victorienne avec des tourelles ou d'autres avec des toits fortement inclinés, mais la plupart des toits plats ou très faiblement inclinés peuvent être recouverts d'une plate-forme en bois qui est plus durable et plus invitante que de l'asphalte.

La première préoccupation est, bien évidemment, la sécurité. Vous pourriez construire ou louer un échafaudage et travailler à partir

CI-DESSUS Les patios de toit donnent des points de vue et une intimité que les patios au niveau du sol ne peuvent pas offrir. On voit ici une lucarne qui a été remplacée par des portes-fenêtres pour relier le patio à chambre à coucher.

du bord du toit, mais il est généralement plus facile (et plus sécuritaire) d'apporter vos matériaux et vos outils sur le toit depuis l'intérieur de la maison. Cela nous mène à la première étape de la plupart des projets de patio sur un toit, c'est-à-dire la construction d'une ouverture et l'installation d'une porte.

Emplacement de la porte. Plusieurs facteurs peuvent influencer l'emplacement de la porte. Vous voulez une ouverture qui donne un accès facile au garage ou au toit du premier étage à partir d'une chambre ou d'un corridor, mais vous voulez aussi pratiquer cette ouverture dans un mur libre de tuyaux, de fils et de conduits. Le fait de devoir relocaliser ces systèmes mécaniques peut rendre l'installation d'une porte directe beaucoup plus compliquée. Bien souvent, une approche plus pratique sera de remplacer une fenêtre par une porte.

La hauteur de la porte est une autre difficulté. La plupart des portes ont une hauteur de moins de 7 pieds, ce qui ne cause pas de problème avec les murs standards de 8 pieds de hauteur. Mais la hauteur du plancher à l'intérieur est habituellement trop près du niveau du toit à l'extérieur, ce qui crée un recouvrement sujet aux fuites d'eau qu'il est presque impossible de parer avec un solin. Alors plutôt que de couper l'ouverture à la hauteur du sol, les portes donnant accès aux toits sont généralement installées sur un rebord, qui est simplement une section du mur de la maison que vous ne retirez pas. Les détails de la construction varieront en fonction du type de toit et de la façon dont il rejoint le mur de la maison. Mais si un rebord bien protégé par un solin en vient à produire une marche peu commode,

il faudra alors construire un palier à l'intérieur et à l'extérieur de la porte.

Le système de patio destiné à un toit le plus pratique est une série de panneaux inter-raccordables, portant le nom de planches à tasseaux, qui mesurent 4 ou 5 pieds carrés. Les sections de la plate-forme ont des planches à environ un pied d'écart qui reposent sur le toit (les longrines qui jouent le rôle des solives), et une couche supérieure de planches ayant peu d'espace entre elles et qui sont vissées à angle droit aux supports du dessous. Afin d'éviter que vos fixations ne perforent votre toit, nous vous conseillons d'utiliser des vis de laiton ou d'acier inoxydable au-dessous des bandes de clouage jusque dans les planches de surface. (Voir illustration à la page opposée.)

Vérifier les codes du bâtiment. Même les panneaux bien construits seront un peu branlants en comparaison des patios au niveau du sol qui bénéficient de rangées de 2 x 4 cloués ou vissés dans de larges solives. Les panneaux de toit doivent être assez solides pour empêcher la circulation à pied et les pattes de chaises d'endommager le toit, mais assez légers pour qu'on puisse facilement les retirer.

Vérifiez les codes du bâtiment de votre municipalité pour tous les détails concernant ce genre de projet de patio. Tous les patios de toit doivent comporter une balustrade. Assurez-vous de respecter les règlements à propos de la hauteur des balustrades et de l'espace entre les balustres qui entourent l'espace réservé au patio.

LE

PLATELAGE

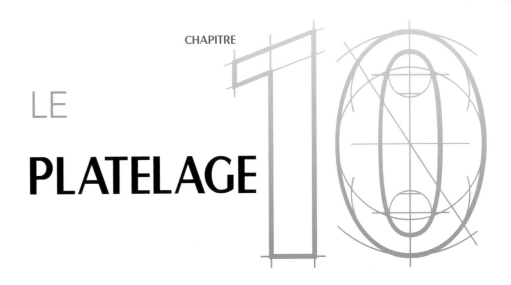

Voici enfin venu l'un des aspects les plus gratifiants de la construction d'un patio : la pose du platelage. Cet élément de votre projet est celui qui retiendra le plus l'attention. Aussi, allez-y minutieusement. Assurez-vous que l'espacement entre les planches soit égal. Si vous montez un tablier fabriqué de matériaux composites, prenez soin de bien suivre les consignes du fabricant.

LIMITES DE PORTÉE RECOMMANDÉES POUR PLATELAGE

5/4 x 6 Pin du sud ou sapin de Douglas, planches droites	16"
5/4 x 6 Pin du sud ou sapin de Douglas, planches diagonales	12"
5/4 x 6 Séquoia ou cèdre, planches droites	16"
5/4 x 6 Séquoia ou cèdre, planches diagonales	12"
2 x 4 ou 2 x 6 Pin du sud ou sapin de Douglas, planches droites	24"
2 x 4 Pin du sud ou sapin de Douglas, planches diagonales	16"
2 x 6 Pin du sud ou sapin de Douglas, planches diagonales	24"
2 x 4 Séquoia ou cèdre, planches droites	16"
2 x 4 ou 2 x 6 Séquoia ou cèdre, planches diagonales	16"
2 x 6 Séquoia ou cèdre, planches droites	24"

À noter : *vérifiez auprès du service d'inspection des bâtiments de votre localité les limites de portées requises entre les éléments de soutènement ainsi que les normes pour la qualité du bois.*

TRUCS ET ASTUCES

SENS DESSUS DESSOUS ?

De manière générale, les pièces du platelage sont toujours posées avec le côté de l'écorce placé sur le dessus. Le côté de l'écorce est le côté de la planche qui faisait face au périmètre extérieur de l'arbre. Puisque les arbres sont de forme ronde, la logique sous-entend que le grain du côté de l'écorce, avec sa forme convexe, faciliterait l'écoulement de l'eau sur sa surface.

À première vue, ce raisonnement semble avoir du sens : si le côté sec ou opposé à l'écorce devient mouillé, il emprisonnera l'eau. Mais cette analyse ne tient pas la route.

Premièrement, si vous posez des planches humides ou à l'état vert, elles rétréciront en séchant. De plus, une planche à l'état vert assemblée avec le côté de l'écorce vers le haut risque de se voiler en forme de U, emprisonnant de ce fait l'eau sur sa surface.

Deuxièmement, si vous utilisez du bois de bonne qualité, surtout le cèdre, le séquoia ou le sapin de Douglas, vous diminuez grandement la possibilité de voilement. Même un léger voilement ne serait

pas un problème puisque le grain de l'embout n'est pas exposé aux intempéries. À moins d'utiliser du bois traité qui soit très sec ou très humide, choisissez tout simplement le côté qui vous semble le plus esthétique.

PROPOSITIONS DE PLATELAGES

La pose du platelage est la partie la plus gratifiante de la construction d'un patio. C'est une tâche qui peut s'effectuer assez rapidement car à ce stade-ci, une bonne partie des travaux est complétée. Avec un aide ou deux, vous pouvez recouvrir l'ossature d'un patio en une seule journée même si les planches sont disposées en diagonale ou si certains éléments de finition sont requis sur le contour de la structure.

Par exemple, ces détails esthétiques peuvent inclure l'habillage du fil d'extrémité rugueux du platelage à l'aide d'une moulure ou encore, la pose de planches de façade pour recouvrir les poutres ou les solives peu attrayantes. Ou encore, l'installation d'un treillis décoratif pour dissimuler le dessous du patio et harmoniser la structure avec la cour.

À ce stade-ci de votre projet, vous avez sans doute hâte de terminer. Prenez tout de même le temps d'espacer soigneusement les planches de votre platelage. Assurez-vous également d'enfoncer vos clous ou vos vis de la même manière (au même endroit sur chaque planche) sur toute la surface. Bien entendu, vous devriez aussi prendre le temps de bien examiner les pièces de bois : laissez de côté celles qui sont trop gauchies, fendillées ou marquées par d'autres défauts ; puis posez-les avec leur plus belle surface tournée vers le haut.

PRÉVOIR LES BALUSTRADES

Avant de monter votre tablier, assurez-vous que les planches ne nuiront pas à l'installation des balustrades une fois posées. Dans la plupart des cas, vous pouvez assembler les balustrades après la pose du platelage même si vous devez entailler la partie extérieure de la pièce. Si le platelage

LE PLATELAGE

surplombe l'ossature, vous aurez besoin d'y pratiquer des entailles afin que les poteaux des balustrades affleurent la solive. Mais pour d'autres modèles comme ceux qui comportent des banquettes encastrées, vous devez installer vos poteaux ou vos autres éléments de soutien avant le plancher du patio. Une autre approche est également possible : posez d'abord les poteaux, puis entaillez les pièces du platelage autour de ceux-ci au fur et à mesure que vous progressez.

N'oubliez pas de considérer l'emplacement des planches de façade et des panneaux décoratifs. Puisque ces éléments sont habituellement cloués à la solive extérieure ou à la solive de rive, les planches du platelage auront besoin de surplomber suffisamment le tablier pour en dissimuler la partie supérieure.

Avant d'assembler le tablier aux solives, vous devez tenir compte de plusieurs facteurs. Bien entendu, certaines options sont d'ores et déjà exclues. Vous devez adapter la disposition du bois de platelage à l'espacement entre les solives. Pour la plupart des patios, cette portée est de 16 pouce de centre à centre. Mais plusieurs autres éléments restent encore à déterminer. Vous devez choisir une espèce de bois, sa largeur et son épaisseur, le motif du platelage, le système de fixation utilisé et dans certains cas, où et comment seront assemblées les planches de façade et les panneaux décoratifs.

LES TYPES DE BOIS

De nos jours, le bois traité constitue le choix le plus populaire pour la pose d'un platelage. Mais plusieurs personnes ont recours à du bois d'œuvre de type sapin de Douglas ou à une espèce à la qualité de finition supérieure comme le cèdre ou le séquoia. Le cèdre et le séquoia sont plus attrayants et ont moins tendance à fendre. Par contre, ils sont plus coûteux et ils risquent

LES OPTIONS : MOTIFS DE PLATELAGE

45 DEGRÉS (EN DIAGONALE)

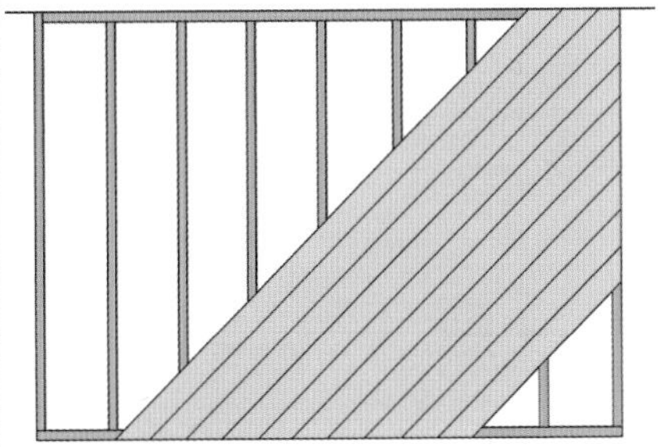

EN V

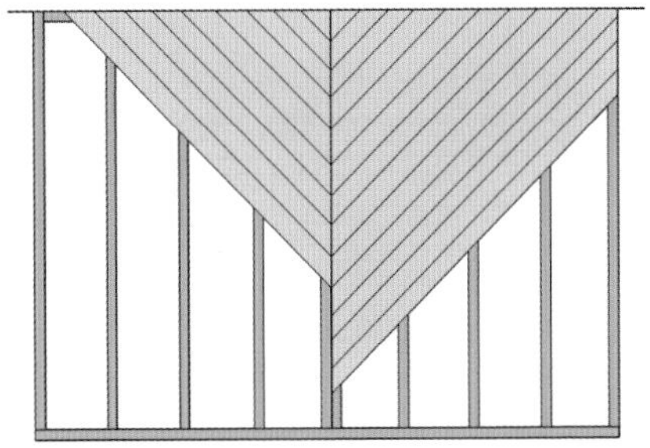

EN VOLIGE À BÂTONS ROMPUS

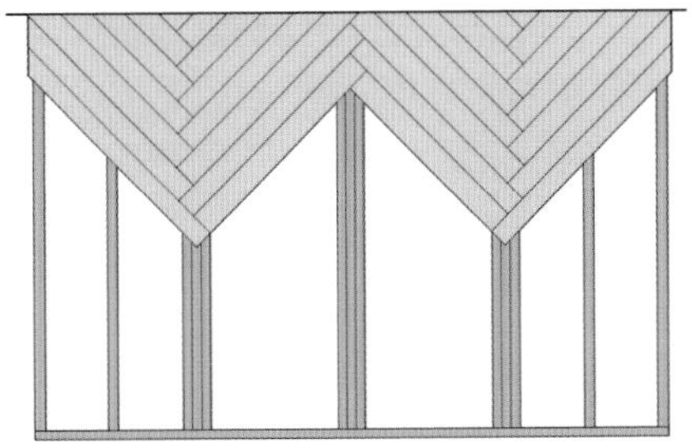

EN POINTE DE DIAMANT

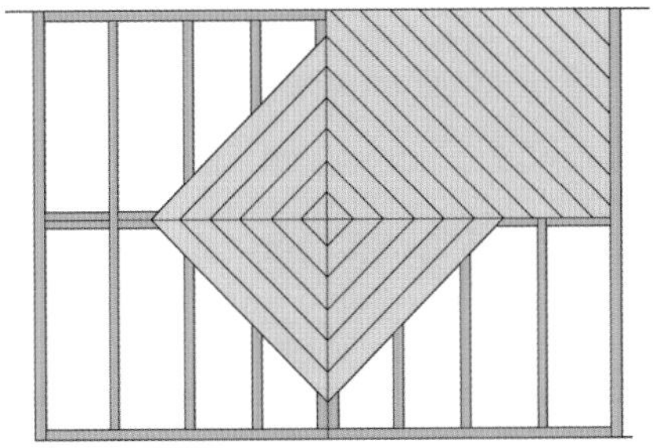

POSE À BÂTONS ROMPUS

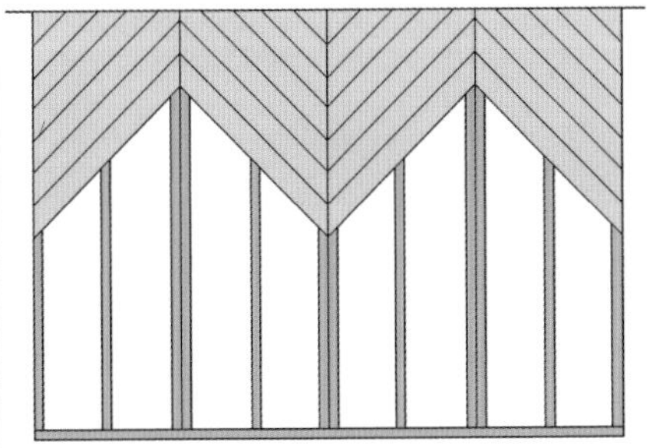

EN PARQUET

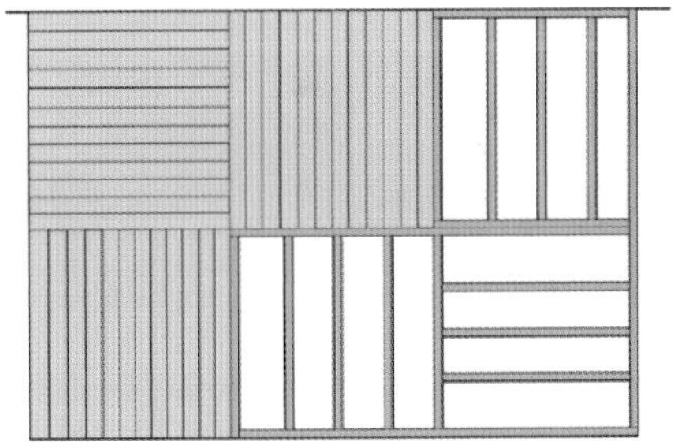

PÉRIMÈTRE COUPÉ

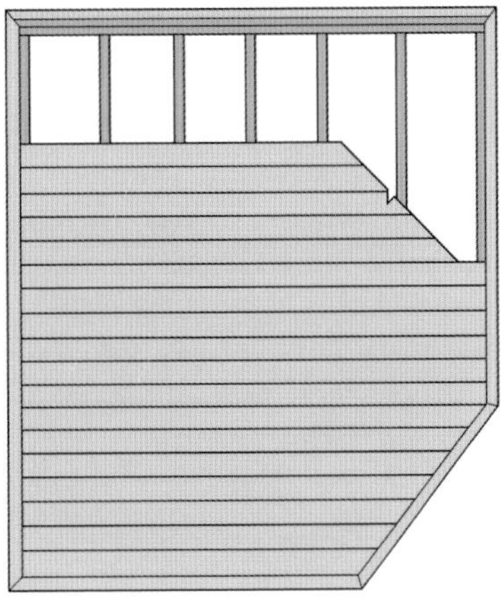

LARGEUR DES PIÈCES EN ALTERNANCE

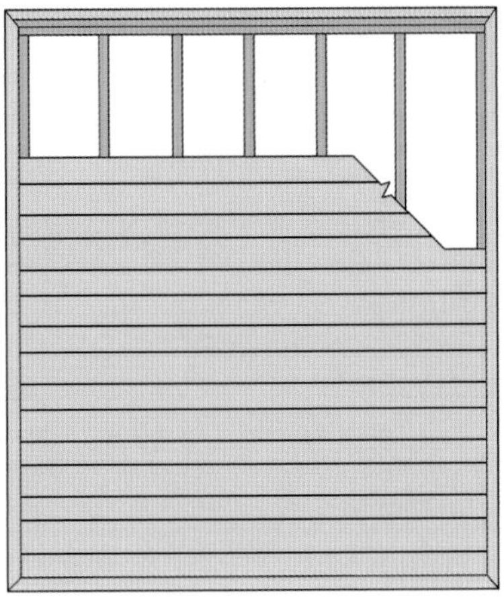

L'INSTALLATION DES PLANCHES DU PLATELAGE

OUTILS ET MATÉRIAUX
- Platelage
- Crayon de menuisier
- Rebut de panneau de contreplaqué
- Cordeau
- Ruban à mesurer
- Clous

Prenez la mesure du tablier en tenant compte de la largeur des planches et de l'espacement, si cela s'applique.

1 Appuyez un morceau de contreplaqué d'une épaisseur de ½ pouce contre la maison. Placez la première pièce du plancher. À l'aide d'un cordeau traceur, marquez la position.

2 En vous servant d'un rebut de platelage comme gabarit, assurez-vous qu'il reste un espace entre la première pièce et la maison.

3 Placez les planches et, si nécessaire, les clous d'espacement. La dernière pièce devrait surplomber l'ossature.

davantage de se détériorer dans un climat chaud et humide. N'oubliez pas que toutes les espèces de bois s'affadissent après quelques saisons d'exposition aux intempéries.

LA DIMENSION DU BOIS

Autant le bois de dimension 2 x 4 que celui de 2 x 6 donnent un bel aspect à votre patio. Les deux types de bois se travaillent bien. (Les matériaux de ⁵⁄₄ sont plus minces et servent surtout pour les vérandas.) À moins de vouloir créer un effet particulier à un certain endroit, n'utilisez pas des planches plus larges. Plus la pièce est large, plus elle se déformera sous l'effet de l'expansion et de la rétraction.

En général, le bois de dimension 2 x 6 couvre une plus grande superficie. Il accélère donc la pose du platelage. Il gauchit moins que les pièces de 2 x 4,

souvent taillés à partir de petits arbres moins matures. Un nœud situé sur un 2 x 4 peut vous empêcher d'enfoncer un clou alors que la largeur d'un 2 x 6 vous offre assez de jeu pour le contourner.

LES MOTIFS

Le meilleur choix de motif pour un tablier est souvent celui où les planches sont posées parallèlement au mur le plus long de la maison. Des planches droites assemblées d'équerre aux solives sont également les plus simples à installer. Plusieurs options de motifs s'offrent à vous. Pour certains d'entre eux par contre, vous aurez à consolider l'ossature. Ces motifs nécessitent aussi davantage de coupes et d'avant-trous à percer. Si le modèle de votre choix est composé de plusieurs pièces en angle ou de planches de diverses dimensions, attendez-vous à accumuler beaucoup de chutes. Certains chevrons et parquets requièrent moins de coupe en angle. Mais n'oubliez pas que la bordure de ces modèles de platelage est parfois irrégulière autour du tablier. Cela pourrait laisser l'impression que l'ensemble du motif est inachevé. Si votre patio est construit sur plusieurs niveaux, vous pouvez créer un contraste en changeant l'angle de la pose à chacun des niveaux.

LES SYSTÈMES DE FIXATION

Les clous 16d ont une meilleure emprise mais la plupart des menuisiers s'en servent seulement pour les poutres. Pour assembler des planches de platelage, ils utilisent surtout des clous communs 10d ou 12d en acier galvanisé. Il existe aussi des clous à tige annelée ou filetée pour patios. Mais pour un meilleur pouvoir d'emprise, rien ne peut équivaloir les vis. Une fois que vous maîtrisez l'art d'utiliser une perceuse électrique, les planches se posent rapidement. Et si vous faites une erreur, rien n'est plus facile que de dévisser une vis. Vous pourriez aussi envisager des fixations (dont plusieurs types sont disponibles) dites cachées, qui s'assemblent sous les planches du tablier. Ces fixations discrètes confèrent à votre patio un aspect propre et une surface exempte de têtes de clous ou de vis.

PLANCHES DE FAÇADE ET PANNEAUX

Les planches de façade et les panneaux décoratifs s'insèrent sous le platelage qui surplombe les solives extérieures. Cette technique d'assemblage est simple et ne requiert aucune expertise particulière en menuiserie. De plus, ces pièces résistent à la pourriture, car l'eau ne peut jamais se retrouver emprisonnée sur le fil d'extrémité.

CI-DESSUS La plupart des platelages de patios sont posés en parallèle avec le mur de la maison. Mais en disposant plutôt les planches de votre tablier en angle, vous pouvez ajouter une touche intéressante à son design.

LES OPTIONS DU BRICOLEUR : LA BORDURE DU TABLIER

Peu importe le type de planches que vous choisissez, seulement trois méthodes d'assemblage en bordure de tablier s'offrent à vous : vous pouvez les affleurer à la bordure, les emboîter au pourtour avec une planche de façade ou les laisser surplomber d'un pouce ou deux au-delà des solives. Vous avez sans doute vos raisons pour choisir un type d'assemblage plutôt qu'un autre. Mais pour construire un patio durable, vous devriez envisager de faire surplomber les planches au-dessus de votre tablier. Cette disposition permet à l'eau de s'évacuer et laisse aussi moins de fissures exposées dans lesquelles l'eau pourrait s'accumuler, favorisant ainsi la pourriture.

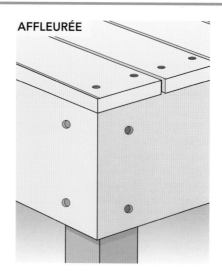

AFFLEURÉE

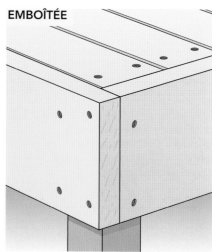

EMBOÎTÉE

L'ESPACEMENT DU PLATELAGE

L'ESPACEMENT DU PLATELAGE
- Clous communs
- Cordeau
- Platelage
- Ruban à mesurer
- Fixations

L'espacement requis entre les planches varie selon les matériaux utilisés. Certains platelages seront espacés de la même manière que démontré ci-contre, alors que d'autres ne nécessitent aucun espacement d'une pièce à l'autre.

1 Pour le bois séché au four, utilisez un clou commun comme cale d'espacement. Placez la planche, puis enlevez le clou.

2 Tendez un cordeau d'une extrémité à l'autre du tablier. Vérifiez la planitude de vos planches.

3 Prenez régulièrement vos mesures à partir de la lambourde pour vous assurer que vos planches soient posées d'équerre avec l'ossature.

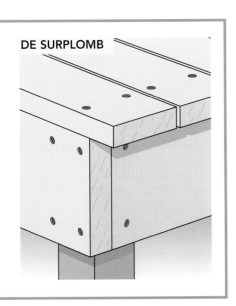

DE SURPLOMB

À DROITE Les platelages en matériaux composites ne possèdent pas toujours le véritable aspect du bois. La plupart requièrent une technique d'assemblage spécifique au modèle choisi.

Vous pourriez aussi affleurer le platelage aux solives et recouvrir la surface des solives et l'embout du tablier avec des planches de façade. Assurez-vous d'utiliser du bois de bonne qualité qui ne gauchira pas ou ne rétrécira pas avec le temps. Ce type d'assemblage exige des lignes de coupe bien droites. Et encore là, de l'eau pourrait toujours s'emprisonner dans l'espace situé entre les embouts du platelage et la planche de façade, et favoriser la pourriture.

LE MATÉRIEL REQUIS

Pour l'achat des matériaux, vous pourriez tout simplement calculer la superficie de votre patio en pieds carrés et ajouter 15 pour cent de pièces supplémentaires pour compenser pour les chutes. Et votre centre de rénovation vous en serait très reconnaissant, car il pourrait ainsi se départir d'une partie de son surplus d'inventaire. Aussi, pour limiter vos dépenses et le temps d'assemblage consacré aux joints d'about, prenez le temps de dessiner un plan de votre tablier répartissant toutes les pièces requises. Vous pourrez ensuite déterminer les longueurs les plus appropriées pour votre projet et réduire les rebuts.

Pour les planches coupées à l'équerre, considérez la largeur de votre patio. Puis calculez combien de planches de platelage seront requises ou de rangées de planches de platelage, si la longueur de votre patio est supérieure à celle de la planche la plus longue que vous pouvez acheter. Divisez la longueur totale de votre patio par 5,6 (pour le platelage de dimension 2 x 6 ou $\frac{5}{4}$ x 6) ou 3,6 (pour le platelage de dimension 2 x 4). Ce nombre diviseur accorde un espace d'environ $\frac{1}{10}$ de pouce entre les pièces. Lorsque vous saurez combien de planches sont requises, assurez-vous de commander les longueurs appropriées afin d'économiser.

Il est plus difficile d'arriver à une estimation juste pour le platelage posé en diagonale. Calculez la quantité requise de pieds linéaires. Puis divisez la superficie en pieds carrés de votre patio par 0,47 pour le platelage 2 x 6 ou par 0,3 pour le platelage 2 x 4. Allouez un surplus de matériaux de 5 à 10 pour cent de matériaux pour compenser pour les pertes. Vous aurez alors une bonne idée de la quantité à commander. Consultez maintenant votre plan et rationalisez du mieux que vous le pouvez la longueur des planches à acheter.

Il est parfois possible de limiter le nombre de joints d'abouts en vous procurant des pièces de platelage particulièrement longues – de 18 pieds ou plus. Même si elles sont plus onéreuses par pied linéaire, elles en valent la peine: vous aurez moins de joints d'abouts qui favorisent, à la longue, le pourrissement. De plus, la pose de votre platelage sera plus simple et plus efficace. Répartissez les joints d'about sur plus d'une solive. Il est toujours plus esthétique de les séparer d'une distance d'au moins deux solives les uns par rapport aux autres.

TRUCS ET ASTUCES

REDRESSER LES PLANCHES

Pour corriger le voilement d'une planche vous pouvez vous servir d'un outil spécialisé tel le « Bowrench », qui redresse les planches en se donnant un point d'appui sur la solive de soutènement. Vous pouvez aussi insérer l'extrémité plate d'un levier contre la solive afin de soulever la pièce vers vous.

LA POSE DU PLATELAGE

Avant de commencer à clouer, prenez le temps de bien assortir vos pièces. Coupez les embouts qui seront jointés à l'équerre puis appliquez un scellant sur le fil d'extrémité. Placez la première planche le long de la maison. La position précise de cette pièce est importante car elle détermine le point de départ de toutes les suivantes. Vous pouvez ensuite poser le platelage en gardant le même espacement entre les clous afin que le motif soit uniforme sur toute la surface. Enfin, taillez les extrémités puis ajoutez les touches de finition: les planches de façade, les panneaux décoratifs et les moulures pour dissimuler le fil d'extrémité.

LA PRÉPARATION DES PLANCHES

Triez les meilleures pièces parmi votre lot de bois. Pour chaque planche, déterminez quelle surface ira vers le haut. Laissez de côté les planches fendillées, gauchies ou avec d'autres défauts. Empilez votre bois selon la longueur des pièces de manière à les retracer facilement quand vous en aurez besoin.

Si la longueur de vos planches vous le permet, laissez-les en surplomb de la solive extérieure. Vous les taillerez plus tard. Si vous savez qu'une pièce servira de joint d'about, vous pouvez effectuer les coupes d'avance ou les faire au fur et à mesure afin de vous assurer de leur position exacte. La plupart des menuisiers procèdent ainsi. Tailler les joints d'about d'avance peut sembler une bonne idée mais si vos mesures de centre à centre sont le moindrement erronées, vous aurez des ennuis. L'extrémité des deux pièces aboutées doit se rejoindre au centre de la solive. Or, celle-ci ne fait que 1 ½ pouce de large.

À moins d'utiliser du bois traité, gardez-vous un contenant de scellant à portée de la main pour en appliquer une couche aux fils d'extrémités fraîchement coupés.

Avant d'entreprendre la pose du platelage, déposez une dizaine de planches à l'endroit prévu sur l'ossature. Vous pourrez dès lors répartir les joints d'abouts parmi les pièces du tablier et faire avancer vos travaux plus vite. Cela vous fera aussi une surface provisoire pour vos déplacements.

LA PLANCHE INITIALE

Le platelage parallèle. Si le platelage est parallèle à la maison, choisissez une planche bien droite. Coupez-la de manière à ce qu'elle surplombe quelque peu les côtés du tablier. À partir de chacune des extrémités de la pièce, marquez la distance entre la maison et la largeur de la planche, en prévoyant un espace de drainage de ¼ de pouce. Faites claquer un cordeau à tracer d'une marque à l'autre, ou tendez un cordeau entre les deux marques. À l'aide d'un rebut de platelage placé à divers endroits le long du mur, assurez-vous que vous avez suffisamment d'espace. (Voir «L'installation des planches du platelage», page 202.) Si le mur de votre maison est arqué vers l'intérieur ou l'extérieur, ajustez l'espace de drainage en conséquence. N'allez pas commettre l'erreur de gauchir la planche pour qu'elle épouse mieux le mur. Vous voulez que les planches de votre platelage soient posées bien droites. Vous devriez suivre les mêmes consignes pour le platelage abouté contre la maison.

Diagonales. Si vous assemblez un tablier en diagonale, ne commencez pas par placer une petite pièce dans l'un des coins. Commencez plutôt par prendre une planche droite d'une longueur d'au moins 6 pieds et alignez-la à un angle de 45° degrés exactement à

LA POSE DU PLATELAGE

OUTILS ET MATÉRIAUX

- Platelage
- Cordeau à tracer
- Ruban à mesurer
- Clous
- Marteau

Même si le mur de votre maison est arqué vers l'intérieur ou vers l'extérieur, votre première planche devrait être bien droite. Si la courbe est trop accentuée, vous pouvez prendre une planche plus large et la refendre en conséquence, de manière à dissimuler les défauts.

1 Le platelage devrait surplomber la solive extérieure et la planche de façade (ou le panneau décoratif) de 1 à 2 pouces.

2 Placez la première planche le long de la ligne préalablement tracée au cordeau. Laissez un espace entre la pièce et la maison.

3 Pour donner un aspect professionnel à votre assemblage, espacez vos clous de manière équidistante. Servez-vous de la tige annelée du clou pour déterminer l'emplacement de votre clou sur la planche.

4 Enfoncez vos clous à un pouce du chant. Si vous devez arracher un clou, protéger la surface de votre patio avec un rebut de bois.

5 Disposez de 10 à 12 rangées de pièces à la fois sur le tablier. Vous pourrez ainsi mieux répartir les joints d'abouts sur plusieurs rangées.

COUPER LA BORDURE

OUTILS ET MATÉRIAUX
■ Ruban à mesurer
■ Crayon
■ Cordeau à tracer
■ Scie circulaire
■ Scie à tronçonner

Pour obtenir une coupe uniforme le long de la bordure du patio, assurez-vous que la lame de votre scie soit bien affûtée. Ajustez la profondeur de coupe de manière à ce que la lame traverse à peine l'épaisseur des planches du patio.

1 Les planches devraient surplomber la solive de bordure et la planche de façade d'environ 1 pouce.

2 À l'aide d'un cordeau à tracer tendu d'une extrémité à l'autre du tablier, marquez votre ligne de coupe.

3 Menez votre scie le long de la ligne de coupe en vous assurant de laisser la semelle bien à plat sur la surface.

mi-chemin entre les deux coins opposés. Avant de l'assembler, prenez la mesure du centre de la planche jusqu'au coin. Puis à l'aide d'un rebut de platelage, vérifier l'emplacement des autres planches. Cela vous évitera d'arriver au coin avec seulement de l'espace pour une petite pièce.

Les parquets. Il est plus difficile de poser du platelage dont les planches se dirigent vers deux directions à la fois. À l'aide de semences, assemblez provisoirement un minimum de quatre planches en place. Mesurez avec soin pour vous assurer de la bonne disposition du platelage. Puis enfoncez les vis ou les clous. Pour les motifs plus compliqués, vous voudrez peut-être placer toutes les pièces avec leur cales d'espacement. Vous aurez ainsi une vue d'ensemble du tablier avant de procéder à l'assemblage.

En volige à bâtons rompus. Avec un motif en volige à bâtons rompus (chevrons), vous devez tenir compte

des coupes répétées. Pour un modèle de ce type, il est habituellement plus esthétique de placer des planches entières au centre du patio et de disposer les autres en fonction de leur longueur décroissante, de manière à ce qu'elles aboutissent en bordure du tablier.

ASSEMBLER LE PLATELAGE
Si vous clouez à l'aide d'un marteau, votre bras sera sans doute fatigué au bout de quelques heures. À défaut d'utiliser un marteau cloueur, vous ne pouvez pas y faire grand-chose. La plupart de vos travaux s'effectueront alors que vous êtes à genoux. Afin de vous faciliter la tâche, vous devriez envisager l'achat de genouillères.

Placer et couper les planches. Au moment de placer chacune de vos planches, assurez-vous que les extrémités surplombent le tablier. Elles doivent dépasser d'assez loin pour recouvrir encore les planches de façade ou les panneaux décoratifs une fois qu'elles auront été coupées d'équerre. Pour les motifs en diagonale, en volet ou en volige à bâtons rompus, vous devez mesurer et couper certaines de vos planches à mesure que vous progressez. Quand cela est possible, maintenez les pièces en place afin de les marquer.

Vous voudrez peut-être couper quelques planches situées près de la maison de la bonne longueur. Si vous utilisez une scie circulaire, approchez-vous le plus possible de la maison avec votre outil, puis complétez la coupe à l'aide d'une scie à tronçonner.

Enfoncer les clous et les vis. Vous pouvez assembler vos planches au fur et à mesure que vous les posez, à la manière des professionnels. Ou encore, enfoncer seulement quelques fixations pour tenir les planches en place et revenir compléter l'assemblage plus tard. Cette méthode peut être avantageuse si vous faites des erreurs. Mais il n'est pas difficile de choisir la meilleure surface d'une planche au moment même de l'installer et de vous occuper de l'espacement et de l'assemblage en une seule étape. (Voir « La pose du platelage », page 207.)

Utilisez des clous en guise de cale d'espacement. Si votre bois est sec, choisissez un clou 16d à la tige épaisse ; ou si votre bois est encore humide, un clou 8d à la tige plus mince. Vous n'avez simplement qu'à placer le clou d'espacement contre la rive de la dernière planche assemblée puis à l'insérer de manière à tenir la prochaine planche en place tandis que vous la clouez. Vous devriez ensuite pouvoir facilement retirer le clou d'espacement pour le placer entre les deux planches suivantes.

Enfoncez deux clous à tous les points d'intersection de la planche et des solives à une distance d'à peu près ¾ ou 1 pouce des deux rives. D'aucuns préfèrent enfoncer leurs clous de biais, l'un légèrement en face de l'autre. Cela vous permet d'accroître leur pouvoir d'emprise. Mais si vous tenez à augmenter l'emprise de vos fixations, vous devriez utiliser des vis ou des clous munis d'une plus grosse tige au lieu de risquer de les enfoncer incorrectement.

Les professionnels enfoncent habituellement leurs clous ou leurs vis à angle droit de manière à ce que la tête affleure la surface. Une tête enfoncée de biais peut endommager une partie du bois et créer une cavité qui emprisonne l'eau. De plus, il est difficile d'enfoncer un clou obliquement sans laisser de marques sur la surface.

Bien entendu, vous ne voulez pas abîmer les planches du platelage avec une série de coups de marteau manqués. Mais la pose du tablier n'exige pas la même touche qu'un travail de finition. Enfoncez les clous avec force et assurez-vous que le dernier coup asséné affleure la tête du clou à la surface. N'y allez pas avec modération en vous servant d'un chasse-clou pour finaliser l'opération, sinon vous passerez un temps fou agenouillé sur votre tablier.

LES OPTIONS : LE PLATELAGE EN MATÉRIAUX COMPOSITES

Les platelages en matériaux composites et autres produits de fabrication industrielle possèdent leur propre technique d'assemblage. Les produits ci-dessous sont conçus avec un système d'assemblage à rainure et à languette.

La plupart des produits de fabrication industrielle requièrent des poteaux, des poutres et des solives en bois. Coupez les matériaux avec une scie circulaire ou une scie sauteuse.

Avant d'assembler ce système de platelage à rainure et à languette, vous devez d'abord poser une bande de départ sur la bordure intérieure du patio. Fixez la bande avec des vis en acier inoxydable.

Insérez la languette de la première planche dans la rainure en appliquant seulement de la pression avec votre main. À l'aide d'une fixation pour patio, assemblez le côté rainuré de la planche.

TRUCS ET ASTUCES

LE PANNEAU D'ACCÈS

En aménageant un panneau d'accès à votre tablier, vous créez un espace de rangement facilement accessible sous votre patio. Le panneau peut avoir la largeur d'une seule travée, ou même deux. Si vous taillez un plus grand panneau d'accès, n'enlevez pas la solive située au centre du tablier car elle jouera un rôle de soutènement important.

1. Assemblez des pièces de dimension nominale « un sur » au platelage. Ces pièces devraient dépasser la longueur prévue du panneau d'accès de l'équivalent d'une planche, à chacune de ses extrémités. Enlevez les clous de la surface. Pratiquez une coupe en plongée parallèle aux petites planches épaisses d'un pouce. Celles-ci empêcheront les pièces coupées de tomber sous la surface du platelage.

2. À l'aide de vis pour patios, assemblez deux pièces de renforcement de dimension de 2 x 6 sous le panneau. Décalez légèrement les pièces de renforcement de la bordure du panneau. Retirez les planches de soutien provisoires.

3. Percez des trous pour pouvoir agripper le panneau. Assurez-vous que le panneau s'emboîte bien au tablier. Pour supporter le panneau à l'avant et à l'arrière de l'ouverture, installez des chutes de solive affleurées aux solives déjà en place. Puis le long des solives de côté, posez des montants de dimension 2 x 4 affleurés aux dessus des solives.

Il n'est pas très difficile de garder vos clous espacés de manière égale le long des planches et en ligne droite d'une planche à l'autre à des fins strictement esthétiques. À l'aide d'un cordeau à tracer, vous pouvez marquer un repère, tracer une ligne au crayon ou tout simplement vous aligner à l'œil nu sur les clous déjà enfoncés.

Les avant-trous pour prévenir le fendillement. Même si vous utilisez des vis, assurez-vous de percer des avant-trous aux extrémités de toutes les planches du platelage afin de limiter le fendillement. Les vis ont moins tendance à fendre le bois que les clous. Leur tige est plus mince et elle s'insère dans le bois en tournant. Malgré cela, il est bon de percer un avant-trou quand vous arrivez à un pouce ou deux de l'embout de la planche. La consigne habituelle est d'utiliser un foret pilote d'un diamètre équivalent de deux tiers à trois quarts l'épaisseur de la tige de votre clou ou de votre vis.

Si vous constatez que le bois fendille au moment de poser un joint d'about, cessez votre opération. Retirez la vis ou le clou puis agrandissez le diamètre de l'orifice. Sinon, percez un avant-trou ailleurs. Un léger fendillement apparent deviendra nécessairement plus important avec le temps.

La quincaillerie pour platelage. Les attaches pour patio ou les bandes de fixation galvanisées vous permettent d'assembler le platelage par le dessous. Vous pouvez ainsi laisser la surface de votre tablier exempte de toute trace visible de vis ou de clou. Ces fixations sont plus coûteuses que les vis et prennent davantage de temps à installer. Mais si vous êtes l'heureux propriétaire d'un platelage magnifique et que vous voulez le mettre en évidence, ce système d'assemblage peut vous être utile. Assurez-vous de bien suivre les recommandations du fabricant, surtout si vous utilisez ces fixations avec des planches de platelage sujettes au rétrécissement. Et bien entendu, assurez-vous d'avoir suffisamment d'espace sous de votre tablier pour pouvoir y travailler.

Il existe plusieurs types de quincaillerie pour assembler les planches à la structure. (Voir à la page 105.) Certains requièrent que vous enfonciez des clous dans les solives et dans les rives des planches. D'autres systèmes de fixation exigent seulement d'être cloués dans la solive. Leur quincaillerie est munie d'un crampon pour maintenir la pièce en place. La pièce le plus souvent utilisée (et sans doute la plus efficace) est la bande d'acier perforée en forme de L. D'un côté, vous assemblez la quincaillerie à la solive et de l'autre, vous fixez la planche de platelage à la quincaillerie. Certains types d'assemblage exigent qu'un côté de chaque planche soit cloué de biais. Mais tous vous permettent d'espacer les pièces au fur et à mesure que vous les assemblez.

Aligner vos planches. Prenez soin de vérifier la rectitude de votre platelage toutes les trois ou quatre planches que vous posez. Pour ce faire, tendez un cordeau d'une bordure à l'autre du tablier le long de

POSER UNE ALAISE

OUTILS ET MATÉRIAUX

- Platelage
- Scie circulaire à table
- Colle mastic
- Clous de finition 8d
- Marteau
- Perceuse et des forets
- Ponceuse à courroie

Ce détail de finition est souvent utilisé par les fabricants de meubles pour dissimuler et protéger le fil d'extrémité lorsqu'ils assemblent de larges planches pour construire une table.

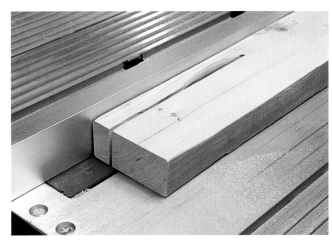

1 À partir d'une pièce de platelage, entaillez une alaise d'une largeur de $3/4$ de pouce.

2 Lorsque vous avez coupé la bordure des planches du platelage, enduisez les embouts de colle à mastic.

3 À l'aide de clous de finition, assemblez l'alaise aux embouts des planches de platelage.

4 Percez des avant-trous aux extrémités de l'alaise pour éviter le fendillement du bois.

5 Certaines planches seront légèrement en surplomb par rapport aux autres. Aussi, aplanissez la surface à l'aide d'une ponceuse à courroie.

la dernière planche posée, ou allez-y à l'œil nu. Il est également sage de mesurer votre progression à partir de plusieurs points de repère situés le long de la maison. Vous serez ainsi assuré que les planches sont d'équerre avec l'ossature.

Vous pouvez redresser la plupart des courbures simplement en poussant la pièce en position. Vous aurez peut-être besoin d'un ciseau ou d'un levier plat pour les planches un peu plus coriaces. Placez-vous à l'une des extrémités puis fixez la pièce aux solives en progressant vers l'autre extrémité. Gardez vos clous d'espacement en place tant et aussi longtemps que la planche ne sera pas redressée. À l'aide de deux fixations assemblées à chaque solive, maintenez la partie redressée bien en place. Vous aurez ainsi la certitude que la partie droite de la pièce ne fléchira pas pendant votre travail.

LES COUPES FINALES

Prenez vos mesures à partir de la dernière solive de manière à allouer un surplomb d'environ un pouce. Si vous prévoyez installer une planche de façade ou un panneau décoratif, assurez-vous de tenir compte de leur épaisseur. À l'aide d'un cordeau à tracer, mesurez le surplomb de chaque côté du tablier, puis marquez une ligne de coupe; faites la coupe avec votre scie circulaire. Ajustez la profondeur de coupe de votre scie de manière à ce qu'elle traverse votre platelage d'environ $\frac{1}{2}$ pouce. (Voir « Couper la bordure », page 208.)

AJOURER LE TABLIER POUR LES POTEAUX

Si vos poteaux se rendent de la semelle au tablier et qu'ils supportent aussi vos balustrades, vous devrez découper la bordure de votre tablier. Selon une école de pensée, les points d'intersection des deux pièces devraient être étanches; autrement dit, la coupe de l'engravure devrait être très précise et les interstices calfeutrés. Or, même si deux pièces parfaitement emboîtées

LA PLANCHE DE FAÇADE

OUTILS ET MATÉRIAUX
- Planche de façade
- Ruban à mesurer
- Crayon
- Scie circulaire
- Perceuse et des forets
- Ponceuse orbitale
- Colle mastic
- Clous de finition 8d
- Chasse-clous
- Marteau

Choisissez une planche de façade dont les mesures équivalent à une dimension nominale de plus que les solives — par exemple, une pièce de 1 x 10 pour recouvrir une pièce de 2 x 8.

1 Ajustez l'angle de coupe de votre scie à 45°. Biseautez l'extrémité des planches de façade à l'endroit où elles formeront un coin.

3 Pour éviter le fendillement du bois, percez des avant-trous aux extrémités de la planche de façade. Cette partie de l'assemblage sera très visible.

4 Pour compenser l'emprise moindre des clous de finition, appliquez de la colle à mastic sur la surface des solives de bordure.

produisent un bel effet, le calfeutrage, lui, est rarement esthétique. Sans compter que vous risquez de maculer les autres planches situées à proximité.

Par contre, si vous réfléchissez à l'ensemble de la structure, il devient évident qu'il est préférable de pratiquer une engravure pour faciliter l'écoulement de l'eau. Au moment de fixer la lambourde par exemple, vous devriez poser un solin ou laisser un espace avec des rondelles de manière à créer un passage pour les eaux pluviales. Il en va de même pour les planches de platelage : vous devriez les assembler solidement afin qu'elles ne subissent pas de voilement et qu'elles n'emprisonnent pas l'eau. Il apparaît donc logique d'entailler une pièce afin de permettre à l'eau de s'écouler autour des poteaux.

Pour créer cet espace, découpez des engravures dans les planches du tablier de manière à ce qu'elles laissent un écart de ¼ de pouce autour du poteau. En guise de touche finale, vous pouvez même adoucir le contour de l'engravure à l'aide d'une fraise à arrondir.

2 *Avant de poser les planches de façade, aplanissez la surface exposée à l'aide d'une ponceuse orbitale ou à courroie.*

5 *Complétez l'assemblage avec des clous de finition. Pour éviter de laisser de traces sur la surface du bois, noyez la tête des clous avec un chasse-clous.*

Mais dans la majorité des cas, vos engravures seront entaillées à l'équerre et ne laisseront qu'un peu de jeu entre le tablier et le poteau. Il est ainsi plus simple de placer la planche de la bonne position.

Commencez par tenir la pièce contre le poteau afin d'y inscrire vos marques de coupe. De manière à ne pas changer la disposition du tablier, assurez-vous que vos joints d'abouts soient déjà coupés et que vos clous d'espacement soient toujours en place. Marquez les chants de la planche ; prenez vos mesures pour la profondeur de la coupe ; à l'aide d'une équerre, rapportez vos marques à la surface de la planche.

À l'aide d'une scie circulaire, entaillez une partie de l'engravure sur les côtés ; amorcez une coupe en plongée sur l'arrête arrière ; puis utilisez une scie à tronçonner pour complétez les coupes situées dans le coin. Vous constaterez qu'il est encore plus simple (et beaucoup plus efficace) d'utiliser une scie sauteuse qui peut se rendre jusqu'aux coins et accomplir le tout en une seule étape.

LE CONTOUR DU TABLIER

Si vous choisissez du bois de qualité supérieure et que vos fixations sont enfoncées proprement et de manière équidistante les unes par rapport aux autres, votre structure aura fière allure. Mais si vous tenez à rehausser l'aspect d'une ossature à l'allure un peu plus austère, vous n'avez qu'à ajouter une couche ou deux de teinture ou revêtir la surface exposée avec des planches de façade.

Sélectionnez d'abord un type de planche de dimension nominale « un sur » de première qualité, tel le cèdre ou le séquoia. Puis insérez ces pièces sous le surplomb de la surface du tablier. Le mode d'installation est on ne peut plus simple : taillez d'abord la pièce de la bonne longueur, puis biseautez les embouts qui se rejoignent pour former un coin. Poncez les planches au besoin ; pour éviter le fendillement, percez un avant-trou pour les vis ou les clous ; posez la planche de façade. Avant de mettre la pièce en place, vous voudrez peut-être apposer de la colle à mastic pour réduire le nombre de clous nécessaires et ainsi rendre la planche plus esthétique. (Voir « La planche de façade, » ci-contre.)

LE PANNEAU DÉCORATIF

Il existe diverses façons de combler l'espace entre le sol et l'ossature de votre structure. Plusieurs types de matériaux sont disponibles, mais le treillis est utilisé le plus souvent. Vous pouvez aussi créer le même effet à l'aide de pièces de dimension de 1 x 2 posées à proximité les unes des autres ou encore, vous servir de matériaux pour palissades.

Une autre méthode consiste à poser une structure de soutien près du sol et à assembler le panneau décoratif le long de la bordure externe du patio. Mais pour ce faire, vous devrez fixer un nouveau système de support aux solives de la structure. Cette méthode implique donc une somme considérable d'assemblage supplémentaire. Aussi est-il souvent plus simple de vous servir du système de soutènement déjà en place : les piliers, les poteaux et la poutre soutenue par ces éléments.

Pour éviter la pourriture (même si vous avez recours à du treillis ou du bois de dimension 1 x 2 traité sous pression), il est préférable d'installer les panneaux à un pouce ou deux du sol.

Assembler le treillis. Il est préférable d'acheter de grands panneaux de treillis préfabriqués puis de les tailler sur mesure. Vous pouvez ensuite les monter à l'intérieur d'un cadre. En plus de rehausser l'aspect des bordures, vous consoliderez également le treillis. Certaines scieries ou certains centres de rénovation vendent des bandes rainurées conçues pour emboîter le treillis. Mais tout autre cadre solidement assemblé peut aussi bien convenir.

Pour monter les panneaux, fixez-les tout simplement sur le devant de vos poteaux. Vous pouvez aussi poser des montants sur les côtés des poteaux de manière à ce que les panneaux se nichent à l'intérieur d'eux. (Voir « L'installation des panneaux, » ci-contre.)

Avant de poser vos panneaux, il est préférable de les finaliser autant que possible, y compris les teindre ou y percer des avant-trous. Vous éviterez ainsi d'avoir à vous accroupir sous le surplomb du patio pour compléter l'assemblage.

MÉNAGER UNE OUVERTURE POUR UN ARBRE

Si vous ménagez une ouverture pour un arbre dans le platelage de votre patio, appliquez la même technique que pour la bordure de votre structure : au moment de poser vos planches, gardez-les plus longues que prévues. Lorsque toutes les pièces sont assemblées, faites la coupe finale en une seule passe. C'est la meilleure façon d'obtenir une bordure qui soit nette. Vous sauverez aussi un temps précieux car vous n'aurez pas à mesurer précisément chaque planche avant de l'assembler.

Vous aurez peut-être à couper l'embout d'une pièce de biais afin de la mettre en place, mais tentez tout de même d'assembler les planches le plus près possible de l'arbre. Une fois posées, déterminez la meilleure façon de procéder à la coupe finale. Dans la plupart des cas, il est préférable de laisser un espace de 2 ou 3 pouces entre l'arbre et le tablier et même davantage, si vous le souhaitez. Dépendamment de l'aspect de votre patio ou de l'emplacement de l'arbre, vous voudrez peut-être pratiquer une ouverture carrée ou rectangulaire. Habituellement, une simple forme carrée dont les bordures se situent à une distance plus ou moins égale du périmètre de l'arbre donne un bel effet. À l'aide d'une scie sauteuse, vous pouvez aussi reproduire la circonférence de l'arbre dans l'ouverture du tablier. Quoi qu'il en soit, assurez-vous de tailler vos planches de manière à ce qu'elles surplombent la bordure du tablier autour de l'espace aménagé pour inclure l'arbre.

Découper un cercle. Si vous préférez découper un cercle, servez-vous de la structure autour de l'arbre à titre de référence. (Bien entendu, il serait plus simple de tracer un cercle à partir d'un point central si l'arbre n'y était pas.) Pour obtenir un cercle de la meilleure précision possible, déterminez quatre ou huit points équidistants le long de la circonférence du cercle. Ou disposez tout simplement un boyau ou un fil de rallonge autour de l'arbre.

LE PLATELAGE AU CONTOUR COURBÉ

Pour couper un contour de patio en forme courbée, vous commencez habituellement par laisser les planches du platelage surplomber l'ossature. Ensuite, enfoncez légèrement un clou à l'endroit qui représente le rayon du cercle. Puis à l'aide d'un crayon attaché à une ficelle, marquez la courbe d'un mouvement circulaire.

La façon la plus simple de construire une ossature de soutien pour un platelage au contour courbé est d'installer une solive en angle à l'intérieur du coin. (Voir « Charpente pour une section courbée », page 192.)

Pour les plate-formes de plus petites dimensions (en haut d'un escalier par exemple), vous pouvez former un autre type de courbe à l'aide de pièces de dimension 2 x 6 coupées en diagonale. En plaçant la partie effilée de la planche autour du rayon, les extrémités opposées se déploient à la manière d'un éventail. À noter que cette technique requiert un système de soutènement supplémentaire.

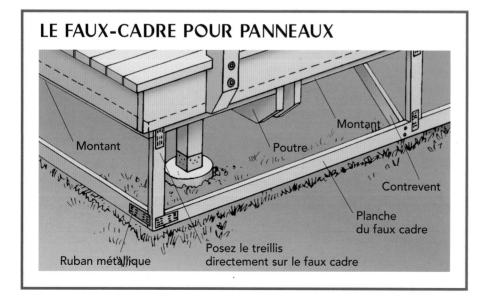

LE FAUX-CADRE POUR PANNEAUX

Montant

Montant

Poutre

Contrevent

Planche du faux cadre

Ruban métallique

Posez le treillis directement sur le faux cadre

L'INSTALLATION DES PANNEAUX

OUTILS ET MATÉRIAUX

- Ruban à mesurer
- Crayon
- Montants
- Vis de 2″
- Perceuse électrique et des forets
- Scie à onglet électrique
- Bandes rainurées pour treillis
- Colle à bois
- Marteau
- Clous de finition 6d
- Panneaux de treillis

Des panneaux peuvent dissimuler même les dessous de patios construits près du sol.

1 *Prenez la mesure entre les poteaux pour déterminer la longueur des panneaux décoratifs.*

2 *Fixez un montant aux côtés des poteaux afin que les panneaux se nichent à l'intérieur de la structure. Affleurez le panneau sur le côté du poteau.*

3 *Biseautez le coin des bandes rainurées. Le cadre consolide le treillis et dissimule ses côtés.*

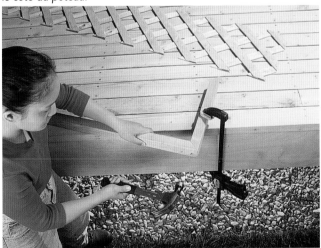

4 *Assemblez les éléments du cadre à l'équerre à l'aide de clous de finition et de colle à bois. Certains cadres sont rainurés pour faciliter l'insertion du treillis.*

5 *Assemblez les cadres aux montants des poteaux. Utilisez des vis afin de pouvoir les enlever plus facilement.*

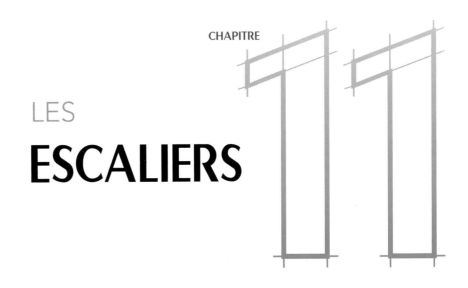

LES
ESCALIERS

Même si vous liez votre maison au patio avec une porte-fenêtre coulissante ou une porte à deux battants, vous aurez besoin d'ajouter des escaliers pour joindre le patio à la cour. Des escaliers bien conçus sont à la fois sécuritaires et simples à emprunter. Ils ajoutent aussi un élément de design distinctif à l'ensemble de votre patio.

Les composantes de l'escalier

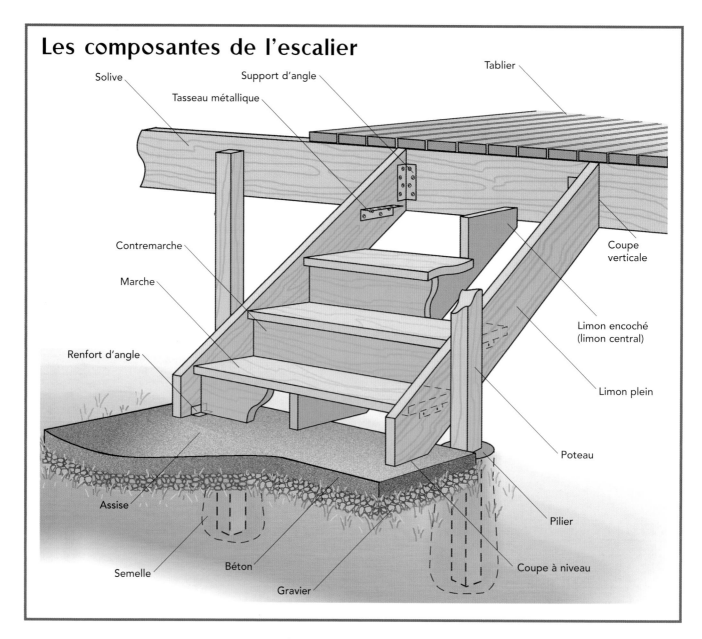

Solive

Tasseau métallique

Support d'angle

Tablier

Contremarche

Marche

Renfort d'angle

Assise

Semelle

Béton

Gravier

Coupe verticale

Limon encoché (limon central)

Limon plein

Poteau

Pilier

Coupe à niveau

PROPOSITIONS DE MODÈLES

La construction d'un patio est un projet domiciliaire que plusieurs propriétaires peuvent entreprendre. L'assemblage des différents éléments se révèle assez simple, jusqu'au moment d'arriver aux escaliers. Même une descente de quelques pieds est assortie d'un lot de mesures compliquées à déchiffrer pour en arriver à la bonne inclinaison, à la hauteur idéale des marches et à leur profondeur appropriée.

Les escaliers constituent une partie essentielle de la plupart des patios. Mais ils sont souvent construits en tout dernier, après l'étape des travaux de finition. C'est à partir de ce moment qu'il est le plus convenable de dessiner un plan et de prendre les mesures en tenant compte des modifications apportées au cours de l'assemblage.

LES COMPOSANTES DE L'ESCALIER

Même s'il ne comporte que quelques éléments, l'assemblage d'un escalier requiert tout de même un peu de calculs. La précision des mesures est particulièrement importante en ce qui concerne les limons, ces deux pièces posées en angle de chaque côté de la descente d'escalier. Les limons supportent les marches que vous empruntez. Certains escaliers de patios possèdent des contremarches habituellement composées de pièces d'une épaisseur d'un pouce. Elles recouvrent l'espace entre les marches, mais elles ne consolident d'aucune façon les escaliers. En fait, on s'abstient souvent d'en poser parce qu'elles nuisent au drainage. En effet, leur assemblage favorise l'accumulation des eaux pluviales et, du même coup, la pourriture.

Une fois que vous aurez terminé votre patio, vous changerez peut-être d'idée au sujet de votre escalier – de son apparence et de la manière dont vous voulez l'utiliser. Si vous n'avez besoin que d'une simple voie d'accès du patio à votre terrain, un escalier conventionnel d'une largeur de 36 pouces aux marches standards fera bien l'affaire. Et vous pouvez souvent l'assembler à l'aide de seulement deux limons.

Par contre, que votre design d'escalier soit assorti d'un palier intermédiaire ou constitué d'une seule volée, il doit en tout temps rester conforme au code du bâtiment. En matière d'escaliers, les normes sont assez strictes. En général, vous constaterez que les codes du bâtiment établissent la profondeur minimale des marches à 10 pouces, leur hauteur maximale à 8 pouces et la largeur minimale des escaliers à 3 pieds.

MARCHES ET CONTREMARCHES

Il est pratique de prévoir une profondeur de marche d'environ 11 pouces. Cela équivaut à deux pièces de 2 x 6 ou à trois pièces de 2 x 4. Cette dimension de marche est à la fois sécuritaire et elle rend son utilisation confortable, tout en permettant un léger surplomb sur la marche du dessous. N'oubliez pas d'allouer le même espacement entre les pièces qui composent les marches que celles du platelage.

À l'extérieur, la plupart des gens préfèrent emprunter des escaliers aux proportions plus vastes que celles des escaliers intérieurs typiques. Autrement dit, des escaliers aux marches plus profondes et à l'inclinaison moins accentuée. Ces deux différences de design les rendent plus confortables à utiliser. Les escaliers confèrent aussi à une structure surélevée l'aspect d'une construction bien ancrée au sein de l'emplacement.

Vous pouvez augmenter la hauteur de vos marches (à une hauteur de 7 à 7 ½ pouces, habituellement) afin de comprimer l'inclinaison totale des escaliers. Ou vous pouvez la réduire (à une hauteur minimale de 4 pouces) pour étaler, en quelque sorte, la volée des escaliers sur davantage de marches. Il est préférable d'évaluer ces options sur papier au préalable. Ensuite, vous devriez placer provisoirement un limon (l'un des deux supports de marche posé en angle des deux côtés de l'escalier) non encoché de dimension 2 x 12 à différentes inclinaisons. Vous verrez ainsi quel ratio marches/contremarches est le plus approprié pour votre patio.

Une autre option consiste à construire des marches assez profondes pour permettre aux gens de s'y asseoir. Par exemple, vous pourriez assembler trois pièces de 2 x 6 avec un espacement entre elles pour arriver à une profondeur de marche totale d'environ 16 pouces (ou plus précisément, 17 pouces avec un surplomb d'un pouce). Mais ce type de modèle à faible inclinaison pourrait étaler les marches au-delà de la capacité structurelle des limons conventionnels de dimension 2 x 12.

Plusieurs formules éprouvées peuvent vous assister dans la conception d'un escalier. La première est constituée de l'équation hauteur X portée = de 70 à 75 pouces. Une autre consiste à dire que la hauteur + la portée = de 17 à 20 pouces. Les marches d'une largeur de 10 pouces assorties d'une hauteur entre elles de 7 pouces sont compatibles à ces deux équations.

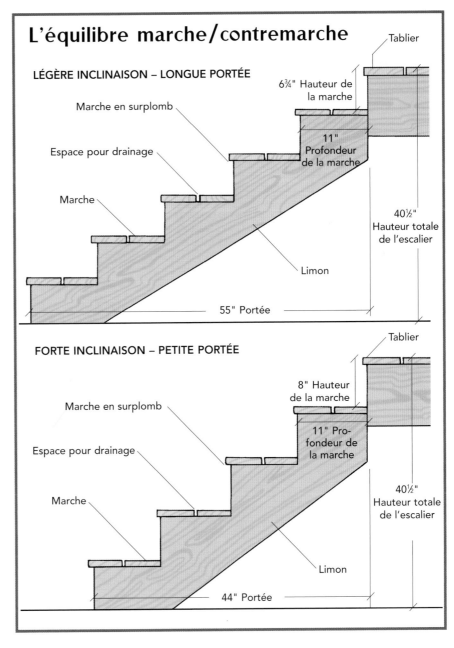

L'équilibre marche/contremarche

LÉGÈRE INCLINAISON – LONGUE PORTÉE

Tablier

6¾" Hauteur de la marche

Marche en surplomb

11" Profondeur de la marche

Espace pour drainage

Marche

40½" Hauteur totale de l'escalier

Limon

55" Portée

FORTE INCLINAISON – PETITE PORTÉE

Tablier

8" Hauteur de la marche

Marche en surplomb

11" Profondeur de la marche

Espace pour drainage

Marche

40½" Hauteur totale de l'escalier

Limon

44" Portée

L'ASSEMBLAGE DE LA PLATE-FORME

OUTILS ET MATÉRIAUX

- Bois de dimension nominale 2 x
- Scie circulaire
- Équerre de charpente
- Serres
- Perceuse électrique et des forets
- Vis de 1 ¼ pouces et de 2 pouces
- Pièce pour contreventer
- Marteau
- Clous

Pour assembler la plateforme de l'escalier, vous pouvez utiliser la même méthode que pour l'ossature de votre patio en ce qui a trait à l'espacement à respecter entre les solives. Gardez les plus belles pièces pour les surfaces exposées puis assemblez-les avec des vis. Vous obtiendrez ainsi une meilleure emprise.

1 Pour une bordure nette, coupez l'embout des pièces du contour de la plate-forme à l'équerre. Les pièces des deux extrémités horizontales doivent chevaucher le coin des deux pièces transversales.

2 Avant d'assembler les deux pièces, assurez-vous que l'angle soit d'équerre. Puis fixez le cadre à l'aide de serres. Utilisez un contrevent si nécessaire.

3 Percez des avant-trous aux coins afin que les vis ne fendent pas le bois. Consolidez la plate-forme à l'aide de vis à patios.

4 Posez des supports d'angle galvanisés pour renforcer les coins. Ajoutez des étriers à solives pour soutenir les solives intérieures.

5 Assurez-vous que la plate-forme soit d'équerre et maintenez-la en position à l'aide d'un contrevent diagonal.

Les services d'inspection des bâtiments possèdent leurs propres normes pour la construction d'escaliers. L'aspect le plus important consiste à s'assurer de l'uniformité de l'ensemble. Quand les gens empruntent les escaliers, que ce soit pour descendre ou monter, ils empoignent habituellement la rampe en jetant un coup d'œil à la première marche pour s'assurer de ne pas perdre pied. Mais par la suite, ils ne regardent plus vers le sol. Ils présument que toutes les marches subséquentes sont de la même hauteur. Si la structure des escaliers de votre patio est composée d'une première ou dernière marche un tant soit peu irrégulière, vous vous y ferez sans doute après un certain temps. Mais n'oubliez pas que les codes du bâtiment doivent également tenir compte des autres usagers, y compris le prochain propriétaire de votre résidence.

Portez une attention particulière à votre dernière marche. Par exemple, des escaliers à petite portée situés le long d'un patio pourraient se retrouver trop près du périmètre de la structure. En contrepartie, des escaliers à plus longue portée se prolongeraient peut-être indûment dans votre cour au point de représenter un obstacle à contourner. N'oubliez pas qu'une quantité moindre de marches implique une descente plus abrupte répartie sur une plus petite surface. Et plus vous avez de marches, plus la descente sera graduelle, et plus l'escalier empiètera sur votre terrain.

LA PLATE-FORME DE L'ESCALIER

Une plate-forme peut séparer une longue descente en deux sections plus simples à emprunter et servir de palier supplémentaire à proximité du patio. Les plates-formes d'escalier devraient être assemblées de la même manière que le patio, et plus souvent qu'autrement avec des solives de la même dimension. Vous pouvez incorporer la plate-forme de votre palier à l'ossature du patio ou la construire séparément et la boulonner en position.

LES LIMONS

Pour construire vos limons, utilisez des pièces de 2 x 12. Si vous avez des marches de dimension nominale 2 x d'une longueur supérieure à 36 pouces, vous aurez besoin d'un limon supplémentaire au centre de votre escalier, appelé limon central. Au moment de choisir votre modèle de limon, trois options possibles : les limons encochés, les limons engravés ou pleins et, pour les escaliers plus larges, les limons engravés assortis d'un limon central encoché.

Le limon encoché. Le limon le plus souvent utilisé est de type encoché, c'est-à-dire découpé en dent de scie de manière à ce que les marches puissent s'appuyer sur une surface plane. Prenez-bien vos mesures. Une fois la coupe effectuée, une erreur ne peut être corrigée. À cause de la découpe en dent de scie, ce type de modèle accroît la superficie de fil d'extrémité exposé. Mais les limons encochés avec leurs marches en surplomb dégagent un aspect classique. De toute manière,

LES OPTIONS : LES LIMONS

La plupart des bricoleurs préfèrent travailler avec des limons pleins, aussi appelés engravés. Et pour cause : ils n'ont qu'à se procurer quelques pièces de 2 x 12 bien droites, tracer le contour des marches sur le côtés des limons, puis visser des tasseaux en métal galvanisé pour soutenir les marches. Les limons encochés sont plus compliqués à découper, mais plusieurs scieries et centres de rénovation vendent des limons déjà coupés. Leurs proportions sont habituellement conçues en fonction de vous offrir des marches d'une profondeur de 10 ou 11 pouces assorties d'une hauteur de 7 à 7 ½ pouces. Le motif en dent de scie est coupé à l'équerre car la partie sur laquelle s'appuient les marches doit être de niveau avec le sol ; vous n'avez qu'à tailler l'embout inférieur du limon afin que la base de la pièce épouse bien la surface de l'assise.

LIMON ENCOCHÉ

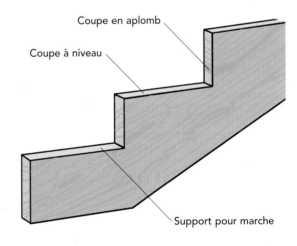

Coupe en aplomb

Coupe à niveau

Support pour marche

LIMON PLEIN

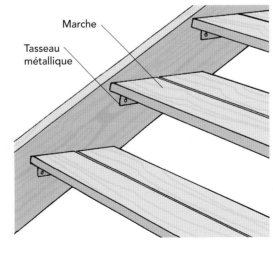

Marche

Tasseau métallique

L'assise en béton

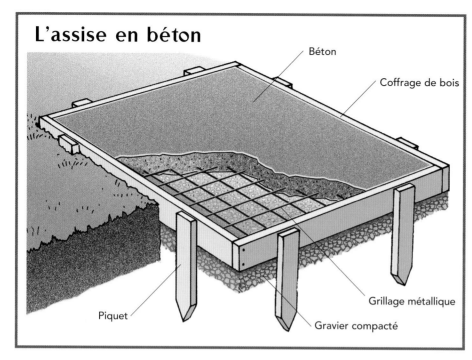

Béton

Coffrage de bois

Grillage métallique

Piquet

Gravier compacté

les escaliers d'une largeur supérieure à 36 pouces requièrent un limon central encoché. En procédant avec précaution, votre escalier muni de limons encochés bénéficiera d'une grande longévité.

La plupart des bricoleurs obtiennent de meilleurs résultats en optant pour les limons encochés déjà découpés disponibles dans les scieries et les centres de rénovation. Si l'emplacement précis de votre assise en béton vous importe peu, vous pouvez ajuster sa position finale en fonction des limons préfabriqués. Avant d'acheter ce type de limons cependant, calculez bien la hauteur et la portée de votre escalier. Il ne faudrait pas que la hauteur entre l'assise et la première marche diffère de plus de ¾ pouce de la hauteur qui sépare les autres marches. Autrement dit, la dernière marche qui mène à l'assise de béton devrait idéalement être située à la même hauteur que les autres marches de l'escalier.

Le limon plein. Aussi connu sous le nom de limon engravé à cause des marches qui sont assemblées à l'intérieur de cette pièce coupée en angle. Ce type de support d'escalier est muni de tasseaux qui supportent les marches. Vous devez encore tracer des marques pour vous assurer que les marches soient équidistantes, mais vous n'avez pas à découper le limon. Avec ce type de modèle, une erreur de calcul peut facilement se corriger car vous n'avez qu'à bouger le tasseau métallique en conséquence. Les tasseaux les plus efficaces sont les supports de métal galvanisé en forme de L. Contrairement aux tasseaux de bois, ils ne pourriront jamais.

Si la largeur de votre escalier est supérieure à 36 pouces, vous pouvez vous faciliter la tâche en commençant par découper le limon encoché (limon central) pour supporter la partie médiane des marches. Ce limon

peut ensuite vous servir de gabarit pour déterminer l'emplacement des tasseaux le long des limons engravés. (Vérifiez les codes du bâtiment de votre localité pour connaître les portées recommandées pour les escaliers.) Vous n'avez qu'à placer le limon encoché contre les limons engravés et à marquer la position des tasseaux, ainsi que celle des coupes en aplomb et de niveau pour les embouts inférieurs de la pièce.

Pour un escalier dont les marches auraient à supporter une charge inusitée – si par exemple la largeur de vos marches excède 8 pieds, vous pouvez assembler deux limons l'un contre l'autre, ou fixer un limon encoché à un limon engravé.

L'ASSISE

La partie inférieure des limons doit s'appuyer sur une base solide et être protégée de tout contact avec le sol. Il existe plusieurs systèmes de soutènement. Pour un petit escalier, vous pouvez ériger deux piliers de plus (un pour chaque limon). Pour un escalier aux dimensions plus larges, il est souvent économiquement avantageux de couler une assise en béton. Bien entendu, vous pouvez également combiner l'ajout de piliers à une assise composée de pavés, de gravier ou de tout autre matériau qui n'agit pas à titre de soutènement principal aux deux limons.

LA PLATE-FORME

Si vous voulez incorporer une plate-forme à votre escalier, plusieurs possibilités s'offrent à vous. Vous pourriez par exemple la construire un peu à l'écart du patio et la soutenir à l'aide de quatre poteaux enfoncés dans des piliers. Ainsi, une première volée de marches se rendrait du tablier à la plate-forme et la deuxième, de la plate-forme au sol.

Une autre méthode consiste à fixer la plate-forme à même le patio, de manière à obtenir un palier de repos situé à une marche de hauteur du tablier. Ce type de structure est idéal si vous tenez à ce que vos escaliers longent le côté de votre patio au lieu de se prolonger plus loin dans votre cour. Lorsque vous empruntez les marches, vous avez besoin d'une aire de transition comme pour un escalier intérieur, afin de vous permettre de changer de direction et de gravir la dernière marche qui vous mène au tablier.

LA PLATE-FORME

OUTILS ET MATÉRIAUX
- Rebuts de bois
- Serres
- Niveau
- Solin
- Boulons
- Clé à douilles à cliquet
- Ruban à mesurer
- Perceuse électrique et des forets
- Vis de 3 pouces
- Poteaux 4 x 4

Pour obtenir le meilleur soutènement possible pour la plate-forme, fixez-la à la fois au patio et à la maison.

1 *À l'aide de serres, assemblez provisoirement la plate-forme à un poteau. Servez-vous aussi de serres pour maintenir la plate-forme fixée au patio.*

2 *Faites votre mise à niveau sur tous les plans, et ajustez au besoin.*

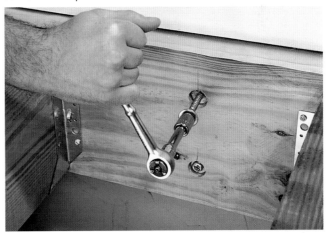

3 *À l'aide de tire-fonds, assemblez la plate-forme à la lambourde placée le long de la maison.*

4 *Assemblez la plate-forme à l'ossature du patio à l'aide de longues vis ou de boulons de carrosserie.*

5 *Posez des poteaux permanents là où ils sont requis. Fixez les poteaux à l'ossature puis taillez l'embout des poteaux.*

Il est souvent plus simple (et plus esthétique) d'inclure une plate-forme à même votre volée de marches plutôt que de prolonger une partie de votre patio en guise de palier. Cette méthode vous permet d'assembler votre plate-forme à l'aide de solives et de fixations séparément, puis d'en boulonner l'ossature à celle du patio.

L'OSSATURE DE LA PLATE-FORME

La solidité de la plate-forme doit aller de pair avec celle du patio. Vous devriez donc la construire avec les mêmes pièces utilisées pour les solives principales du patio. Choisissez le plus beau bois pour les surfaces exposées. Posez les solives en respectant les mêmes normes d'espacement que pour le patio, puis consolidez l'assemblage avec de la quincaillerie d'ossature galvanisée. Pour renforcer les coins extérieurs de l'ossature de la plate-forme, utilisez des supports en forme de L, en plus des étriers à solives standards.

L'ASSISE

Peu importe sur quel modèle ou sur quel type de matériau votre choix s'arrêtera, il est toujours préférable de construire l'assise plus grande que nécessaire. Lorsque viendra le temps d'installer et de boulonner les limons, vous disposerez ainsi d'une marge de manœuvre de plusieurs pouces des deux côtés des escaliers. Si vous habitez une région sujette au gel, la fondation de votre assise doit se situer sous le seuil de gel. Vérifiez les normes exigées par les codes de bâtiment de votre localité. Voici quelques options.

Le béton. Ce matériau confère le plus de solidité. La surface d'une assise est relativement petite, aussi son installation est d'autant plus simple. Mais attendre que le béton prenne, cependant, pourrait ralentir la progression de vos travaux.

L'AMÉNAGEMENT DES POTEAUX DE LA PLATE-FORME

OUTILS ET MATÉRIAUX

- Équerre combinée
- Crayon
- Poteaux 4 x 4
- Chevalets
- Scie circulaire
- Marteau
- Maillet
- Ciseau

Les poteaux entaillés d'une feuillure contribuent au soutènement de deux manières. D'abord, l'épaulement de la feuillure supporte les poteaux du dessous. Ensuite, vous pouvez fixer les solives à l'embout muni d'une feuillure et ainsi consolider davantage la structure.

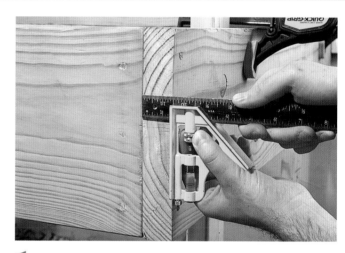

1 Mesurez l'épaisseur de la solive extérieure de la plate-forme; rapportez la mesure sur la règle graduée d'une équerre combinée.

3 Ajustez la profondeur de coupe de votre scie circulaire au même niveau que la marque. Pratiquez des entailles le long du poteau à tous les ¼ de pouce.

4 À l'aide d'un marteau, brisez les bandelettes de bois. Aplanissez les restes de bois avec un ciseau.

Commencez par excaver suffisamment de gazon et de terre pour aménager une couche d'au moins 3 pouces de gravier et 3 pouces de béton. Idéalement, l'assise devrait suivre une dénivellation d'à peu près 1 pouce afin de faciliter l'écoulement des eaux pluviales. Compactez la terre au fond du trou (ou ne la remuer pas) et de compacter aussi le lit de gravier.

Une méthode consiste à assembler d'abord une ossature semblable à un coffrage composé de 2 x 4 disposés sur le chant. Ensuite, renforcez-la avec des piquets de 2 x 4 ou de 1 x 4. Cette ossature peut faire partie de l'assise de façon permanente (si vous utilisez du bois traité) ou vous pouvez tout simplement en disposer une fois que le ciment aura pris. Assurez-vous que l'ossature soit d'équerre et mise à niveau. (Voir «L'assise en béton,» à la page 222.)

Versez du gravier au fond du trou. À l'aide d'un poteau 4 x 4 ou d'un dameur, compactez le sol. Si vous utilisez un grillage métallique pour consolider le béton,

découpez-le de manière à ce qu'il soit bien niché à l'intérieur du coffrage. (Vous éviterez ainsi de vous retrouver avec une partie du grillage en saillie une fois que vous aurez coulé le béton.) Insérez le grillage au fond du coffrage en plaçant des roches en dessous pour laisser un espace au-dessus du gravier.

Coulez le béton puis, à l'aide d'un rebut de 2 x 4 plus long que le coffrage, aplanissez-le. Poursuivez en vous servant d'une truelle à finir. Pour le béton situé en bordure du coffrage, lissez la surface à l'aide d'un outil spécialisé. Si vous le souhaitez, complétez le tout d'un coup de balai afin d'obtenir une surface parfaite.

La brique. Avant d'installer une assise composée de briques, vérifiez auprès de votre inspecteur en bâtiments. Il se pourrait qu'il exige plutôt une assise en béton. (Placer des briques ou des pavés dans un lit de béton constitue une autre option.) Voici deux astuces qui vous aideront à obtenir une assise dotée d'une assez bonne solidité, même si elle n'est pas coulée dans le béton. La première consiste à bien compacter le lit de gravier et la couche de sable (si vous utilisez du sable au lieu du béton). La deuxième consiste à disposer les matériaux de l'assise de manière à ce qu'ils puissent répartir la charge imposée par les limons sur plusieurs briques ou pavés. Entourez vos briques d'une bordure assez résistante pour les garder en position, telles des pièces de bois brut traité sous pression ou des briques posées debout les unes contre les autres.

Le gravier. L'assise la plus élémentaire est constituée d'un lit de gravier. Cette matière n'est pas aussi stable ou aussi solide que le béton, mais elle possède à tout le moins l'avantage de faciliter le drainage. Bien aménagé, un lit de gravier peut être étonnamment durable. Mais avant de procéder à son installation, vérifiez auprès de votre inspecteur en bâtiments.

Creusez un trou d'une profondeur de 10 à 12 pouces; emplissez-le en partie de gravier; installez une ossature du même type qu'un coffrage fabriqué à partir de 2 x 4 ou de 2 x 6 en bois traité. Consolidez le tout de piquets qui proviennent de pièces de 2 x 4 ou de 1 x 4. Déposez de 3 à 4 pouces de gravier; à l'aide d'un dameur ou d'un poteau 4 x 4, compactez le tout; ajoutez une autre couche. Attendez que les limons soient en place avant de placer la couche finale de 1 ½ pouce.

Quand vous assemblez votre escalier, répartissez le gravier de manière à ce que les limons ne s'enfoncent pas dans l'assise. Vous éviterez ainsi de voir la hauteur de la dernière marche décroître avec le temps. Fixez des 2 x 4 en bois traité d'une extrémité à l'autre de la base des limons. Déposez cet assemblage sur le lit de gravier, puis versez la dernière couche de gravier d'une épaisseur de 1 ½ pouce.

2 *Transposez cette mesure au poteau. Prolongez la marque qui indique l'emplacement prévu de la solive.*

5 *Procédez de la même façon du côté adjacent du poteau. Vous obtiendrez ainsi une feuillure pour l'autre solive de coin.*

LES ESCALIERS

Avant d'attaquer l'installation de vos escaliers, voici d'abord quelques principes de base pour mieux vous préparer. Plusieurs dimensions d'escaliers construits selon différentes proportions sont possibles. Mais il faut d'abord commencer par noter minutieusement deux mesures clés. La première est constituée de la hauteur verticale située entre la surface du tablier et votre assise ou le sol de votre terrain. L'autre consiste en la distance horizontale totale située entre la bordure du patio à la partie avant du limon d'escalier.

Pour en arriver à un plan préliminaire, commencez par diviser la hauteur totale par un nombre de marches égales entre elles (la distance verticale entre la surface de deux marches consécutives). Puis divisez la portée par un nombre de marches égales entre elles (la profondeur de chaque marche), y compris le surplomb de 1 pouce.

Si vous utilisez des limons déjà découpés, les proportions de base sont déjà établies. Il ne vous restera plus qu'à couper l'extrémité du limon de manière à ce qu'il puisse s'appuyer sur l'assise en vous assurant que la partie sur laquelle repose la marche soit parfaitement de niveau.

Selon le langage technique propre aux escaliers, la hauteur est divisée en unités d'accroissement appelées hauteurs de marche. Celles-ci représentent la distance verticale totale comprise entre la surface d'une marche et la suivante. La distance horizontale est divisée en unités d'accroissements appelés unités de portée. Elles représentent la distance horizontale parcourue par chaque marche. L'unité de portée est constituée de la largeur de la marche moins la mesure du surplomb ou du nez de marche.

La plupart des bricoleurs jonglent avec différents ratios de hauteur et de portée avant d'en arriver à un concept d'escalier qui soit à la fois sécuritaire, simple à utiliser et conforme aux codes du bâtiment. Voici les étapes que vous pourriez suivre pour finaliser votre plan.

Déterminer la hauteur totale. Si le terrain situé sous votre patio n'est pas en pente, vous pouvez déterminer la hauteur totale simplement en prenant une mesure verticale à partir de la surface du tablier et en allant vers le bas. Mais il est possible que le terrain soit de plus en plus dénivelé en s'éloignant de votre patio. Le terrain pourrait même être dénivelé dans le sens de la largeur des escaliers. Vous devez donc déterminer précisément à quel endroit aboutiront les marches, puis calculer ensuite la hauteur totale à partir de ce point. (Voir « Dessiner les limons, » ci-contre.)

Déterminer le nombre de marches. Supposons un instant que vous envisagez une unité de portée de 11 pouces assortie d'une hauteur de marche de 7 ½ pouces, et que votre patio se situe à 36 pouces au-dessus du sol. Divisez la hauteur totale de 36 pouces par la hauteur de marche de 7 ½ pouces, et vous obtenez 4,8. En arrondissant, vous constatez qu'il vous faut cinq marches, en tenant compte du fait que le sol soit de niveau. L'une de ces cinq marches est constituée de la surface du tablier. Lorsque vous calculez la volée totale des marches il faut donc soustraire celle-ci de l'équation. Puisque votre objectif est de faire en sorte que chaque marche soit d'une profondeur de 11 pouces, multipliez ce nombre par 4 et vous obtiendrez alors une assise qui devrait se situer à 44 pouces du patio.

Situer la largeur de l'escalier. À l'aide d'un crayon, tracez deux marques sur la bordure du patio afin d'indiquer la largeur prévue de l'escalier. Supposons que vous voulez assembler des marches d'une largeur de 36 pouces en tenant compte de l'épaisseur des limons mais pas du surplomb des marches de chaque côté de l'escalier, dans le cas des limons encochés. Vous voudrez sans doute que l'assise dépasse de 2 pouces de chaque côté. Par conséquent, votre assise aurait une largeur de 40 pouces.

Situer l'aire de l'assise. À partir des marques inscrites sur le patio, mesurez la portée totale prévue en déroulant votre ruban à mesurer d'équerre avec la bordure du patio. Enfoncez de longs piquets dans le sol pour marquer ces points de repère. Ceux-ci devraient dépasser la hauteur du tablier. Placez vos piquets d'aplomb. (S'ils ont 60 ou 72 pouces de haut, vous aurez besoin d'un aide pour tenir un niveau le long de leur surface le temps que vous les mettiez d'aplomb.)

Demandez à un aide de tenir une extrémité du cordeau à l'une des marques tracée sur le patio.

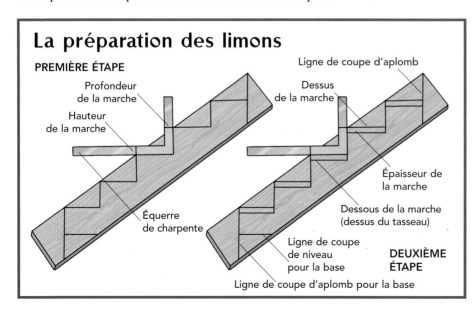

La préparation des limons

PREMIÈRE ÉTAPE

Profondeur de la marche

Hauteur de la marche

Équerre de charpente

Ligne de coupe d'aplomb

Dessus de la marche

Épaisseur de la marche

Dessous de la marche (dessus du tasseau)

Ligne de coupe de niveau pour la base

Ligne de coupe d'aplomb pour la base

DEUXIÈME ÉTAPE

DESSINER LES LIMONS

OUTILS ET MATÉRIAUX
- Ruban à mesurer
- Pièces de 2 x 4
- Équerre de charpente
- Boulons marquoirs
- Chevalets
- Crayon
- Limons 2 x 12

Vous pouvez dessiner des limons à l'aide d'une équerre de charpente munie de boulons marquoirs.

1 Prolongez une pièce de 2 x 4 de niveau à partir de la plateforme puis mesurez la distance verticale jusqu'à l'aire d'assise. Assurez-vous que celle-ci soit de niveau.

2 Placez les boulons marquoirs sur l'équerre de charpente vis-à-vis des mesures qui indiquent la hauteur et la profondeur des marches.

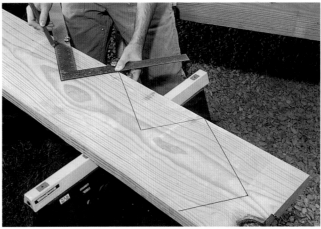

3 Dessinez la surface du limon. Glissez l'équerre avec ses boulons marquoirs le long de la surface du limon pour tracer à répétition les lignes de coupe pour les marches.

Suspendez un niveau de ligne au cordeau puis tendez l'autre extrémité jusqu'au piquet correspondant. Mettez le cordeau, à niveau, puis marquez la ligne de référence sur le piquet. Procédez de la même façon avec l'autre piquet. À partir de ces marques sur les deux piquets, mesurez maintenant jusqu'au sol ou à un pouce du sol si vous voulez que votre assise s'élève à un pouce du sol. Si les deux mesures obtenues diffèrent l'une de l'autre, prenez la plus courte des deux pour calculer la hauteur de votre escalier.

Au moment de construire votre assise, assurez-vous qu'elle soit de niveau en compensant pour toute différence obtenue dans vos mesures. Admettons, par exemple, que la mesure du piquet situé à gauche lorsque vous faites face au patio indique une hauteur de 40 ½ pouces à partir du sol et celle du piquet de droite, à une hauteur de 42 pouces à partir du sol. Cela indi-querait que le terrain est dénivelé au fur et à mesure que vous vous éloignez du patio, et qu'il est aussi incliné de la gauche en allant vers la droite. Par conséquent, la hauteur totale de votre escalier devrait être de 40 ½ pouces.

La hauteur et la profondeur de vos marches. Arrondissez la hauteur totale en pouces au nombre entier situé le plus près, puis divisez ce chiffre par 7. Si vous voulez une portée d'escalier moins inclinée, divisez la hauteur totale par 6 plutôt que par 7. Dans l'exemple susmentionné, 40 divisé par 7 donne 5,7. Arrondissez de nouveau au nombre entier le plus près. Cette réponse vous indique qu'afin d'arriver à la même hauteur et à la même profondeur de marches que vous le souhaitez, vous avez besoin d'un total de six marches (en comptant celle comprise par le tablier) pour couvrir la hauteur projetée de votre escalier.

L'INSTALLATION DE LIMONS PLEINS

OUTILS ET MATÉRIAUX
- Niveau
- Ruban à mesurer
- Équerre combinée
- Limons d'escalier
- Perceuse électrique et forets
- Supports d'angle
- Vis 1 ¼ pouce
- Équerre de charpente
- Clé à douilles à cliquet
- Tasseaux métalliques
- Tire-fonds

Avant de procéder à l'installation du limon, maintenez le limon dessiné en place pour vérifier les marques indiquant la position des marches.

1 Avant d'installer les limons, assurez-vous que l'assise soit de niveau.

3 À l'aide de supports d'angle, assemblez l'extrémité supérieure des limons à la plate-forme.

4 En vous guidant des marques tracées au préalable, fixez des tasseaux en métal galvanisé au limon à l'aide de vis.

Vous pouvez toujours ajuster la hauteur ou la profondeur (ou les deux à la fois) de vos marches en fonction de la véritable hauteur totale de l'escalier. Dans la majorité des cas cependant, vous ne voudrez pas changer la profondeur de vos marches, car celle-ci est déterminée par les matériaux choisis pour les assembler. Il est beaucoup plus simple de modifier la hauteur des marches. Ainsi, divisez la hauteur totale (40 ½ pouces) par 6 marches et vous obtiendrez une hauteur de marche de 6¾ pouces. N'oubliez pas que le double de la hauteur d'une marche en pouces additionné à la profondeur d'une marche en pouces devrait donner entre 25 et 27 pouces. En se servant toujours du même exemple, le produit de deux fois 6¾ pouces additionné à 11 pouces donne 24½ pouces, soit un résultat assez près de la norme minimale de base.

À ce stade des opérations, il est beaucoup plus simple de déterminer l'aire d'arrivée de la base de vos escaliers.

De nouveau, puisque le tablier du patio constitue l'une des marches, vos limons seront donc munis de cinq marches. Chacune d'elles avancera de 11 pouces sur le plan horizontal, pour une portée totale de 55 pouces. Bien entendu, comme vous avez ajouté une marche depuis le calcul provisoire de la portée totale, celle-ci se trouve maintenant prolongée de 11 pouces au-delà de la portée totale initialement prévue de 44 pouces.

À partir du moment où le sol est de niveau à l'endroit où l'escalier se terminera, cette différence ne pose aucun inconvénient; vous n'avez qu'à modifier l'emplacement de l'assise en conséquence. Si la dénivellation du terrain se poursuit jusqu'à cet endroit, il est alors préférable d'augmenter la hauteur de chaque marche de manière à revenir à l'idée précédente d'un limon à quatre marches. Pour ce faire, divisez la hauteur totale de 40 ½ pouces par 5 (puisque la hauteur totale doit nécessairement inclure la cinquième marche constituée par le tablier du

2 Marquez l'emplacement de chaque limon sur la plate-forme ou sur le patio. Le rebord du limon doit affleurer la structure d'aplomb.

5 Fixez un support d'angle en métal galvanisé à l'assise. Voir ci-dessous pour d'autres options de fixations.

patio). Le quotient de cette division équivaut à 8,1 ou, pour simplifier les choses, à une hauteur de marche de 8 pouces. Le produit de 2 x 8 pouces additionné à 11 pouces donne un total de 27 pouces, un nombre qui respecte encore une fois la norme éprouvée de la construction d'escaliers bien conçus.

Mais même les meilleurs calculs ne remplaceront jamais la méthode qui consiste à dessiner un limon, de le maintenir en place à l'aide de serres ou de contrevents, et de constater à l'échelle grandeur nature l'emplacement précis de vos deux limons.

LA CONSTRUCTION DES ESCALIERS

Voici la chronologie des étapes de base à suivre lors de la construction d'un escalier. Libre à vous, bien entendu, d'ajouter quelques étapes (ou d'en sauter quelques-unes) si vous entreprenez un assemblage un peu plus compliqué ou inusité qu'un escalier droit à petite portée.

La longueur des limons. Avant d'acheter vos limons, vous devez d'abord avoir une idée approximative de la longueur requise. Voici comment y arriver avec célérité. Rapportez sur chacune des deux lames d'une équerre de charpente la mesure de votre marche afin de reproduire, pour ainsi dire, la forme d'une de vos marches sur celle de votre outil. Il s'agit ensuite de tracer une diagonale entre la mesure indiquant la hauteur de la marche d'une part et la profondeur de la marche d'autre part. Cette ligne (l'hypoténuse, en réalité) vous indique la distance oblique que doit parcourir le limon pour chacune des marches. Multipliez ensuite ce nombre par la quantité de marches prévues, plus une autre (par sécurité), et vous obtiendrez ainsi une idée assez juste de la longueur de limon requise. Par exemple, une marche d'une hauteur de 7 pouces et d'une profondeur de 11 pouces suivra un parcours oblique de 13 pouces le long du limon. Si

LES OPTIONS DU BRICOLEUR : LES FIXATIONS DE LIMONS

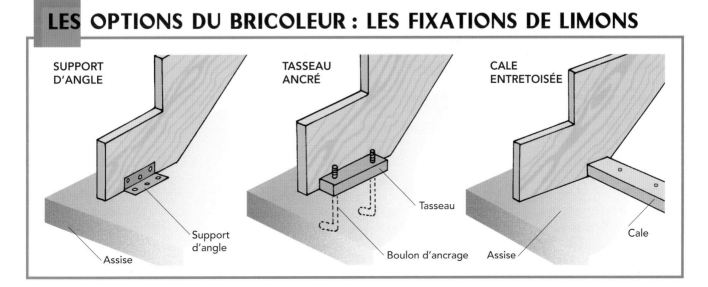

SUPPORT D'ANGLE

Support d'angle

Assise

TASSEAU ANCRÉ

Tasseau

Boulon d'ancrage

CALE ENTRETOISÉE

Assise

Cale

L'INSTALLATION DU LIMON CENTRAL

OUTILS ET MATÉRIAUX
- Limon encoché
- Niveau
- Perceuse et forets
- Tire-fonds de 3 pouces
- Supports d'angle
- Vis de 1 ¼ pouce
- Ruban à mesurer
- Équerre
- Contrevent de dimension nominale 1 x

Pour consolider les escaliers un peu plus larges, ajoutez au moins un limon central.

1 *Clouez provisoirement le limon central en position, puis vérifiez le niveau de chaque partie sur laquelle s'appuieront les marches.*

2 *Profitez de l'espace situé sous l'ossature pour enfoncer des tire-fonds dans l'embout supérieur du limon central.*

3 *Consolidez la fixation du limon central en installant des supports d'angle.*

4 *Mesurez l'amplitude du bas des escaliers, puis centrez le limon central.*

5 *Pendant que vous installez les fixations et les marches, clouez provisoirement un contrevent à la partie inférieure des limons afin de consolider l'assemblage.*

votre escalier compte cinq marches, vous devez donc vous acheter des limons d'une longueur d'environ 6 pieds et 6 pouces.

Dessiner le premier limon. À l'aide d'une équerre de charpente, transposez les mesures de vos marches sur un limon de dimension 2 x 12, en prenant bien soin de placer le côté de la pièce avec le couronnement tourné vers le haut. Il est préférable de marquer votre équerre de charpente avec du ruban cache. Vous pouvez aussi vous servir de boulons marquoirs (parfois appelés boutons) munis d'une fente et conçus pour s'enserrer le long d'une équerre de charpente pour marquer la mesure. Ces boulons sont fort pratiques. Ils vous permettent de prendre un appui sur le chant du limon pendant que vous glissez l'équerre de charpente à répétition le long de sa surface, tout en maintenant la mesure de l'angle de chaque marche. Marquez l'emplacement des marches au crayon. Au début, ne vous étonnez pas de vous perdre un peu dans vos mesures et d'avoir à recommencer. (Voir «Dessiner les limons, » à la page 227.)

Commencez en haut du limon, à la partie qui sera aboutée au patio. Rendu à la dernière marche du bas, réduisez ensuite la hauteur de la marche par l'équivalent de l'épaisseur d'une marche.

Découper les limons. Découpez la partie supérieure et inférieure du limon. Ne vous préoccupez pas d'entailler les engravures à ce stade-ci. Puis placez le limon en position sur la bordure du patio tel qu'il sera assemblé au moment de construire votre escalier. Déposez la partie inférieure du limon sur l'assise ou, à tout le moins, sur une pièce de bois qui reproduit le niveau de votre assise. Vérifiez les marques de vos marches pour vous assurer qu'elles soient bien de niveau.

Afin de vous laisser une marge de manœuvre (si vous disposez d'un limon d'une longueur suffisante), il serait peut-être préférable de laisser la mesure de vos coupes d'aplomb et de vos coupes à niveau situées aux deux extrémités du limon dépasser quelque peu. Au moment de vérifier l'emplacement de vos limons par exemple, vous pourriez ajouter à peu près ½ pouce à vos mesures. La partie excédante peut toujours être enlevée plus tard ou servir à corriger une légère dénivellation d'un côté ou de l'autre.

Pour pratiquer les coupes dans un limon encoché, utilisez une scie circulaire. Puisque la lame de votre scie pénètre la pièce de biais, vous devrez peut-être relever le protège-lame au début de chaque coupe afin d'éviter qu'elle ne fléchisse trop de sa trajectoire. Au moment d'effectuer votre coupe, appuyez bien votre semelle le long de la surface. Vous pouvez dépasser votre ligne de coupe d'environ ¾ de pouce, mais seulement si la surface que vous entaillez se trouve du côté intérieur des escaliers ou, si vous préférez, celui le moins visible. Mais au lieu d'affaiblir votre limon en pratiquant une entaille trop longue, finissez plutôt votre coupe à l'aide d'une scie à tronçonner.

L'ASSEMBLAGE DES CALES

Au lieu de vous servir de supports d'angles en métal galvanisé, vous pouvez assembler vos limons à l'assise à l'aide d'une cale fabriquée à partir d'un 2 x 4. Pour fixer la cale, utilisez des tire-fonds et des ancrages de maçonnerie. Une fois la cale coupée sur mesure, percez des avant-trous pour les vis.

Percez des trous pour insérer les ancrages de maçonnerie.

À l'aide d'une clé à douille à cliquet, serrez les vis.

Vissez les limons à la cale.

LES OPTIONS : LES TASSEAUX

Si vous installez des limons pleins, ne vous fiez pas uniquement à la force d'emprise des clous pour assembler les marches de l'escalier aux limons. L'affaiblissement de la structure qui en résulterait pourrait faire fendre les marches et provoquer des accidents. Un meilleur système de soutènement consiste à fixer une bande de clouage (aussi appelée tasseau) à la surface du limon, puis de visser ou de clouer la marche au tasseau. (1) Avec le temps cependant, le bois peut pourrir. Les tasseaux en métal galvanisé offrent un support beaucoup plus durable pour les marches. (2) Assemblez les marches en vissant à travers les orifices du tasseau métallique. La forme en dent de scie des limons encochés procure un support inhérent pour les marches. (3) Si les marches dépassent les limons de chaque côté, vous pouvez rehausser leur aspect en arrondissant les coins et en aplanissant les arêtes. (4)

Pour obtenir une coupe plus nette, il est habituellement préférable de compléter la coupe du motif en dent de scie du limon encoché avec une scie à tronçonner. Maintenez bien la lame d'équerre avec la planche pour éviter de vous retrouver avec des lignes de coupe qui se chevauchent de l'autre côté de la pièce de bois.

Appliquez une couche de scellant à tous les rebords en prenant soin de bien le laisser pénétrer dans le fil d'extrémité. Une fois vos coupes complétées, assurez-vous de ne pas endommager la partie saillante du limon encoché (les « dents » de la pièce, en quelque sorte) tant et aussi longtemps que vos marches ne seront pas installées. Sinon, la dent du limon risquerait de fendre.

Les poteaux. Avec certains types d'escaliers, vous pouvez compléter l'assemblage des limons et des marches avant de procéder à l'installation du barreau d'escalier principal. Bien entendu, pour les escaliers qui se prolongent en s'éloignant du patio et qui sont composés de deux balustrades, vous aurez besoin de deux poteaux. Si vos pièces de limons de dimension 2 x 12 sont solidement boulonnées dans une assise en béton, cet assemblage pourrait être assez résistant pour soutenir un barreau d'escalier boulonné dans l'assise et le limon. Il sera davantage consolidé une fois que vous aurez ajouté des balustrades et des balustres.

Une autre méthode consiste à positionner provisoirement les limons ; de marquer l'emplacement des poteaux ; d'enlever les limons ; et de creuser les trous pour les poteaux. Vous pourriez couler les poteaux dans le béton ou construire des piliers munis de la quincaillerie appropriée pour éviter que le fil d'extrémité du poteau entre en contact avec le sol.

Assembler la partie supérieure des limons. Pour consolider un assemblage, il faut parfois accroître la dimension des éléments de soutènement du patio. Selon la dimension du limon (et le nombre de marches qu'il aura à supporter), il se pourrait que les solives de la structure ne puissent pas offrir toute la solidité requise pour un tel assemblage. En pareil cas, vous devez ajouter un autre mode de support, habituellement assemblé d'un poteau à un autre.

Pour assembler un limon à la surface d'une solive, vous pouvez peut-être enfoncer des clous ou des vis à partir de l'intérieur de la structure, de manière à traverser la solive pour vous rendre jusqu'à l'embout du limon. Consolidez le devant de l'assemblage avec des étriers de solives à angle ou des supports d'angle. Certaines de ces fixations seront peut-être visibles, mais la plupart seront dissimulées par les marches.

Assembler les limons à l'assise. Une fois les marches et les balustrades installées, l'escalier aura plus de stabilité. Afin de consolider l'emplacement final des limons, posez un support d'angle en métal galvanisé directement dans l'assise. (Voir « L'installation de limons pleins », page 228.) Une autre option consiste à noyer des boulons de J dans le béton humide et d'y assembler un tasseau en bois traité. Ou encore, vous pouvez entailler le bas des limons et y installer une cale fabriquée à partir d'un 2 x 4 et fixée à l'assise à l'aide de clous de maçonnerie ou de tire-fonds insérés dans des ancrages pour maçonnerie. (Voir à la page 229 et 231.)

Marches et contremarches. Si vous comptez inclure des contremarches, assurez-vous de les assembler à la structure avant de poser les marches. Le dessus de chaque contremarche devrait affleurer la coupe horizontale du limon. Par contre, assurez-vous de laisser un espace dans la partie inférieure pour faciliter l'écoulement des eaux pluviales. Si la hauteur de votre marche est inférieure à 7 ¼ pouces, vous devrez fendre des pièces de dimension 1 x 8 sur mesure.

Les contremarches sont souvent assemblées de manière à ce qu'elles affleurent l'extérieur des limons. Par contre, ce design pourrait vous attirer des ennuis si le bois rétrécissait ou si vos coupes n'étaient pas rigoureusement précises. Pour éviter ce genre de situation, faites surplomber vos contremarches au-delà des limons à une distance de ¾ de pouce. Bien entendu, cette méthode est seulement possible avec des limons encochés et dans la mesure où vous laissez les marches surplomber de la même distance. Si vous avez des limons encochés, vous aimerez peut-être l'effet flottant que confère à votre escalier le prolongement des marches d'une distance de 3 ou 4 pouces au-delà des limons. Idéalement, le surplomb devrait être identique des deux côtés du limon.

Si vous utilisez des clous pour assembler vos marches, il est préférable de percer des avant-trous. Les vis représentent une meilleure option car elles offrent une meilleure emprise. Mieux encore, utilisez des fixations dites dissimulées, puis enfoncez vos vis à travers des supports d'angles posés sous les marches d'escalier. Ainsi, la surface de vos marches sera exempte de toute trace de vis ou de clous. (Voir « Les options du bricoleur » ci-contre.)

Il est peu commode d'enfoncer des vis sous des marches situées au pied de l'escalier, à quelque 6 ou 7 pouces du sol. Vous n'aurez sans doute pas suffisamment d'espace pour y manœuvrer avec une perceuse électrique. Pour contourner cette embûche, assemblez d'abord des supports d'angles en forme de L au-dessous des marches, puis assemblez-les aux limons en enfonçant vos vis à partir du côté.

TRUCS ET ASTUCES

LES MARCHES ENCASTRÉES

Si votre patio est situé à une hauteur qui équivaut à une seule marche, vous pourriez remplacer les limons par des marches encastrées. Ces cadres de forme rectangulaire sont faciles à assembler. Ils sont fabriqués à partir de pièces de 2 x 6 en bois traité recouvertes de marches pour patio. Pour une hauteur de deux ou trois marches, vous n'avez qu'à construire une grosse boîte et à placer les autres, de dimension décroissante, par-dessus.

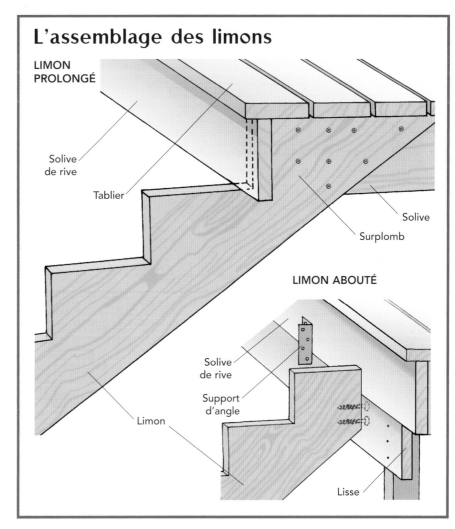

L'assemblage des limons

LIMON PROLONGÉ

Solive de rive

Tablier

Solive

Surplomb

LIMON ABOUTÉ

Solive de rive

Support d'angle

Limon

Lisse

LES
BALUSTRADES
ET LES
BANCS

Une balustrade (ou rampe) offre une certaine sécurité, un peu d'intimité et un endroit pour installer des plantes. Les codes du bâtiment locaux varient, mais de façon générale, les patios construits à plus de 18 pouces au-dessus du sol doivent comprendre une balustrade. Le code du bâtiment spécifiera les exigences minimales concernant la conception de la balustrade.

CI-DESSUS **Les poteaux de cette balustrade sont encaissés et recouverts avec un revêtement qui s'agence avec le style de la maison.**

CHOIX DE BASE

Que vous soyez debout sur le patio ou que vous y jetiez un coup d'œil depuis la cour, vous constaterez rapidement que la balustrade est la partie la plus visible de la structure. La balustrade influence grandement l'apparence générale du patio en lui attribuant des lignes verticales ou horizontales, une apparence ouverte ou fermée ou encore un aspect raffiné ou rustique. Mais les balustrades doivent aussi être conçues pour favoriser la sécurité.

Les codes modernes exigent une balustrade qui soit d'une hauteur de 36 pouces avec les balustres (ou barreaux) espacés à un maximum de 4 pouces d'intervalle. (Vérifiez les exigences du code auprès du bureau local d'inspection des bâtiments.) Ce sont là des limites à respecter, mais vous pouvez fabriquer plusieurs types de balustrade à l'intérieur de celles-ci. Ainsi vous pourriez construire un modèle avec des balustres installés à la verticale avec une balustrade supérieure ou encore plusieurs balustres horizontaux entre des poteaux principaux. Une autre option est d'incorporer une balustrade entre des bancs périmétriques incorporés dans le design.

Il n'y a pas de lourdes charges à soulever ou de trous salissants à creuser lors de cette étape. Vous pourrez de plus construire une structure qui aura une apparence professionnelle et faite à la main avec quelques techniques simples, quelque chose dont vous pourrez être fier pendant de nombreuses années.

LE MATÉRIEL

Certaines cours à bois et d'autres centres de rénovation offrent maintenant des systèmes de balustrade préfabriqués. Ces systèmes comprennent toutes les composantes dont vous aurez besoin pour en faire l'installation, y compris les balustres et la balustrade comme les pilastres fabriqués en usine et dans plusieurs modèles décoratifs différents. Vous pouvez aussi utiliser du métal fondu, des câbles d'acier, des tuyaux en plastique, des panneaux transparents en acrylique, etc., tant que vous obtenez l'approbation du bureau d'inspection des bâtiments de votre localité.

Le matériel le plus populaire et le plus facile d'utilisation pour concevoir des balustrades est le bois de construction typique disponible en différentes dimensions. Vous pouvez couper et assembler des 1 x, des 2 x ou des 4 x dans une variété de styles.

BOIS DE CONSTRUCTION

Il est habituellement préférable de voir à ce que le matériel de la balustrade s'agence avec le platelage et la solive de rive, mais cela n'est pas une règle absolue. Il est parfois souhaitable de penser en fonction du fait d'harmoniser la balustrade avec la maison, étant donné que les balustres sont des lignes verticales que l'on voit avec la maison en toile de fond. Par exemple, sur une maison de type colonial ou victorien, les poteaux tournés et les pilastres de fantaisie peuvent sembler être les meilleurs choix, particulièrement s'ils reproduisent des éléments visibles sur la maison.

Et il n'y a aucune règle qui dit que vous ne pouvez pas teindre ou peindre la balustrade en partie ou dans sa totalité pour vous aider à l'harmoniser au décor. Si vous avez un patio non peint et une maison peinte, vous avez déjà une combinaison bois peinture, et il n'y a pas de problème à poursuivre dans cette voie. Dans tous les cas, nous vous suggérons de peindre le couronnement pour le protéger des intempéries.

CHOISIR LE BOIS DE CONSTRUCTION

La balustrade mérite le meilleur bois de construction que vous pouvez trouver. Ces morceaux seront fréquemment sous vos mains, et ils offrent au demeurant des recoins et des fissures par lesquels l'eau peut être absorbée, sans parler du fait que les échardes sur une balustrade peuvent être véritablement dangereuses. Vous devez donc choisir le matériel de votre balustrade très soigneusement. Cette composante particulière est importante lorsqu'il est question d'apparence, et c'est encore plus important quand la sécurité est en jeu.

Le cèdre et le séquoia ont la plus belle apparence et fendillent le moins. Cependant, puisque des mains se glisseront fréquemment sur la balustrade et qu'elle sera exposée aux intempéries, il serait bon de traiter ce matériel avec un produit de préservation du bois au moins une année sur deux. Le bois traité de haute qualité peut aussi faire l'affaire, et il existe également une variété de systèmes de balustrade disponibles en matériaux composites et en vinyle.

Composantes précoupées. Vous pouvez économiser du temps en utilisant des composantes précoupées comme des balustres décoratifs de 2 x 2, mais ne modifiez pas votre plan de balustrade uniquement pour tenir compte de leurs dimensions. Avec une scie à onglets et un gabarit facile à faire, vous pourrez rapidement couper une centaine de 2 x 2 selon la longueur désirée. Il peut parfois être difficile de trouver de beaux 2 x 2, puisqu'ils ont tendance à gauchir s'ils ne sont pas bien empilés. Vous pourriez choisir des morceaux plus larges et les couper en plus petits morceaux pour en faire des balustres convenables.

Dans quelques secteurs, vous pouvez acheter du bois de construction usiné de façon à pouvoir accommoder des composantes disponibles sur le marché. Par exemple, vous devriez être en mesure d'acheter un couronnement qui a une cannelure de 1 ½ pouce de largeur dans le bas pour accommoder des balustres de 2 x 2.

FIXATIONS

S'il y a des choses qui deviennent branlantes sur un patio, c'est habituellement au niveau de la balustrade. Il y a beaucoup de morceaux qui n'ont pas de fonction structurelle ni porteuse et il est fréquent de s'appuyer ou de heurter une balustrade. Nous vous suggérons donc de voir à ce que votre balustrade soit aussi forte que possible à tous les endroits où elle est fixée.

Il n'y a malheureusement que peu de fixations spécialisées pour les balustrades, et le matériel qui existe n'est pas aussi efficace que des étriers à solives pour la charpente. En général, les raccordements en métal pour fixer les balustrades aux poteaux sont peu attrayants et fournissent un endroit de plus où l'humidité peut se retrouver. Et à moins d'être galvanisés, ils peuvent rouiller. Il existe une attache reliant le poteau à la balustrade qui est plus utile en soi ; elle vous permet de raccorder le couronnement au poteau tout en dissimulant les fixations. Les taquets en bois qui peuvent fournir une surface de clouage supplémentaire ont un aspect peu professionnel et peuvent être susceptibles aux dégâts causés par l'eau.

LES OPTIONS : CHAPITEAUX ET POTEAUX

Les poteaux précoupés sont disponibles en plusieurs styles et dimensions. Vous pouvez les couper selon la longueur désirée et les combiner avec les chapiteaux et les balustres disponibles sur le marché. Si vous utilisez des poteaux achetés dans un magasin, vous pouvez les surmonter d'un chapiteau plat ou tourné. Plusieurs de ces chapiteaux ont une extrémité qui se termine par une vis, ce qui fait que vous pouvez prépercer un trou et les visser facilement sur les poteaux.

Il faut savoir comment tirer le meilleur parti des fixations standard. Commencez par fixer les poteaux de soutien aux solives extérieures avec des tire-fonds ou des boulons. Les boulons offrent le maximum de soutien. C'est aussi une bonne idée de prépercer les trous qui accueilleront les clous ou les vis qui sont près de l'extrémité d'une planche. Utilisez des vis de patio ou des clous galvanisés de 3 pouces pour obtenir suffisamment de force de soutien. Essayez autant que possible d'éviter d'enfoncer des clous ou de visser des vis en angle, et d'enfoncer plus que deux fixations dans les joints des balustres. Par exemple, pour fixer un morceau de balustrade à l'horizontale sur un 4 x 4 ou un 2 x 4, utilisez un joint de recouvrement et une paire de fixations enfoncées à travers les deux planches. Cette tactique réduira les chances de voir un morceau se fendre.

CE QU'IL FAUT SAVOIR

Toutes les balustrades utilisent certains des composants qui suivent, mais pas nécessairement la totalité d'entre eux. Les poteaux sont des pièces de charpente et ils sont habituellement constitués de 4 x 4 ou de 2 x 4 tournés sur la tranche pour plus de force latérale. Ils empêchent la balustrade de vaciller et fournissent l'appui principal qui neutralise le poids de quelqu'un qui se penche sur l'assemblage ou qui chute contre ce dernier.

Les *balustres* sont les nombreuses pièces verticales, souvent de 2 x 2, qui remplissent les espaces entre les poteaux et qui constituent une sorte de barrière. Les balustrades supérieures et inférieures sont disposées horizontalement entre les poteaux et peuvent être à plat ou sur une extrémité. Les balustres sont fixés sur ces balustrades sur plusieurs modèles. Quelques balustrades n'ont pas de balustres verticaux et utilisent plusieurs balustrades horizontales à la place. (Vérifiez les codes locaux.)

D'autres modèles utilisent un couronnement, un morceau de bois de construction horizontal disposé à plat sur le sommet du poteau et de la balustrade supérieure. Il couvre le bois de bout du poteau et peut fournir une surface plate pouvant servir de tablette.

RESPECTER LE CODE

La balustrade est une des parties de votre patio qu'un inspecteur vérifiera de très près. Vous constaterez probablement que tous les patios situés à plus de 18 pouces du sol requièrent une balustrade qui utilise des composantes verticales et qui doit avoir au moins 36 pouces de haut. Quelques codes peuvent spécifier une hauteur de 42 pouces.

Si le patio est situé à plus de 8 pieds de hauteur, vous pourriez construire une balustrade de 42 pouces pour plus de sécurité.

Lorsque vous planifiez le système de balustrade, pensez à la partie du code qui est la plus limitative, soit l'espace minimal requis entre les composantes. Cette dimension est généralement de 4 pouces, et elle est basée en grande partie sur le fait d'empêcher de très petits enfants de passer à travers la balustrade ou de voir leurs têtes coincées entre des balustrades ou des balustres. Quelques codes peuvent exiger une ouverture plus petite dans le bas de la balustrade.

Il peut également y avoir des exigences spécifiques à propos des poteaux et des fixations afin que votre balustrade soit forte. Mais sachez qu'il est possible d'utiliser plusieurs variations dans la conception en respectant le code.

CHOIX DE CONCEPTIONS

Une des approches quant à la conception des balustrades est de travailler avec deux listes de dimensions : une qui inclut le bois de construction de taille courante, comme des 2 x 4 et des poteaux de 4 x 4, et une autre qui inclut les exigences du code, comme l'espacement de 4 pouces entre les balustres. Vous constaterez qu'il existe plusieurs façons d'assembler vos morceaux.

Voici un bref aperçu de certains facteurs qui peuvent affecter votre choix de matériaux et la conception dans son ensemble.

Tenir compte du surplomb du patio. La première chose à laquelle il faut penser dans le choix d'une conception est le moyen que vous utiliserez pour fixer les balustres et les poteaux au patio. Il y a plusieurs possibilités. Par exemple, si vous avez des balustres mais que vous n'avez pas de balustrade inférieure, afin que les balustres soient fixés aux solives ou à la solive de rive, vous pourriez couper le surplomb du platelage dans l'alignement des solives. Autrement vous devriez procéder à des centaines de petites découpes pour faire de la place aux balustres. Mais si vous utilisez plusieurs balustrades sans balustres ou si vous avez une balustrade inférieure à laquelle vous fixerez les balustres, sachez que votre platelage peut alors surplomber la solive.

Choix de la largeur des couronnements. Si votre couronnement doit s'abouter entre les poteaux, il doit donc être de la même largeur que le poteau, ce qui signifie habituellement que ce sera un 2 x 4. Si vous voulez un couronnement plus large (pratique pour servir de tablette), utilisez une conception qui place le couronnement au sommet des poteaux. Ce style est à son mieux quand le couronnement surplombe les poteaux de 1/4 à 1 1/2 pouce de chaque côté.

La plupart des conceptions de balustrades vous permettent de choisir un 2 x 6 ou un 2 x 8 comme couronnement. Le 2 x 8 peut paraître un peu étrange, particulièrement sur un petit patio, mais il offre beaucoup d'espace de tablette. Indépendamment de la conception que vous choisirez, sélectionnez les meilleures pièces de bois de construction pour votre couronnement.

Installer les poteaux. Il y a trois approches de base concernant l'installation des poteaux. L'une consiste à installer les planches du platelage dans l'alignement des solives extérieures. Cela vous permet de fixer les poteaux de la balustrade directement dans la charpente du patio sans devoir faire une seule encoche. La plupart des patios ont cependant une meilleure apparence (et l'eau s'écoule plus facilement) avec un surplomb.

Une autre approche est d'encocher les poteaux pour tenir compte du surplomb du patio. Cela permet à la section inférieure des poteaux de reposer contre les solives, et vous pouvez les fixer solidement avec des tire-fonds ou des boulons. Cela fonctionne bien si le surplomb est petit et que vous utilisez de grands poteaux, comme des 4 x 4. Mais avec un long surplomb, vous aurez besoin d'une grande encoche, ce qui peut affaiblir les poteaux. La meilleure approche est souvent d'encocher les planches du patio là où elles surplombent les solives. Cela laissera au poteau sa pleine épaisseur où vous avez besoin de la force maximale.

Poteaux de coin. Vous pouvez installer un poteau de coin simple ou deux poteaux près de l'un l'autre sur les côtés opposés d'un coin. Les poteaux de coin simples devraient être au minimum des 4 x 4 ou mieux.

OPTIONS DIVERSES

Voici un coup d'œil à différentes options de conception. Si vous voulez créer votre propre conception, vous pouvez associer différentes idées selon vos préférences.

Balustres et balustrade supérieure seulement. C'est la conception la plus simple. Il faut cependant savoir qu'elle ne convient qu'aux plus petites balustrades puisqu'elle n'a pas de poteaux et de couronnement à plat, deux éléments qui donnent une force latérale à d'autres conceptions. Bien sûr, plus les balustres sont rapprochés, plus ils donnent de la force. Ce type de balustrade peut offrir un aspect monotone avec un long patio, car toutes les lignes verticales sont de la même largeur.

Pour le construire, installez les balustres à chaque extrémité de la balustrade, et fixez cette dernière. Remplissez ensuite l'espace avec les balustres du centre. Les vis travaillent mieux que les clous. La balustrade inachevée vacillera un peu si vous frappez dessus.

Couronnement sans balustrade. Cette seconde conception a l'aspect vertical de la première conception, avec la force supplémentaire des poteaux et l'utilité d'un couronnement. La façon la plus facile de construire cette balustrade est d'utiliser un couronnement

CI-DESSUS **Les balustrades supérieures et les couronnements décoratifs procurent des détails distinctifs à votre patio.**

avec une cannelure usinée pour accueillir les balustres en 2 x 2. Certains magasins n'offrent ces couronnements que dans des largeurs de 3 ½ pouces. Si vous voulez installer quelques jardinières, utilisez un 2 x 6 pour le couronnement et fixez une bande de clouage de 2 x 2 au-dessous. Vissez les balustres à la bande de clouage.

Installez les poteaux tous les 72 pouces ou à peu près (toujours en respectant les limites du code) et placez le couronnement sur eux. Installez la bande de clouage entre les poteaux si vous n'utilisez pas de couronnement avec une cannelure et fixez les balustres.

Deux balustrades sans couronnement. Dans ce système, les lignes horizontales sont aussi fortes que les lignes verticales. L'absence de couronnement procure un aspect pur, mais n'offre pas d'espaces pour des tablettes. Vous pourriez préférer l'aspect d'une

LES TRUCS : POTEAUX ET BALUSTRADES

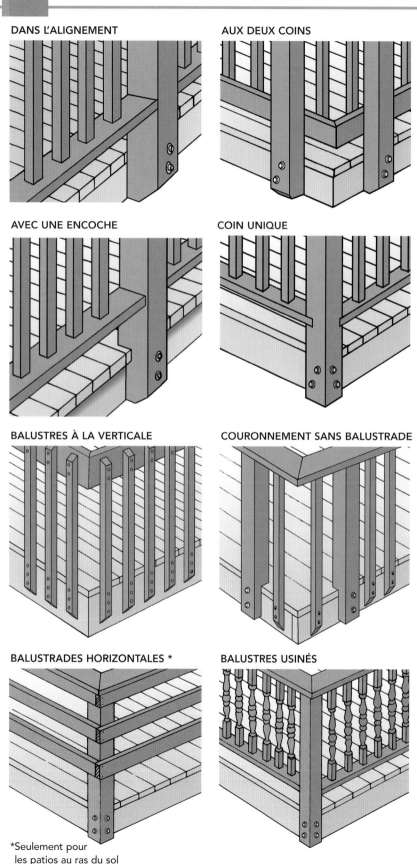

DANS L'ALIGNEMENT

AUX DEUX COINS

AVEC UNE ENCOCHE

COIN UNIQUE

BALUSTRES À LA VERTICALE

COURONNEMENT SANS BALUSTRADE

BALUSTRADES HORIZONTALES *

BALUSTRES USINÉS

*Seulement pour
les patios au ras du sol

balustrade plus large et substantielle au sommet, comme un 2 x 6, et une balustrade plus étroite, comme un 2 x 4, près du patio. Fixez les balustrades supérieures et inférieures et ensuite les balustres, ou construisez les sections balustrades et balustres comme sur le modèle de la construction d'une échelle.

Balustrades à l'horizontale. Les lignes horizontales dominent dans ce système. (Ce système peut être interdit dans votre municipalité avec des patios de 2 ou 3 pieds de hauteur.) Vous pouvez abouter les extrémités des balustrades où elles se rencontrent au-dessus d'un poteau ou les assembler à onglets pour créer un chevauchement procurant un aspect plus fini. La balustrade supérieure peut être faite avec un 1 x 6, si vous voulez un grand surplomb avec un couronnement 2 x 6. À moins que vos poteaux ne soient à plus de 48 pouces d'écart, les autres balustrades devraient être faites avec des 2 x de bois de construction. Souvenez-vous de placer vos balustrades au-dessous de la balustrade supérieure suffisamment près les unes des autres pour vous conformer au code.

Deux balustrades avec des balustres. Cette conception a l'aspect de sections de style «échelle» entre les poteaux, mais les balustrades sont continues, courant sur la face des poteaux (ou légèrement encastrées), au lieu d'être aboutées entre des poteaux. C'est une des meilleures approches parce qu'elle procure des lignes horizontales fortes et les sections de lignes verticales avec les balustres. Cela aide à donner une envergure et des détails à un patio afin qu'il ne ressemble pas tant à une grosse plate-forme collée sur le côté de la maison.

Fixez d'abord les poteaux, qui peuvent être des 4 x 4 ou des 2 x 4 (les espacements et les dimensions en fonction du code) ; positionnez ensuite les balustrades et un couronnement, si vous le souhaitez. Dans ce cas, les balustres peuvent s'abouter sous le couronnement.

Panneaux en sandwich. Cette conception compte plusieurs variations, comme l'utilisation de panneaux de treillis, de panneaux de plastique, de verre de sécurité ou de panneaux solides de revêtement extérieur. L'idée est de construire des charpentes pour le matériel de boulonnage et de les fixer aux poteaux. Une autre option consiste à installer des bandes de clouage sur les côtés des poteaux ; à insérer le matériel de boulonnage ; et enfin sécuriser le tout avec une autre bande de clouage. Un inconvénient à cette conception c'est que l'eau peut s'accumuler et demeurer sur la balustrade inférieure. Utilisez donc des matériaux très résistants à la pourriture.

Installez les poteaux et fixez la balustrade inférieure et le couronnement. Installez un côté de bande de clouage 1 x 1, le panneau de boulonnage et le reste des bandes de clouage.

Écran avec sommet de treillis. Ce modèle utilise une combinaison de diverses conceptions et offre beaucoup d'intérêt visuel en augmentant l'intimité et en diminuant les effets du vent. Le point faible potentiel se situe dans les lamelles qui peuvent devenir lâches avec le temps. Elles peuvent de plus absorber l'eau qui est accumulée sur la balustrade inférieure en 2 x 4 par le bas. Appliquez donc quelques couches de produit de préservation du bois aux découpes, et fixez fermement les lamelles avec des vis.

Le fait de couper le sommet des poteaux jusqu'à un certain point les rendra moins sujets aux dégâts d'eau, mais une simple coupe angulaire pourrait aussi aider. La section de treillis au sommet est construite presque de la même façon que les panneaux en sandwich. Installez les poteaux ; construisez les sections inférieures à la façon d'une échelle et installez-les entre les poteaux. Ajoutez la balustrade la plus haute et un côté de matériel de clouage 1 x 1. Ajoutez ensuite le treillis et le reste du 1 x 1.

Balustrade supérieure de 4 x 6 sur balustres. Il s'agit d'une balustrade impressionnante et peu commune qui ne requiert pas beaucoup de travail supplémentaire et qui n'est pas plus chère que plusieurs autres conceptions. Il est cependant essentiel que vous utilisiez des morceaux de 4 x 6 extrêmement droits, secs et sans fente pour la balustrade supérieure, parce qu'il n'y a absolument aucun moyen de les redresser lors de la construction.

Le platelage doit être coupé dans l'alignement des solives. Les extrémités inférieures des balustres sont coincées entre les solives et le panneau est ajouté après les balustres, créant un écart de 1 ½ pouce entre le platelage et le panneau. C'est une bonne conception pour éviter les dégâts d'eau.

Fixez la balustrade au patio avec deux ou trois vis ou clous. Mesurez et coupez ensuite les morceaux de 4 x 6 pour qu'ils soient de la bonne dimension. (Avec l'aide d'une autre personne, vous pouvez les placer sur le dessus des balustres pour les mesurer.) Ensuite, coupez la cannelure dans le 4 x 6 pour accueillir les balustres. Pour ce faire, tracez des lignes pour une cannelure de 1 ½ pouce. Assurez-vous de ne pas couper jusqu'aux extrémités sinon la cannelure sera visible dans le bois de bout. Réglez la profondeur de coupe de la lame de votre scie circulaire à une profondeur d'environ 2 pouces. Tout d'abord, coupez sur les lignes. Faites ensuite plusieurs passages entre les lignes et nettoyez la cannelure avec un ciseau à bois bien aiguisé. Mettez les morceaux de 4 x 6 en place et fixez les balustres avec des vis ou des clous en angle. Ajoutez enfin la planche de bordure par-dessus les balustres.

Motif entrecroisé. La réalisation de ce modèle quadrillé impliquera une bonne dose de patience, tant pour le disposer que pour l'installer. Si vous voulez que les sections soient des carrés plutôt que des rectangles, déterminez la distance qui séparera les morceaux à l'horizontale, et espacez les balustres verticaux de la même manière. Vous pouvez encocher le platelage pour chaque balustre de 2 x 2. Il est généralement plus facile d'installer les balustres avant le platelage. Il serait évidemment encore plus facile de couper le platelage dans l'alignement des solives ou de la solive de rive. Utilisez des vis plutôt que des clous parce que tous ces 2 x 2 plieront si vous cognez sur eux.

Préparez votre motif quadrillé soigneusement, en déterminant la position de l'ensemble des balustres. Vous devrez peut-être tricher un peu pour que l'écart entre vos balustres soit le même, mais si vous arrivez avec des carrés auxquels il manque ¼ de pouce ou à peu près, personne ne le remarquera. Installez les balustres, la balustrade supérieure en 2 x 4 et le couronnement en 2 x 6. Terminez avec les balustres à l'horizontale en 2 x 2.

Balustrade usinée. La balustrade usinée, faite de bois de construction traité, de vinyle ou de matériaux composites, est largement disponible. Elle n'exige aucune coupe (sauf sur la longueur dans certains cas), ce qui vous permet d'économiser beaucoup de travail. Assurez-vous d'inspecter chaque balustre en bois soigneusement à la recherche de fentes et de rainures. Suivez les instructions d'installation du fabricant.

Il y a plusieurs façons d'incorporer ces balustres dans un système de balustrade. Par exemple, vous pouvez construire les sections balustrades de style « échelle », en fixant les balustres aux balustrades supérieures et inférieures avec des vis de 3 pouces passées à travers les balustrades jusque dans les balustres.

12

LES BALUSTRADES ET LES BANCS

INSTALLATION DE BALUSTRADES ET DE BALUSTRES

Les méthodes de construction varient selon les différentes conceptions de balustrades, mais normalement, on commence par installer les poteaux, on passe ensuite aux balustrades supérieures et inférieures, on poursuit l'opération avec la pose du couronnement (si vous en ajoutez un) et on complète le tout avec les balustres. Une autre approche consiste à construire les sections de la balustrade à la manière d'une échelle et de les installer ensuite entre les poteaux. Nous sommes d'avis que pour la plupart des bricoleurs, c'est la méthode étape par étape décrite en premier lieu qui fonctionne le mieux.

INSTALLER LES POTEAUX

Lorsque vous aurez choisi le système de balustrade qui vous convient, vous saurez ce que vous avez à faire pour procéder. Par exemple, en découpant des encoches dans les extrémités de votre patio pour recevoir les poteaux. Voici une séquence de base, que vous devrez ajuster quelque peu selon le système de balustrade que vous aurez choisi. (Voir «Comment fabriquer des poteaux», ci-dessous.)

Couper et encocher les poteaux. Déterminez la longueur de vos poteaux, en tenant compte des autres composantes de votre balustrade et de l'espace que votre poteau couvrira sur l'extrémité de la solive, une fois installé. Ainsi, si vous avez des solives 2 x 8 et que vous voulez une balustrade qui mesure 40 pouces de hauteur, soustrayez 1 ½ pouce pour l'épaisseur du couronnement, et ajoutez 8 ¾ pouces pour l'épaisseur du platelage plus la largeur de la solive, pour

COMMENT FABRIQUER DES POTEAUX

OUTILS ET MATÉRIAUX
- 2 x 4
- Ruban à mesurer
- Équerre combinée
- Scie circulaire
- Serres
- Maillet et ciseau à bois
- Perceuse et mèches
- Tire-fonds 4 ½ pouces
- Clé à cliquet
- Niveau

Vous pouvez couper les extrémités des poteaux à l'équerre, mais les coupes en angle procurent un aspect plus fini.

1 Utilisez une scie circulaire pour faire des coupes à angle de 45° à l'extrémité supérieure des poteaux.

4 Faites une autre série de coupes pour la balustrade inférieure. (Voir étape 2). Nettoyez l'encoche avec un ciseau à bois.

5 Faites une encoche dans le surplomb du patio afin que le poteau repose fermement contre les solives.

une longueur totale de poteau de 47 ¼ pouces. Vous pouvez aussi choisir de soustraire environ ¾ de pouce pour laisser un découvert entre le bas de la solive et le bas du poteau. Cette façon de faire procure généralement une apparence plus finie et plus professionnelle aux patios.

Encochez les poteaux pour la balustrade. Si vous décidez d'encocher le bas des poteaux plutôt que le surplomb du patio, ne le coupez pas trop profondément. **1-4** Une coupe qui s'approche de la moitié de l'épaisseur peut exposer le poteau au fendillement sous pression. Soyez particulièrement prudent avec les poteaux de coin. Une fois que vous aurez fait deux encoches (une pour la balustrade de chaque côté du coin), la structure du poteau pourrait être sapée.

Marquer et encocher le platelage. Sur la solive de rive ou les solives, marquez les positions de tous vos poteaux, en les espaçant également quand c'est possible. Faites des lignes à l'équerre afin que les po-

teaux s'adaptent avec précision quand viendra le temps de les positionner d'aplomb. Vous pouvez utiliser une scie sauteuse pour faire les coupes ou couper les côtés pour obtenir la profondeur désirée avec une égoïne, et utiliser ensuite un ciseau à bois pour découper l'arrière de l'encoche. **5**

Prépercer des trous. Marquez vos poteaux pour des boulons de carrosserie ou des tire-fonds qui fixeront les poteaux à la charpente du patio. **6** Pour éviter que le bois ne fende, les fixations ne devraient pas pénétrer dans les planches du patio ou être enfoncées à moins de 1 ½ pouce du sommet et de la base de la solive, autant que possible. Il est préférable de positionner des boulons à seulement 4 ou 5 pouces d'intervalle que de les placer près des extrémités des solives par-dessous. **7**

Lorsque l'espacement est déterminé, serrez le poteau en place pour vous assurer que les fixations iront s'attacher solidement à la charpente. Reproduisez ensuite

2 Faites une série de coupes espacées de près à l'autre extrémité des poteaux de façon à créer une encoche pour la balustrade supérieure.

3 Faites une coupe à angle dans le coin extérieur du bas du poteau. Cela créera un détail visuellement attrayant.

6 Prépercez des trous pour les tire-fonds où le poteau rencontrera les solives du patio. Fraisez le trou pour dissimuler les têtes des boulons.

7 Fixez le poteau avec les tire-fonds et les rondelles. Vérifiez que le tout soit au niveau et apportez des ajustements si nécessaire.

12

LES **BALUSTRADES** ET LES **BANCS**

COMMENT INSTALLER LES BALUSTRADES

OUTILS ET MATÉRIAUX
- ■ 2 x 4
- ■ 2 x 6
- ■ Ruban à mesurer
- ■ Scie circulaire
- ■ Perceuse et mèches
- ■ Vis de 2½ pouces
- ■ Évideuse
- ■ Colle de construction
- ■ Ponceuse

Si vous ne parvenez pas à créer une disposition de poteaux avec des espacements égaux qui soit conforme au code, placez cet espace délinquant près de la maison.

1 *Pour les grands bouts qui requièrent plus qu'un morceau de bois, créez un assemblage en sifflet qui arrive sur un poteau.*

4 *Continuez à fixer la balustrade inférieure aux poteaux. Disposez un support au sommet des poteaux pour plus de stabilité.*

5 *Ce projet implique que la balustrade supérieure dépasse des poteaux dans les côtés opposés d'un coin. Coupez des angles de 45° dans les balustrades.*

la disposition sur le reste des poteaux. Pour les boulons, il faudra percer un trou qui permette au boulon de glisser complètement à travers lui. Le filetage des boulons ne mord pas dans le bois comme celui des tire-fonds. Parlant des tire-fonds, vous aurez besoin d'un avant-trou qui ne soit pas plus large que la tige centrale moins le filetage.

Pour que les trous soient bien alignés, vous devez bien sûr serrer chaque poteau en place (et vérifier qu'il soit d'aplomb) avant de percer le trou à travers le poteau jusque dans la solive. Si réussira positionner vos poteaux d'aplomb vous inquiète, percez d'abord le trou supérieur et insérez temporairement le boulon ou le tire-fond. Placez ensuite votre niveau sur le poteau et percez le deuxième trou.

Fixer les poteaux. Fixez les poteaux solidement avec des boulons de carrosserie ou des tire-fonds avec des rondelles. Certaines personnes préfèrent l'apparence des têtes de boulons ou de tire-fonds qui sont enfoncées dans des trous fraisés. Cela procure généralement un aspect plus fini, et personne ne pourra s'y accrocher.

INSTALLER LES BALUSTRADES

Marquer et couper les balustrades. Lors de l'installation des balustrades, il est habituellement préférable de tenir chaque morceau en place, de le marquer pour la coupe requise et de l'installer complètement avant d'ajouter une autre section. Idéalement, bien sûr, toutes les balustrades seront d'un seul morceau, et vous n'aurez pas de joints sauf dans les coins. (Voir «Comment installer les balustrades», ci-dessus.)

Mais aux endroits où vous devrez utiliser plus d'un morceau, vous pourriez prendre le temps de faire un assemblage en sifflet au lieu d'un joint abouté, parti-

2 *Pour faire un assemblage en sifflet, coupez des angles de 45°*
dans des extrémités opposées de balustrades qui se rencon-
treront au poteau.

3 *Insérez les balustrades dans l'encoche du poteau, et prépercez*
des trous pour les vis. Installez deux vis par joint.

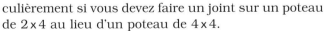

6 *Coller les extrémités qui doivent être assemblées à onglet ;*
placez une serre et vissez des vis pour sécuriser le joint.

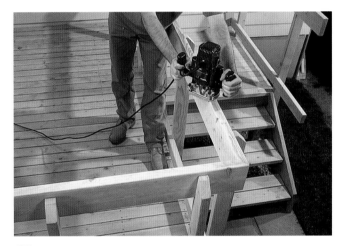

7 *Pour un petit détail supplémentaire, vous pouvez arrondir et sabler*
le dessus de la balustrade avec une évideuse ou une ponceuse.

culièrement si vous devez faire un joint sur un poteau de 2 x 4 au lieu d'un poteau de 4 x 4.

L'idée est de couper des angles complémentaires de 45° où les balustrades se rencontrent, ce qui permet à l'une de glisser sur l'autre. Serrez l'assemblage en sifflet en place, prépercez vos trous et vissez une paire de vis pour sécuriser ce raccord. **1–4** Étant donné que cet assemblage requiert moins de fixations qu'un joint abouté, il permet aussi de réduire les chances de voir le bois fendre. Et si le bois se contracte, vous ne verrez pas de trou évident comme vous pourriez en voir avec un joint abouté.

Pendant que vous travaillez autour du patio, prenez le temps de vérifier l'aplomb de vos poteaux. Vous pouvez immobiliser vos poteaux avec un support dans la portion supérieure, ou simplement vérifier le poteau et utiliser une serre lorsque vous attachez les fixa-

tions. Il n'y aura probablement pas beaucoup de jeu dans le bas des poteaux à l'endroit où vous fixerez la balustrade inférieure.

Si vous n'avez pas de poteau de coin où les balustrades auraient pu se rencontrer, fixez temporairement une balustrade qui est trop longue. Tenez le morceau de balustrade suivant contre ce morceau et marquez-les immédiatement. Vous pouvez faire un joint abouté ici, mais un assemblage à onglet paraît mieux. **5–7**

Installer des balustrades d'escalier. La façon la plus simple de marquer les coupes pour une balustrade d'escalier est de clouer les balustrades supérieures et inférieures en place et de trusquiner les coupes. Vérifiez l'aplomb de vos poteaux ; clouez ensuite les balustrades d'escalier pour qu'elles soient parallèles avec le longeron. Marquez les extrémités supérieures

COMMENT INSTALLER LES BALUSTRES

OUTILS ET MATÉRIAUX
- 2 x 4
- Plateau de sciage
- Scie circulaire
- Fausse équerre
- Serres et chevalets
- Perceuses et embouts de tournevis
- Vis de 2 pouces
- Ponceuse à courroie

Si vous coupez les deux extrémités de vos poteaux de soutènement en angle, reproduisez la même forme aux embouts de vos balustres.

1 Marquez un bon 2 x 4 pour la coupe, et découpez les balustres avec un plateau de sciage.

2 À l'aide de la fausse équerre, prenez la mesure de l'angle des poteaux de soutien et reproduisez-le sur les balustres.

3 Avec une serre, reliez plusieurs balustres et supprimez les imperfections avec une ponceuse à courroie.

4 Percez des avant-trous dans les balustres pour recevoir les vis, ce qui vous permettra d'éviter que le bois fende.

5 Faites le tour du périmètre de votre patio en fixant tous les balustres avec des vis.

pour les coupes dans deux directions, soit dans l'alignement au sommet et vers l'intérieur de la balustrade du patio. Utilisez un niveau pour marquer les extrémités inférieures pour une coupe qui est d'équerre avec la fin de l'escalier. Marquez le poteau inférieur à couper dans l'alignement du bord supérieur de la balustrade supérieure.

Coupez le poteau et la balustrade inférieure avec une scie circulaire et fixez la balustrade au poteau avec des vis de patio ou des clous galvanisés, en perçant des avant-trous pour toutes les fixations.

INSTALLER LE COURONNEMENT

Mesurer et couper. Tenez les morceaux en position et marquez-les chaque fois que c'est possible de le faire. Les coins exigent des coupes précises et sans éclat, alors utilisez une scie à onglets ou un guide avec votre scie circulaire. Laissez les planches intactes jusqu'à ce que vous ayez l'assemblage à onglet parfait dans le coin. Vous pouvez ensuite couper les couronnements de la bonne longueur.

Biseautez les embouts. Couper les entures de biseau. Évitez les entures aux extrémités si vous le pouvez, car elles auront un aspect très moyen si le bois se contracte en plus d'inviter la moisissure dans le bois de bout. Lorsque les entures sont nécessaires, placez-les au-dessus des poteaux et procédez à un assemblage en sifflet en coupant les planches à 45°.

Installer le couronnement de la balustrade de l'escalier. Vous pouvez utiliser une fausse équerre pour marquer l'angle de coupe de la ligne d'aplomb supérieure de la balustrade d'escalier. Il est préférable de marquer les lignes de coupes avec le couronnement en place. Réglez l'angle de votre scie circulaire ou de votre scie à onglet pour couper les deux extrémités du couronnement de votre balustrade d'escalier selon cet angle. Évitez de gaspiller du bois en laissant votre morceau un peu plus long que nécessaire au début, de façon à vous permettre de tester l'extrémité supérieure et d'ajuster l'angle si requis. Le bois de bout des deux extrémités sera exposé après les coupes, alors nous vous conseillons de les traiter avec un peu de scellant. Assurez-vous que votre joint soit aussi serré que possible et polissez la transition angulaire avec un peu de ponçage.

INSTALLER LES BALUSTRES

Estimation du matériel requis et espacements. Vous devriez être en mesure d'obtenir une bonne idée du bois de construction requis en vous basant sur le nombre de

UTILISATION DE GABARITS

Peu importe le soin que vous accordez à la prise de vos mesures, il est encore possible que des erreurs se produisent. Lorsque vous mesurez la même dimension des douzaines de fois, comme vous devez le faire lors de l'installation de balustres, les risques d'erreurs ne font qu'augmenter. Vous pouvez prévenir ces erreurs en confirmant la distance entre deux balustres et en coupant un bloc de bois qui deviendra votre gabarit et que vous pourrez utiliser comme séparateur. Plutôt que de prendre votre ruban à mesurer, prenez votre gabarit et maintenez-le en place. (1) Utilisez également un autre gabarit séparateur sous vos balustres pour vous assurer que tous les balustres sont à la même distance à partir du côté inférieur de la balustrade. (2)

Détails de l'écoulement de l'eau

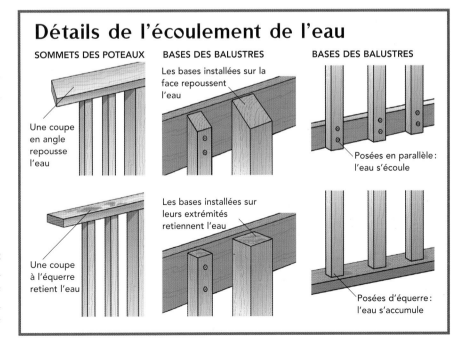

SOMMETS DES POTEAUX

Une coupe en angle repousse l'eau

Une coupe à l'équerre retient l'eau

BASES DES BALUSTRES

Les bases installées sur la face repoussent l'eau

Les bases installées sur leurs extrémités retiennent l'eau

BASES DES BALUSTRES

Posées en parallèle: l'eau s'écoule

Posées d'équerre: l'eau s'accumule

LES TRUCS DU BRICOLEUR : CONSTRUIRE DES BALUSTRADES

Voici une autre méthode pour construire des balustrades, qui consiste à assembler des sections complètes de la balustrade avec les balustres. Vous pouvez les assembler à plat sur votre patio comme si vous construisiez une échelle. Une fois que ces sections sont assemblées, il n'y a plus qu'à les fixer entre les poteaux. Ce système n'offre cependant pas la marge d'erreur que vous avez quand vous choisissez d'installer des balustrades et des balustres morceau par morceau.

Installer les balustres.

Assemblez les sections aux poteaux.

balustres que vous utiliserez par pied linéaire de patio. Si vous avez l'intention d'installer un lot de balustres en une seule séquence ininterrompue, portez attention à l'espacement entre chaque balustre et tentez de faire en sorte que les espacements délinquants aboutissent près du mur de la maison.

Il est plus facile de planifier l'espacement entre des poteaux. Vous pouvez calculer l'espacement mathématiquement, mais il vaut la peine de fixer des balustres avec des serres ou des clous pour vérifier votre travail.

Couper les balustres. Si vous avez une scie à onglets, vous pouvez construire un gabarit avec un bloc d'arrêt afin de pouvoir fabriquer des balustres en série. Si vous prévoyez travailler avec une scie circulaire, coupez un balustre de la bonne longueur, faites votre coupe à angle si cela fait partie de votre conception et utilisez-le comme gabarit pour fabriquer les autres balustres. Vous couperez probablement les balustres de l'escalier à un angle différent des autres balustres, alors ne les coupez pas tout de suite. (Voir «Comment installer les balustres,» page 246.)

Prépercer les trous. Vous n'avez pas nécessairement besoin de préperer vos trous pour les raccordements intermédiaires, mais vous devez le faire près des extrémités des planches. Vous avez besoin de percer des avant-trous pour éviter que le bois se fende et pour rendre vos joints plus forts. De plus, si vous placez vos balustres côte à côte et que vous percez des trous bien droits (avec un cordeau pour vous guider, si nécessaire), vous ajouterez une touche de professionnalisme à votre patio. Vous devez bien sûr utiliser une équerre de charpentier pour vous assurer que vos balustres soient bien d'aplomb avant de procéder au perçage des trous.

Installer les balustres. Calculez l'espacement requis entre les balustres, et coupez un bloc de bois qui vous

servira de gabarit. Cela vous évitera de passer votre temps à mesurer. (Voir «Trucs et astuces», page 247.) Placez le gabarit à côté d'un des poteaux et commencez à progresser le long de votre série de balustres. N'oubliez pas, cependant, de vérifier de temps à autre, que le tout soit bien d'aplomb. Il est possible d'apporter de petits ajustements à chaque balustre (à l'échelle de $1/16$ de pouce) pour ajuster l'espacement si nécessaire.

Installer les balustres de l'escalier. Si vous avez prévu que vos balustres d'escalier s'aboutent contre un couronnement, déterminez l'angle pour la coupe supérieure en maintenant un balustre d'aplomb contre la balustrade supérieure et le couronnement. Tenez un séparateur de 2 x 2 sur le balustre, et marquez votre angle. Vérifiez ensuite l'effet produit par un morceau coupé selon cet angle.

Si vous n'utilisez pas de couronnement, vous pouvez simplement fixer le balustre sur les côtés des balustrades supérieures et inférieures. Mais vous devrez compenser davantage aux endroits où les balustrades sont en angle, ou reproduire les angles de coupe des balustrades supérieures et inférieures pour qu'elles donnent l'impression de descendre l'escalier.

LES BANCS

Il existe plusieurs styles de bancs et bien des façons différentes de les fixer à la surface du patio et à sa charpente. C'est par contre une bonne idée pour presque tous les patios d'utiliser les mêmes matériaux pour les bancs que ceux qui ont servi pour le patio. Cela aide les structures à s'harmoniser entre elles.

Les supports des bancs peuvent parfois paraître massifs avec leurs pattes avant et arrière faites à partir de 4 x 4 ou de plus gros morceaux de bois, mais vous pouvez aussi construire des bancs avec du bois de construction de dimensions courantes, comme des 2 x 10, qui peuvent être coupés dans une forme qui permet à un morceau de servir à la fois de siège et de support de dossier. Ces blocs de bois ont bien sûr besoin d'être soutenus avec une patte avant et avec un support qui peut les fixer solidement au bord du patio. Une grande partie de la force obtenue provient des longues lames de 2 x 4 qui forment le siège et le dossier. Elles peuvent recouvrir un grand nombre de montants renforcés et les lier ensemble afin que l'assemblage soit bien solide.

Si vous utilisez des poteaux prolongés qui s'élèvent depuis le patio pour former les supports du banc, vous devrez le prévoir et déterminer de quelle façon les bancs seront fixés aux poteaux. Vous pouvez cependant concevoir et construire plusieurs types de bancs attrayants et robustes une fois la surface du patio achevée.

CONSTRUIRE AVEC LE CONFORT EN TÊTE

Si vous construisez un banc avec un dossier, le travail sera facile si le siège est au niveau et que le dossier d'aplomb. Cela pourrait procurer un bel aspect à votre banc, mais oubliez le confort. Sur les patios où les gens s'attendent à se détendre et à paresser, vous devez incliner le dossier. Vous pouvez aussi souhaiter couper le support avant du siège en angle, ce qui per-

mettra à la dernière lame de siège de rouler un peu vers l'avant, rendant ainsi le banc plus confortable.

Lorsqu'un banc prend la place d'une balustrade, assurez-vous de faire en sorte que le couronnement ne s'étende pas plus loin que les balustrades arrières. Autrement cela pourrait vous donner un coup sournois dans le cou chaque fois que vous prenez place dans votre banc.

BANC SANS DOSSIER

Ce banc peu élevé et discret est une belle façon de fournir un espace encastré où s'asseoir. Il faut par contre savoir qu'il ne pourra pas remplacer une balustrade puisqu'il n'a pas de dossier.

Construire des supports. Avant d'installer le platelage, il vous faudra construire des supports en «T» avec des montants de 4 x 4 et des traverses de 2 x 8. (Voir ci-dessous.) Assurez les raccordements avec des tire-fonds préalablement fraisés de 4 ½ pouces. Ajoutez des blocs de 2 x 4 pour soutenir le platelage là où c'est nécessaire. Situez les supports tous les 4 pieds.

Installer le siège. Une fois le platelage terminé, fixez les morceaux du siège aux traverses. Installez 3 lames de siège de 2 x 6 au-dessus des traverses avec des vis de patio de 3 pouces. Assurez-vous qu'elles soient dans l'alignement avec les côtés des traverses et avec les extrémités des traverses également. Il devrait y avoir un espacement de ⅛ de pouce entre chaque lame.

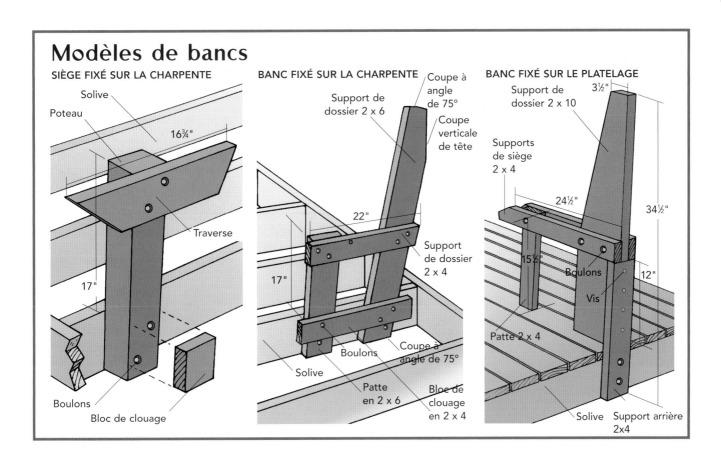

Modèles de bancs

SIÈGE FIXÉ SUR LA CHARPENTE

Solive
Poteau
16¾"
Traverse
17"
Boulons
Bloc de clouage

BANC FIXÉ SUR LA CHARPENTE

Coupe à angle de 75°
Support de dossier 2 x 6
Coupe verticale de tête
22"
Support de dossier 2 x 4
17"
Boulons
Solive
Coupe à angle de 75°
Patte en 2 x 6
Bloc de clouage en 2 x 4

BANC FIXÉ SUR LE PLATELAGE

3½"
Support de dossier 2 x 10
Supports de siège 2 x 4
24½"
34½"
15½"
Boulons
12"
Vis
Patte 2 x 4
Solive
Support arrière 2x4

BANC FIXÉ SUR LA CHARPENTE

Avec cette approche, vous fixerez les supports du banc lorsque la charpente sera terminée, mais avant d'installer le platelage.

Couper les supports du dossier. Coupez un 2 x 6 à 36 pouces plus la largeur de votre solive, avec des coupes parallèles à 75° à chaque extrémité. Coupez ensuite l'arrière de la partie supérieure.

Construire les charpentes de soutien. Clouez chaque support arrière à une solive, en maintenant l'extrémité inférieure dans l'alignement du bas de la solive. Fixez les supports avant de 2 x 6 et les supports de siège de 2 x 4 de la même façon. Vérifiez que les charpentes de soutien soient parallèles l'une avec l'autre et que les traverses soient au niveau. Prépercez ensuite vos trous et fixez chaque joint avec deux boulons de carrosserie ½ pouce x 3 ½ pouces avec des rondelles.

Installez des supports pour le platelage à tous les endroits où ce dernier s'aboutera avec une des pièces verticales que vous venez d'installer. Pour ce faire, installez des blocs de 2 x 4 par-dessus chaque paire de supports avants et arrière, en vous assurant que le sommet du 2 x 4 soit dans l'alignement du sommet des solives. Vous devrez faire des encoches dans certaines planches de votre platelage.

Ajoutez des lames de siège et du dossier. Vous pourrez compléter le banc une fois le platelage en place. Fixez des 2 x 2, des 2 x 4 ou des 2 x 6 à travers les supports du dossier et les supports du siège avec des vis de patio ou des clous galvanisés de 3 pouces. C'est une bonne idée que de placer des blocs pour déterminer l'espacement (pour l'écoulement de l'eau). Fixez le couronnement de façon à ce qu'il n'avance pas par-dessus les lames du dossier.

INSTALLATION D'UN BANC SUR LE PLATELAGE

OUTILS ET MATÉRIAUX

- 2 x 4
- 2 x 6
- 2 x 10
- Ruban à mesurer et crayon
- Règle d'ajusteur, chevalets et serres
- Scie circulaire et égoïne
- Boulons de carrosserie de 3 ½ et de 5 pouces
- Vis de 2 ½ pouces
- Perceuse et embouts de tournevis
- Évideuse et ponceuse à courroie

Espacez vos points de raccordement de manière à pouvoir les assembler aux solives.

1 Coupez l'encoche pour le support arrière et le grand angle du support de dossier 2 x 10.

4 Boulonnez le support à la solive pendant que le système de soutien est maintenu en position avec les serres.

5 Visez le support au dossier. Percez les trous des boulons et fixez ces derniers dans l'assemblage en sandwich du siège.

BANC FIXÉ SUR LE PLATELAGE

Il est possible d'installer ce modèle de banc sur un patio achevé parce que la charpente du banc est une unité indépendante. La fixation principale est un support arrière de 2 x 4 boulonné à la solive extérieure. Il dépasse le platelage et est vissé dans la charpente du banc. (Voir «Installation d'un banc sur le platelage», ci-dessous). Poncez les supports du siège avant de les assembler.

Couper les supports du dossier et les supports du siège. Coupez le support du dossier de 2 x 10 avec une inclinaison arrière et une encoche où les supports arrières 2 x 4 s'appuieront. Vous aurez besoin de deux (2) supports de siège en 2 x 4 pour chaque support arrière. La coupe en angle sur l'avant du support du siège permet à la dernière lame de siège de rouler un peu vers l'avant, rendant ainsi le banc plus confortable.

Assembler les supports. Chaque unité de support requiert une patte avant coupée à l'équerre d'une hauteur de 15 ½ pouces ainsi qu'un support arrière. Pour trouver la longueur requise du support, qui détermine la hauteur du siège, ajoutez 12 pouces à l'épaisseur du platelage ainsi que la hauteur de vos solives. Fixez chaque patte avant de 2 x 4 en sandwich entre les 2 supports de siège avec un boulon de carrosserie de 5 pouces. Utilisez des vis de patio de 3 pouces et des boulons de carrosserie de 3 ½ pouces pour fixer chaque support arrière.

Il est plus facile d'assembler les unités de supports du siège sur le patio.

Installer les lames du siège. Fixez les lames de siège et de dossier avec le même espacement à l'aide de vis de patio de 3 pouces. Utilisez un couronnement de 2 x 6 avec l'extrémité avant dans l'alignement de la surface des lames du dossier.

2 Coupez les supports avant du siège. Maintenez le système de soutien en position avec des serres. Marquez la position des boulons.

3 Coupez une encoche dans le surplomb du platelage à l'aide d'une égoïne. Le support doit être dans l'alignement de la solive.

6 Vissez les lames de 2 x 4 à l'assemblage de soutien. Laissez un petit espacement pour l'écoulement de l'eau.

7 Vissez le couronnement 2 x 6 sur l'extrémité supérieure du support du dossier. Supprimez les endroits rugueux avec une ponceuse à courroie.

LA
FINITION
ET
L'ENTRETIEN

La durabilité de votre patio et son cachet dépendent en grande partie de la qualité du concept et de son assemblage. Mais même les patios les mieux conçus requièrent un entretien régulier et quelques réparations de temps à autre. Bien entendu, l'entretien a pour but de déceler les imperfections le plus tôt possible avant qu'elles se transforment en réparations coûteuses.

LES SOURCES DE DÉGRADATION

La fréquence et la durée des travaux d'entretien du patio dépendent des conditions météorologiques de votre localité. Par exemple, si vous habitez une région ensoleillée au climat relativement sec, vous devrez peut-être appliquer un scellant transparent contenant un inhibiteur UV (pour les rayons ultraviolets). Vous ne pouvez certes pas contrer complètement le phénomène naturel de l'affadissement, mais l'application d'un scellant peut à tout le moins retarder l'aspect de patine gris pâle qu'adopte le bois après une exposition prolongée aux intempéries. Par contre, si vous habitez un climat relativement humide ou si votre emplacement est ombragé, vous aurez surtout à faire face à des problèmes d'humidité, de champignons, de moisissure et de pourriture.

LE SOLEIL

Les rayons ultraviolets du soleil décomposent les agglomérants qui solidifient les fibres du bois. Mais les rayons du soleil pénètrent seulement à une profondeur de $1/100$ de pouce. Les fibres endommagées empêchent toutefois la dégradation ultérieure du bois jusqu'à l'arrivée des précipitations subséquentes. Le soleil par contre, avec son apport à ce cycle sec/mouillé peut, à la longue, fendre et gauchir le bois. La plupart du temps, ses effets sont seulement superficiels et esthétiques. Vous pouvez facilement les contrer en appliquant une couche de teinture ou de scellant.

L'HUMIDITÉ

L'humidité peut endommager le bois de trois façons. La première survient lorsque la pièce absorbe de l'humidité et qu'elle s'assèche. Le bois se dilate et se rétracte, ce qui peut alors le gauchir, le recourber et même le fendre. Ces changements de volume à répétition imposent un stress à vos fixations au point de repousser les clous vers le haut. La deuxième est constituée de l'humidité, qui favorise le développement de champignons et de bactéries qui, à leur tour, peuvent entraîner la moisissure et le pourrissement. La troisième enfin, est reliée aux conditions climatiques extrêmes au cours desquelles le bois n'est pas en mesure de s'assécher complètement durant plusieurs semaines. Le patio peut alors développer une pourriture humide, lui donnant l'aspect sombre d'une pièce de bois noircie à la fumée.

Une façon simple de diminuer les dommages causés par l'eau est de balayer souvent votre patio pour retirer la saleté, les feuilles et les brindilles qui s'accumulent entre les planches du tablier. La saleté et les feuilles emprisonnent l'humidité et empêchent le bois de bien s'assécher.

LES INSECTES

Si les insectes ravageurs de bois sont une source d'ennui dans votre localité, ils s'en prendront à votre patio, à moins qu'il ne soit construit de bois d'œuvre de la meilleure qualité. Le cèdre et le séquoia sont tous deux imputrescibles et peuvent aussi résister aux insectes du moins jusqu'à un certain point. Cela dépend surtout du pourcentage de bois de cœur compris dans la pièce.

LES REVÊTEMENTS

Il existe plusieurs marques et plusieurs types de produits de finition pour patio. Certains revêtements vous permettent de changer le coloris et la teinte du bois. Habituellement (leur appellation l'indique bien) ceux-ci restent à la surface des pièces. D'autres produits pénètrent le bois.

LES OPTIONS DU BRICOLEUR : LES PRODUITS DE FINITION

L'aspect d'un même platelage peut être radicalement transformé selon le type de revêtement que vous appliquez. Les produits les plus pratiques sont les scellants transparents et les teintures semi-transparentes. Contrairement à la peinture ou aux teintures opaques, ces produits ne gercent pas ou ne s'écaillent pas. Les photos ci-contre démontrent différents types de revêtements appliqués sur une même surface en pin Douglas. Avant d'arrêter votre choix, appliquez un couche d'essai sur un rebut de bois de patio.

Les teintures semi-transparentes laissent paraître une partie du grain mais elles rehaussent l'aspect du platelage. Elles sont offertes à base d'eau ou à base d'huile.

Les teintures opaques recouvrent complètement le grain du bois. Elles peuvent uniformiser l'aspect d'un tablier composé de différentes teintes et de différents motifs de grain de bois.

LES COMPOSANTES

Le revêtement d'un patio peut contenir l'une des composantes suivantes ou toute autre combinaison de ces éléments entre eux.

Les produits hydrofuges. Une finition de patio adéquate est imperméable tout en étant exempte d'un mince film protecteur susceptible de s'écailler. La plupart des produits de revêtement pour patio contiennent soit de la paraffine ou de l'huile (ou les deux) ainsi qu'un agent qui contribue à faciliter l'application du produit de finition à la surface.

Les résines. La résine est un produit hydrofuge qui offre encore plus de durabilité, mais qui coûte aussi plus cher. On l'appelle parfois résine alkyde. Contrairement au vernis ou au polyuréthanne, la résine s'imprègne dans le bois et le recouvre d'un film protecteur hydrofuge qui ne durcit pas à la surface. L'application généreuse d'un revêtement à base de résine confère à votre patio un aspect lustré que plusieurs personnes trouvent attrayant.

Les scellants. La plupart des préservatifs sont constitués de proportions diverses de fongicides, d'insecticides et d'agents anti-moisissures. Les revêtements de patio conventionnels contiennent habituellement une faible proportion de ces ingrédients. Ceux-ci vous procurent une dose de protection minimale. Si vous habitez une région aux prises avec un problème grave de champignons, de moisissures ou d'insectes, vous devriez envisager une autre forme de protection.

Les inhibiteurs UV. Pour préserver le coloris original de votre patio le plus longtemps possible (le bois s'affadit toujours avec le temps), utilisez un scellant composé d'agents de protection UV. Les agents anti-UV absorbent ou réfléchissent les rayons ultraviolets pour ainsi réduire au maximum la dégradation due aux rayons du soleil.

TRUCS ET ASTUCES

L'APPLICATION DES SCELLANTS

La plupart des bricoleurs ont une connaissance de base en peinture. Mais l'application d'un scellant est plus simple que peindre des murs. Premièrement, votre surface de travail — le tablier du patio — est horizontale. Au départ, vous n'avez pas à déployez d'efforts à bout de bras pour atteindre le haut et le bas d'un mur. Si vous utilisez un gros bac à peinture ou un sceau d'une capacité de cinq gallons assorti d'un rouleau et d'une rallonge, vous pouvez couvrir une grande surface assez rapidement.

Deuxièmement, vous n'avez pas à travailler proprement. L'idée est d'engorger les fibres de votre rouleau de revêtement liuide puis de le répandre généreusement sur les pièces de la structure. (1) Utilisez un pinceau pour appliquer le produit aux petites surfaces. (2) Le bois brut absorbera la première couche et pourra en recevoir une deuxième dès le lendemain.

La peinture *constitue le produit de finition le plus opaque mais au lieu de pénétrer les fibres du bois, elle reste en surface.*

Les scellants transparents à base d'huile *sont plus simples à appliquer car ils sont minces et coulent bien. Vous devrez peut-être appliquer plus d'une couche.*

Les scellants transparents à base de latex *sont faciles à nettoyer, mais la durabilité de la finition n'équivaut pas celle d'un scellant à base d'huile.*

LA REVITALISATION D'UN TABLIER

OUTILS ET MATÉRIAUX

- Râteau
- Perceuse électrique et des forets
- Clous ou vis
- Rabot
- Produit nettoyant pour le bois extérieur
- Brosse à récurer
- Vaporisateur à pression (facultatif)
- Protecteur ou produit scellant
- Rouleaux applicateurs et pinceaux

Lorsque vous nettoyez à l'aide d'un vaporisateur à pression, allez-y avec précaution. Le jet d'eau peut éroder la surface du bois.

1 *Raclez le dos d'un râteau sur la surface d'un patio pour déceler les têtes de vis ou de clous qui dépassent. Le râteau s'accrochera aux fixations.*

2 *Remplacez les clous qui dépassent par des vis. Utilisez des vis galvanisées ou en acier inoxydable d'une longueur de ½ pouce supérieure à celle des clous.*

3 *À l'aide d'un rabot, égalisez les arêtes surélevées des planches. Au besoin, aplanissez le bois à l'aide d'une ponceuse à courroie.*

4 *À l'aide d'un vaporisateur à pression, lavez le patio pour enlever la saleté et la couche superficielle de fibres de bois pourries.*

5 *Lorsque le patio est bien asséché, appliquez une teinture ou un produit de conservation pour le bois. Balayez les débris, puis appliquez un scellant.*

Certains revêtements plus coûteux contiennent des agents inhibiteurs UV conçus pour rompre l'influence chimique naturelle générée par la lumière ultraviolette. Leur avantage se situe au niveau de leur composition, qui ne contient aucun pigment. Ce revêtement peut ainsi reproduire assez convenablement l'aspect naturel de votre bois. Par contre, les réactions chimiques qui se produisent au moment où les inhibiteurs UV accomplissent leur travail peuvent entraver le bon fonctionnement de ceux-ci et les rendre moins efficaces. Si vous voulez retarder l'inévitable processus de vieillissement du bois, vous devrez donc en appliquer régulièrement à la surface de votre structure. Ajoutons que cela est vrai pour l'ensemble des produits de finition de patio. Toute pièce de bois dépourvue de son écorce et exposée aux intempéries toute l'année nécessite une attention périodique.

La plupart des produits que vous choisirez devront être appliqués à chaque année ou presque. Cela dépendra en partie du temps qui prévaut dans votre localité et de l'état d'usure de votre patio. La durée de vie utile de certains produits de finition haut de gamme peut s'étirer jusqu'à quatre ans, même dans les régions éprouvées par de rudes conditions météorologiques.

LES PRODUITS DE FINITION

Les produits disponibles en magasin contiennent un mélange varié des ingrédients susmentionnés.

LE VERNIS CLAIR

Les vernis clairs standards contiennent un produit de conservation et des agents hydrofuges. Leur impact visuel est négligeable (à moins qu'ils ne soient composés en partie de résine). Ils contribuent à préserver le bois de votre patio beaucoup plus longtemps que si vous n'aviez pas appliqué un produit de finition.

Si vous comptez recouvrir la surface de votre patio d'un vernis pigmenté, il serait préférable d'opter pour un scellant clair de moindre qualité pour le dessous de la structure. À cet endroit, vous n'avez pas à vous soucier des effets du soleil ou de la décoloration du bois. Lors de l'application cependant, assurez-vous que le scellant clair ne s'insinue pas à la surface du tablier au travers des espaces du platelage. La couleur de la teinture pourrait être affectée.

Certains produits étiquetés comme étant clair contiennent en fait des pigments de protection UV. En réalité, ils ne le sont donc pas. Avant d'appliquer un tel produit, testez-le sur une partie moins visible de la structure afin de déterminer si le coloris vous convient.

LA TEINTURE SEMI-TRANSPARENTE

Les teintures semi-transparentes contiennent une certaine quantité de pigments, mais pas assez pour équivaloir au même type de finition opaque que la peinture. Une partie du grain naturel du bois restera visible. Si ces produits contiennent de la résine ou une proportion

TRUCS ET ASTUCES

FACILITER LE DRAINAGE

L'eau stagnante favorise la pourriture. C'est surtout pour cette raison qu'il faut laisser un espace entre les planchers lors de l'installation du platelage : les eaux pluviales peuvent ainsi s'écouler. Pour certains patios, il sera peut-être nécessaire d'élargir l'espace entre les pièces du tablier à l'aide d'une scie circulaire ou, à tout le moins, d'enlever la saleté et les débris des interstices à l'aide d'un couteau à

mastic. Si le degré de voilement de l'une ou deux de vos planches est tel que l'eau reste emprisonnée à la surface de la pièce, vous devrez peut-être les retirer et les remplacer. Mais pour un voilement moins important, vous n'avez qu'à arracher les clous, tourner la planche de l'autre côté, puis la fixer à l'aide de vis.

importante d'huile, ils conféreront à votre patio un aspect plutôt lustré. Aussi, au moment d'examiner les divers échantillons, prenez soin d'observer le degré d'intensité du lustre autant que le coloris avant d'arrêter votre choix. Avec le temps, votre bois se décolorera. Vous devrez donc appliquer une couche fraîche de teinture.

LA TEINTURE OPAQUE ET LA PEINTURE

Les teintures opaques et la peinture sont semblables à bien des égards. Mais les teintures sont surtout conçues pour les parements. Si elles sont utilisées sur la surface d'un patio, elles subissent assez vite les effets de l'usure, particulièrement dans les zones les plus achalandées. Si vous désirez recouvrir la surface de votre patio d'un coloris intense et foncé, il est préférable d'opter pour une peinture conçue pour le bois extérieur. Le principal inconvénient de ces couches saturées de pigments se situe au niveau des effets secondaires du bois exposé aux intempéries qui se dilate et se contracte avec le temps et le revêtement fini par gercer et s'écailler. Si vous ne prêtez pas une attention ponctuelle au fendillement, l'eau se rendra aux autres pièces sous la surface. Puis une autre couche de revêtement s'écaillera, affaiblissant ainsi le bois. Mais à partir du moment où la surface du patio est bien entretenue et exempte de telles traces, vous n'avez pas à vous faire de soucis.

L'APPLICATION DES COUCHES DE FINITION

La plupart des produits de finition ne devraient pas être appliqués lorsque la température se situe en deçà de 5 °C. Puisque la plupart des gens n'entreprennent pas la construction de leur patio en plein cœur de l'hiver, cette considération ne constitue pas vraiment une embûche. Par contre, si vous devez suspendre vos travaux pour une durée illimitée à cause du temps froid et que des traces de moisissures apparaissent à la surface, il est préférable de nettoyer votre bois. Pour ce faire, utilisez une solution composée d'une partie de javellisant pour deux ou trois parties d'eau. Ensuite, procédez à l'application du scellant et des enduits de finition.

Lorsque vous appliquez un produit de finition à bonne imprégnation, répandez-le généreusement. Vous permettrez ainsi au liquide de bien saturer les fibres du bois. Le fil de grain d'une pièce asséchée (tels les embouts des poteaux ou des pièces du platelage) est particulièrement assoiffé : il absorbera le produit de finition au même rythme que vous en enduisez la surface. Au cours de l'application, revenez régulièrement à ces endroits pour appliquer une autre couche tant et aussi longtemps que la surface du bois sera en mesure de l'absorber.

Il est toujours préférable de bien suivre les consignes du fabricant au sujet de l'application du produit et d'observer toutes les mises en garde. Dans la majorité des cas, vous devez éviter d'inhaler les vapeurs et la buée résiduelle du produit. Vous devez aussi porter des gants de caoutchouc et une chemise à manches longues, pour diminuer le risque d'une irritation cutanée, ainsi que des lunettes de protection pour vous prémunir des égouttures et des éclaboussures accidentelles.

La mise sur vérin

Pour remplacer un poteau de soutènement, vous devez d'abord le soulager de la charge qu'il supporte. Pour procéder de façon sécuritaire, munissez-vous d'un vérin placé sur le dessus d'un bloc de béton ou de tout autre assise solide située juste au-dessous de la poutre principale qui soutient le poteau. (Vous aurez peut-être besoin de plus d'un vérin.) Actionnez lentement le vérin jusqu'à ce que la poutre soit légèrement soulevée. Par mesure de sécurité, consolidez le soutènement. Puis remplacez le poteau ; amorcez graduellement la descente du vérin et assemblez le nouveau poteau avec de la quincaillerie conforme aux normes du code du bâtiment de votre localité.

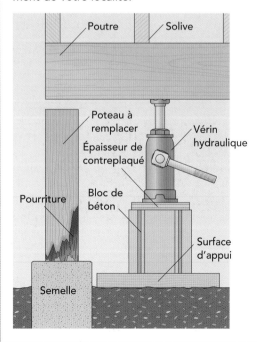

RÉPARER LES BORDURES

OUTILS ET MATÉRIAUX
- Ruban à mesurer
- Cordeau à tracer
- Scie circulaire
- Scellant
- Pinceau
- Pièce de dimension 2 x 2
- Marteau
- Clous 10d

Pour rafraîchir le fil d'extrémité, commencez par couper les sections endommagées. Enduisez le fil fraîchement exposé d'un protecteur ou recouvrez-le d'une moulure.

3 *Puisque la bordure du platelage est inégale, n'utilisez pas un guide de coupe. Effectuez une coupe à main libre.*

Voici un aperçu sommaire de la démarche à suivre lors de l'application des produits de finition.

Examiner le bois. Dès que la construction de votre patio est terminée, appliquez les produits de finition. Vous éviterez ainsi de sceller de la saleté sous de l'enduit. Seules les planches à l'état vert ou le bois traité encore mouillé font exception à cette règle. Vérifiez la fiche technique du fabricant et suivez ses recommandations pour l'application des produits de finition.

L'apprêt du bois. Poncez les surfaces rugueuses de votre patio, puis balayez tous les débris et le bran de scie. Votre patio devrait être totalement exempt de poussière.

Pour favoriser davantage l'imprégnation du produit de finition et du même coup rehausser l'aspect de votre patio, sablez toutes les surfaces. Pour un travail de ponçage de grande envergure, utilisez une ponceuse à courroie. Mais auparavant, assurez-vous que toutes les planches soient de niveau et que tous les clous soient noyés ou qu'ils affleurent la surface. Une tête de clou qui dépasse tailladera la courroie. Dans la plupart des cas, vous n'aurez qu'à apporter quelques retouches à l'aide d'une ponceuse orbitale ou à courroie, tenue à la main.

Ne poncez pas le bois traité. Nettoyez-le plutôt à l'aide d'un vaporisateur à pression. Avant d'appliquer le produit de finition, laissez le patio s'assécher.

L'application du produit de finition. Vous pouvez appliquer un produit de finition au platelage horizontal d'un patio à l'aide d'un rouleau ou d'un vaporisateur à pression. Complétez au pinceau l'application en enduisant bien le produit préalablement vaporisé sous pression. Si possible, appliquez aussi le produit de protection sur le dessous du tablier ainsi qu'aux surfaces des solives, des entretoises, des poutres et des poteaux. Pour les poteaux, les balustrades et les marches d'escaliers, utilisez un pinceau. N'oubliez pas que la capacité d'absorption du fil de grain est plus importante que celle des surfaces planes.

Protégez pelouse, arbustes et fleurs des égouttures et des éclaboussures à l'aide d'une feuille de plastique.

ENDOMMAGÉES

1 *Pour remettre une bordure endommagée à neuf, commencez par mesurer la distance du surplomb à partir des solives.*

2 *À l'aide d'un cordeau à tracer, marquez votre ligne de coupe.*

4 *Enduisez le fil d'extrémité fraîchement coupé d'un préservatif conçu pour le bois. Vous devez appliquer au moins deux couches.*

5 *Posez une moulure de dimension 2 x 2 le long des bordures. Enfoncez au moins un clou à chaque embout des planches du platelage. Poncez la surface supérieure de la pièce.*

PROPOSITIONS DE PLANS DE PATIO

14

Les trois plans de patio proposés dans ce chapitre sont tous conformes aux normes typiques du code du bâtiment. Mais vérifiez auprès de votre inspecteur en bâtiments, car les normes en vigueur dans votre localité pour- raient varier. Si les plans présentés ne sont pas compatibles avec votre projet, vous pouvez à tout le moins vous inspirer de certains élé- ments pour construire votre patio.

LE PATIO CONSTRUIT PRÈS DU SOL

Ce patio se distingue des autres à bien des égards. Il est d'abord constitué de deux niveaux séparés l'un de l'autre par de larges marches. De plus, sa surface de forme asymétrique est recouverte d'un platelage posé dans trois directions différentes.

Pour ériger ce patio, vous devez creuser et couler un total de 16 semelles. Au moment de couler vos semelles, vous serez peut-être tenté de les mettre toutes à niveau de manière à pouvoir poser les poutres au-dessus du béton. Mais il est très difficile de couler 16 semelles au même niveau l'une par rapport à l'autre. Il est préférable d'assembler de petits poteaux aux semelles puis d'affleurer ceux-ci avec le dessus des poutres. (Voir «Plan de l'ossature» ci-contre.)

Puisque le patio est construit près du sol, vous n'aurez pas suffisamment d'espace pour placer les solives au-dessus des poutres. Vous devrez plutôt assembler les solives aux côtés des poutres à l'aide d'étriers à solives. Fabriquez vos poutres en assemblant deux pièces de 2 x 6 avec de la colle à mastic et des vis. Puis boulonnez le tout aux côtés des poteaux 4 x 4 posés sur les semelles de béton.

Les dimensions établies sur les dessins de ce projet s'appliquent à un emplacement qui diffère assurément du vôtre. Aussi, il est peu probable que les trous de vos semelles soient creusés aux mêmes endroits. Servez-vous plutôt des mesures données à titre de référence seulement. Mesurer et couper en fonction de votre assemblage. Autrement dit, ajustez le tir au fur et à mesure que votre projet progresse.

LA LAMBOURDE ET LES SEMELLES

Boulonnez la lambourde à la maison à environ 2 pouces sous le niveau du plancher intérieur, sous le seuil de la porte. Disposez l'emplacement de vos semelles tel qu'il est démontré ci-contre dans le plan de l'ossature. Excavez les trous; insérez des coffrages tubulaires; puis coulez le béton. Noyez des boulons de J pendant que le béton est encore humide. Attendez que le béton prenne avant d'apposer les poutres aux semelles.

Plan de l'ossature

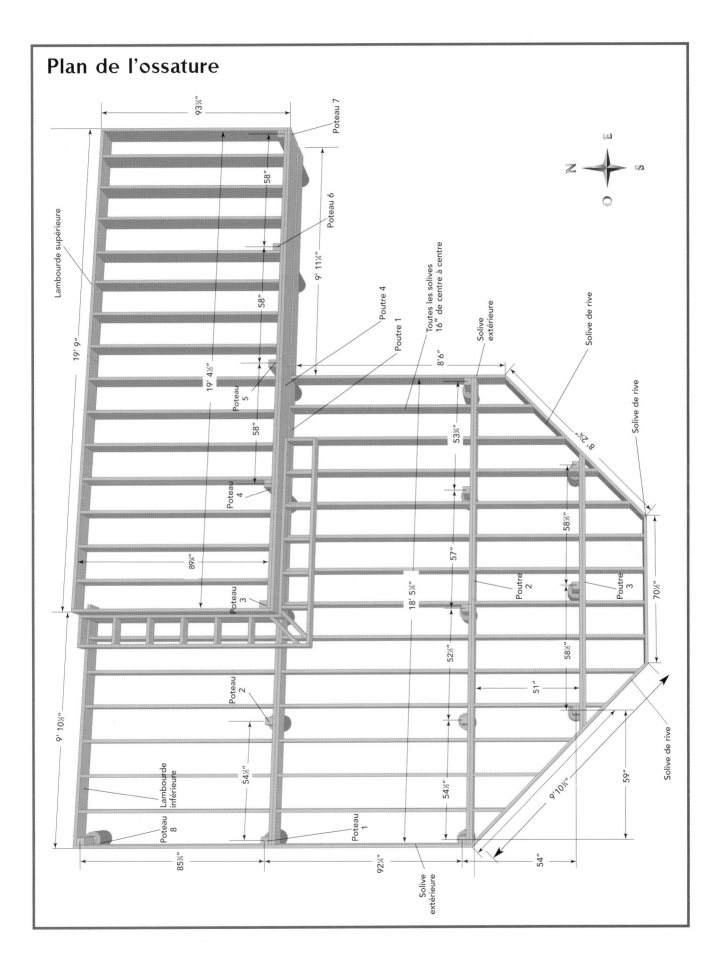

14 PROPOSITIONS DE PLANS DE PATIO

Liste des matériaux

Bois
- 2 pièces   2 x 4   8'
- 2 pièces   2 x 4   10'
- 1 pièce   2 x 4   12'
- 52 pièces   2 x 6   8'
- 25 pièces   2 x 6   10'
- 7 pièces   2 x 6   12'
- 19 pièces   2 x 6   14'
- 8 pièces   2 x 6   16'
- 7 pièces   2 x 6   18'
- 23 pièces   2 x 6   20'
- 2 pièces   4 x 4   8'

Quincaillerie (galvanisée)
- 16 plaques d'ancrage pour poteaux avec boulons de J, rondelles et écrous
- 102 étriers à solives pour pièces de dimension 2 x 6
- 8 étriers de solives à angle pour pièces de dimension 2 x 6
- 5 supports d'angle
- 20 tire-fonds avec rondelles pour la lambourde
- 32 boulons de carrosserie de dimension ½" x 7" avec rondelles et écrous
- 5 lb de clous ou vis de 1½" pour platelage pour les étriers à solives
- 2 lb de vis de 2" pour platelage
- 30 lb de vis de 3" pour platelage

Maçonnerie
- 16 coffrages tubulaires pour béton
- Du gravier et du béton pour couler 16 semelles

Liste des pièces

	Quantité	Dimension		Élément
Ossature	2	2 x 6	10'	Lambourde supérieure
	2	4 x 4	8'	Poteaux (16 pièces de 2')
	10	2 x 6	10'	Poutres 1 et 2
	2	2 x 6	12'	Poutre 3
	1	2 x 6	10'	Lambourde inférieure
	1	2 x 6	16'	Solive extérieure (côté ouest)
	1	2 x 6	10'	Solive extérieure (côté est)
	2	2 x 6	10'	Solives de rive (côtés est et ouest)
	1	2 x 6	6'	Solive de rive (côté sud)
	48	2 x 6	8'	Solives
	2	2 x 10	10'	Poutre 4 (refendue à 8½ pouces)
	2	2 x 4	8'	2 solives de rive pour les marches et 1 solive pour les marches
	2	2 x 4	10'	2 solives de rive pour les marches et 2 solives pour les marches
	1	2 x 4	12'	11 solives pour les marches
Platelage	23	2 x 6	20'	
	7	2 x 6	18'	
	7	2 x 6	16'	
	19	2 x 6	14'	
	5	2 x 6	12'	
	8	2 x 6	10'	
	4	2 x 6	8'	

LES POTEAUX

Commencez par installer les plaques d'ancrage. Pour chacune des semelles, insérez un poteau 4 x 4 au système d'ancrage; mettez-le de niveau; puis à l'aide d'un niveau à eau, transposez la hauteur de la lambourde au poteau et faites une marque. Si le 4 x 4 sert d'élément de soutènement au niveau supérieur du patio, enlevez-le avant de l'assembler au système d'ancrage, puis coupez-le de manière à ce qu'il affleure la poutre. Avant de fixer les autres poteaux aux plaques d'ancrage, taillez-les 10 pouces en deçà de la hauteur de la lambourde.

LES POUTRES DU NIVEAU INFÉRIEUR

Le niveau inférieur est constitué de trois poutres. Chacune d'entre elles est composée de deux pièces de dimension 2 x 6. Pour déterminer l'emplacement de la poutre désignée «poutre 1» dans le plan de l'ossature, mesurez 10 pouces vers le bas à partir du dessus des poteaux numérotés de 3 à 7, puis tracez une marque sur la surface sud de ceux-ci. Coupez trois pièces de dimension 2 x 6 pour construire le premier étage de la poutre 1, qui se déploiera du poteau 1 au poteau 7. Taillez ces trois pièces pour que l'une se rende du côté ouest du poteau 1 jusqu'au milieu du poteau 3; puis aussi afin qu'une deuxième parcoure la distance entre le milieu du poteau 3 et le milieu du poteau 5; et enfin, de manière à ce qu'une troisième relie le milieu du poteau 5 au côté est du poteau 7. À l'aide de vis de 3 pouces pour patio, assemblez ces pièces de manière à ce qu'elles affleurent le dessus des poteaux 1 et 2. Assurez-vous également qu'elles soient bien alignées aux marques tracées sur les poteaux 3 à 7. Puis installez le deuxième étage de la poutre 1 en prenant soin de décaler les joints d'about. Utilisez deux boulons pour chaque raccordement de la poutre à un poteau.

Comme le montre le plan de l'ossature, les poutres 2 et 3 sont fixées de manière à affleurer le dessus des poteaux de soutènement du niveau inférieur du patio. Coupez, assemblez puis fixez la poutre 2 en procédant de la même façon que pour la poutre 1. Faites-en autant pour la poutre 3, mais laissez-la dépasser d'environ un pied au-delà de chacun des poteaux extérieurs.

LA LAMBOURDE INFÉRIEURE ET LES SOLIVES EXTÉRIEURES

La lambourde inférieure est assemblée à la maison. Assurez-vous de toujours fixer les lambourdes à l'ossature de la maison. Ne vous fiez pas au pouvoir d'emprise de vis ou de clous enfoncés dans le parement ou le voligeage. Pour assembler la lambourde inférieure, prenez une pièce de dimension 2 x 6 longue de 10 pieds puis à l'aide d'une vis de 3 pouces, fixez-la de manière à ce qu'elle affleure le dessus et la surface extérieure du poteau 8 comme le montre le plan de l'ossature. Mettez la lambourde inférieure de niveau; puis clouez-la provisoirement à la maison en laissant chacune de ses deux extrémités dépasser la lambourde supérieure. Boulonnez la lambourde inférieure à la maison et ajoutez trois autres vis à la fixation du poteau 8. Coupez la solive extérieure du côté ouest de la structure à la longueur appropriée, puis assemblez-la aux poutres et aux poteaux à l'aide de vis de 3 pouces. Taillez la solive extérieure du côté est de la structure à la longueur appropriée. Assemblez-la à la poutre 1 à l'aide d'un étrier à solive, puis vissez-la au poteau ainsi qu'à l'extrémité de la poutre 2.

LA POUTRE 3 ET LES SOLIVES DE RIVE

La bordure extérieure du deuxième niveau du patio se prolonge en angle au-delà de la partie principale du patio. Vous devez donc couper l'équivalent de cette partie en saillie aux extrémités est et ouest de la poutre 3. Prolongez la ligne de coupe vers le bas le long des deux surfaces de la poutre. Coupez les deux extrémités de la poutre 3 à l'aide d'une scie circulaire dont l'angle de coupe est ajusté à 45°. Pour chacune des surfaces de la poutre, pratiquez votre coupe en vous dirigeant du haut vers le bas. Coupez la solive de rive située du côté ouest à une longueur de 9 pieds et 10 ¾ pouces et la solive de rive située du côté est à une longueur de 8 pieds et 2 ¾ pouces. Biseautez chacune des extrémités. Après avoir effectué ces coupes, assemblez les solives de rive est et ouest à la poutre 3 ainsi qu'aux solives extérieures à l'aide de vis de 3 pouces (à raison de 6 vis par section d'assemblage à la poutre). Taillez la solive de rive située à l'extrémité de manière à ce qu'elle puisse venir se nicher entre les autres solives de rive.

LES SOLIVES DU NIVEAU INFÉRIEUR

Disposez les solives du niveau inférieur à une distance de 16 pouces de centre à centre. Assemblez-les à l'aide d'étriers à solives. Mesurer de la longueur des solives coupées en angle en les marquant alors qu'elles sont à leur emplacement prévu. À l'aide d'une équerre de charpente, assurez-vous qu'elles soient d'équerre avec la poutre.

LE PLATELAGE

Posez le platelage du tablier inférieur à l'aide de vis de 3 pouces pour patio. Disposez les planches en diagonale voir ci-dessous le «Plan du platelage».

La poutre du niveau supérieur du tablier (désignée poutre 4 sur le plan de l'ossature) est composée de pièces de dimension 2 x 10 refendues à une largeur de 8½ pouces de manière à ce qu'elles affleurent la surface du platelage du niveau supérieur. Avant de refendre vos pièces de 2 x 10, assurez-vous de prendre une mesure à partir du dessus du poteau 2 et du poteau 3 jusqu'au platelage. Les mesures de votre patio pourraient varier.

La poutre 4 doit être assemblée de manière à ce qu'elle affleure le dessus des poteaux 3 à 7. Découpez une pièce

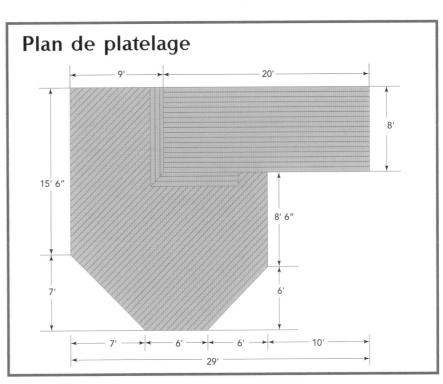

TRUCS ET ASTUCES

DIFFÉRENTS NIVEAUX, NOUVELLES PERSPECTIVES

Les patios à deux niveaux reliés entre eux par une marche ou deux contribuent à créer des aires de divertissement distinctes l'une par rapport à l'autre. Mais la partie surélevée offre également un meilleur point de vue aux usagers. Ce type de patio requiert rarement l'ajout d'un système de balustrades. Rien ne peut donc obstruer le point de vue.

Plan de platelage

de bois refendue de manière à ce qu'elle puisse se déployer de la surface ouest du poteau 3 jusqu'au milieu du poteau 5, puis une seconde afin qu'elle se rende du milieu du poteau 5 à la surface est du poteau 7. Ces deux pièces réunies devraient être de la même longueur que la lambourde supérieure (soit 19 pieds et 7 ½ pouces, comme dans le plan du patio). Assemblez provisoirement ces deux sections de poutres à la lambourde et marquez du même coup l'emplacement des solives (16 pouces de centre à centre) sur la surface de la lambourde supérieure et des deux poutres.

À l'aide de vis de 3 pouces, assemblez ces deux sections de poutres de manière à ce qu'elles affleurent le dessus des poteaux 3 à 7. Fixez les solives extérieures du niveau supérieur aux extrémités de la lambourde supérieure et des deux sections de poutres. Puis à l'aide d'étriers à solives, installez les solives intérieures du niveau supérieur. Découpez deux pièces de bois refendues de manière à compléter la poutre 4. Décalez le joint d'about de quelques pouces au-delà du joint situé sur la première section de la poutre. Assemblez ces pièces à la première section de la poutre à raison d'une vis de 3 pouces enfoncée à tous les 12 pouces. Percez deux trous d'un diamètre de ½ pouce à chaque

poteau de manière à ce qu'ils traversent la poutre composée et le poteau. Insérez deux boulons de carrosserie avec rondelles et écrous. Posez le platelage du niveau supérieur de manière perpendiculaire par rapport aux solives.

LES ESCALIERS

Assemblez l'ossature des escaliers à la surface du tablier voir ci-dessous l'encadré intitulé «L'ossature des escaliers». Découpez les 12 petites solives dont l'embout est d'équerre ainsi que les solives de rive intérieures et extérieures selon les dimensions indiquées. Assemblez l'ossature en disposant les solives à une distance de 16 pouces de centre à centre. Montez l'ossature puis assemblez-la à la poutre 4 à l'aide de vis de 3 pouces. Biseautez une extrémité pour chacune des solives coupées de biais puis placez-les en position afin de marquer les lignes de coupes des autres extrémités. Enfoncez des vis de 3 pouces qui traversent la surface des solives de rives extérieures pour se rendre jusqu'aux solives biseautées. En vissant de biais, assemblez l'autre extrémité des solives biseautées aux solives de rive intérieures. Fixez toutes les solives au platelage en vissant angulairement.

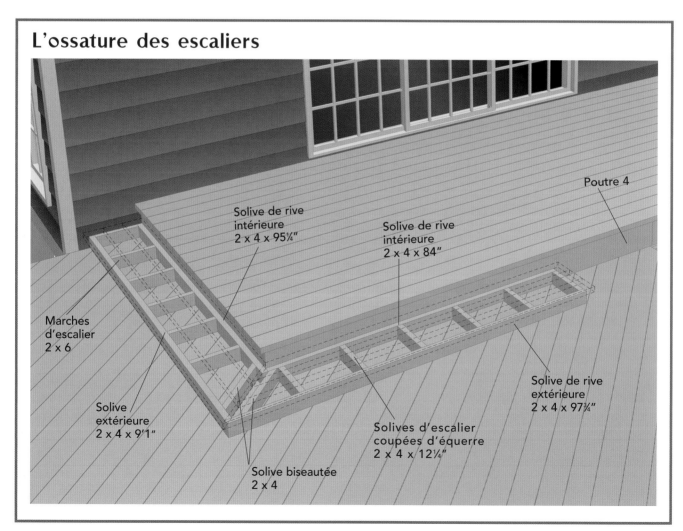

L'ossature des escaliers

Poutre 4

Solive de rive intérieure 2 x 4 x 95¼"

Solive de rive intérieure 2 x 4 x 84"

Solive de rive extérieure 2 x 4 x 97¾"

Marches d'escalier 2 x 6

Solive extérieure 2 x 4 x 9'1"

Solives d'escalier coupées d'équerre 2 x 4 x 12¼"

Solive biseautée 2 x 4

LE PATIO AVEC BALUSTRADES

La balustrade de ce patio est composée d'éléments de finition simples à ajouter. Ceux-ci comprennent le couronnement avec ses coins taillés en angle ainsi que les coupes biseautées pratiquées à l'embout supérieur des poteaux ainsi qu'aux deux extrémités des balustrades. Le patio est entièrement construit en bois traité, un matériau qui offre une grande durabilité assortie d'un minimum d'entretien.

Ce patio a été conçu sans poteaux, car l'emplacement est relativement plat. Une poutre composée fabriquée à l'aide de deux pièces de 2 x 12 est posée directement sur le dessus des semelles de béton. Vous devez donc vous assurer que vos semelles soient de niveau entre elles.

Avant d'entreprendre vos travaux, notez que les dimensions de cette structure conviennent à un type particulier de patio construit sur un type particulier d'emplacement. Il est peu probable que votre maison soit munie de fenêtres en baie comme celle-ci. Mesurez et coupez au gré de vos travaux, en prenant soin d'apporter des modifications en fonction de votre emplacement.

LES LAMBOURDES

Marquez l'emplacement de votre lambourde à une distance de 1 ¾ pouce en dessous de la surface du plancher intérieur de la maison, sous le seuil de la porte. Assurez-vous que toutes les sections des lambourdes soient de niveau les unes par rapport aux autres. Fixez la lambourde selon la méthode qui convient le mieux à la structure de votre maison (Voir à la page 159.)

Comme le montre le «Plan de l'ossature» de la page 269, vous n'avez pas à biseauter les embouts des sections de lambourdes.

LES SEMELLES

Excavez les semelles selon leur emplacement respectif (Voir le plan de l'ossature). Puis insérez des coffrages tubulaires. Assurez-vous que les quatre semelles sur lesquelles sera posée la poutre soient de niveau entre elles. Les deux semelles de soutènement pour les escaliers devraient être légèrement dénivelées. Noyez des boulons de J au centre de chacune des semelles de soutènement des poutres; à l'aide d'un niveau de ligne, assurez vous qu'elles soient bien alignées entre elles.

Liste des matériaux

Bois traité

- 1 pièce   1 x 10   6'
- 4 pièces   1 x 10   14'
- 30 pièces   ⅝ x 6   14'
- 26 pièces   ⅝ x 6   16'
- 103 pièces   2 x 2   3'
- 2 pièces   2 x 2   8'
- 2 pièces   2 x 4   8'
- 2 pièces   2 x 4   12'
- 1 pièce   2 x 4   14'
- 1 pièce   2 x 4   16'
- 7 pièces   2 x 6   10'
- 3 pièces   2 x 6   12'
- 2 pièces   2 x 6   14'
- 4 pièces   2 x 6   16'
- 10 pièces   2 x 6   12'
- 14 pièces   2 x 8   14'
- 4 pièces   2 x 8   16'
- 1 pièce   2 x 12   8'
- 2 pièces   2 x 12   12'
- 2 pièces   2 x 12   16'

Quincaillerie (galvanisée)

- 4 boulons de J
- 35 tire-fonds de dimension ½″ x 3″ avec rondelles pour l'installation des pièces de lambourde
- 32 étriers à solives pour pièces 2 x 8
- 4 étriers à solives composées pour pièces 4 x 8
- 4 étriers de solives à angle pour pièces 2 x 8
- 4 supports d'angles
- 5 lb de vis 1¼″ pour patio pour les étriers à solives
- 3 lb de vis 2″ pour patio
- 25 lb de vis 2½″ pour patio
- 3 lb de vis 3″ pour patio
- 3 plaques de fixation à clouer ou des bandes métalliques de 6″ x 12″
- 34 boulons de carrosserie de dimension ½″ x 3″ avec rondelles

Maçonnerie

- du béton pour couler 6 semelles
- 6 coffrages tubulaires pour béton

Liste des pièces

	Quantité	Dimension		Élément
Ossature	2	2 x 12	16'	Poutres
	2	2 x 12	12'	Poutres
	14	2 x 8	14'	Solives
	10	2 x 8	12'	Solives
	4	2 x 8	16'	Lambourde, solive de rive et renfort de l'escalier
	1	1 x 10	6'	Renfort de l'escalier
Platelage	26	⅝ x 6	16'	
	30	⅝ x 6	14'	
Planche de façade	4	1 x 10	14'	
Ballustrades	7	2 x 6	10'	15 Poteaux de 52½″
	1	2 x 4	16'	Traverse basse
	1	2 x 4	14'	Traverse basse
	2	2 x 4	12'	Traverses basses
	2	2 x 6	12'	Traverses supérieures
	1	2 x 6	14'	Traverse supérieure
	1	2 x 6	16'	Traverse supérieure
	1	2 x 6	14'	Couronnement
	3	2 x 6	16'	Couronnement
	103	2 x 2	3'	Balustres
	22	2 x 3	5½″	Moulures décoratives (optionnelles)
Escaliers	1	2 x 12	8'	Limons
	1	2 x 6	12'	Marches
	2	2 x 4	8'	Poteaux et traverses supérieures
	1	2 x 6	8'	Couronnement de l'escalier
	2	2 x 2	8'	Balustres

Vue d'ensemble

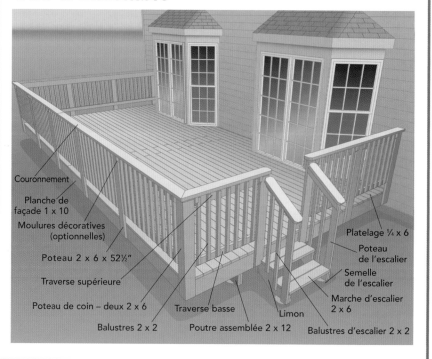

Couronnement

Planche de façade 1 x 10

Moulures décoratives (optionnelles)

Poteau 2 x 6 x 52½″

Traverse supérieure

Poteau de coin – deux 2 x 6

Balustres 2 x 2

Traverse basse

Poutre assemblée 2 x 12

Platelage ⅝ x 6

Poteau de l'escalier

Semelle de l'escalier

Marche d'escalier 2 x 6

Limon

Balustres d'escalier 2 x 2

Le plan de l'ossature

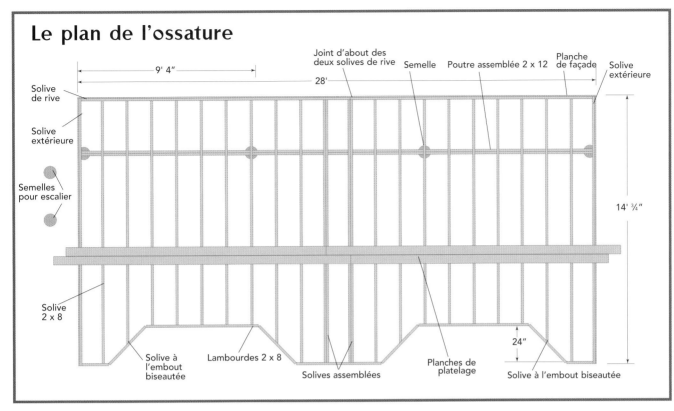

Joint d'about des deux solives de rive
Semelle
Poutre assemblée 2 x 12
Planche de façade
Solive extérieure
Solive de rive
Solive extérieure
Semelles pour escalier
Solive 2 x 8
Solive à l'embout biseautée
Lambourdes 2 x 8
Solives assemblées
Planches de platelage
Solive à l'embout biseautée
9' 4"
28'
14' ¾"
24"

LA POUTRE

Fabriquez une poutre en assemblant deux pièces de dimension 2 x 12 à l'aide de vis de 3 pouces à raison de deux vis tous les 6 pouces. Décalez les raccordements. Coupez la poutre d'une longueur de 3 pouces supérieure à celle de la lambourde.

Lorsque le béton est bien pris, demandez à un ou deux aides de vous donner un coup de main pour placer la poutre au-dessus des boulons de J. Les boulons doivent être bien alignés avec le centre de la poutre. Frappez légèrement au marteau sur le dessus de la poutre de manière à ce que les boulons laissent une trace sur la surface de la poutre. Enlevez la poutre, puis percez des trous pour chacun des boulons. Enfin, replacez la poutre sur les semelles en laissant les boulons s'insérer dans les trous.

LES SOLIVES EXTÉRIEURES

Assemblez les solives extérieures à l'embout de chacune des extrémités de la lambourde de manière à ce qu'elles reposent sur la poutre. Ces solives sont d'une longueur de 3 pouces supérieure aux autres solives de pleine longueur.

MARQUER LES SOLIVES

Coupez les deux pièces de dimension 2 x 8 qui formeront votre solive de rive de manière à ce qu'elles s'aboutent sur une solive composée. Assemblez provisoirement la solive de rive marquée à la lambourde, puis tracez l'emplacement des solives au crayon sur la solive de rive ainsi que sur la lambourde. À l'aide d'une équerre de charpente et d'un niveau, marquez les emplacements de solives sur les sections de la lambourde qui contournent les fenêtres en baie.

INSTALLER LES SOLIVES

Fixez des étriers à solives à la lambourde ainsi qu'à la solive de rive. Commencez par installer seulement les solives les plus longues. Insérez-les dans les étriers à solives fixés à la lambourde puis déposez l'autre extrémité sur la poutre. Ces solives seront fabriquées à partir de pièces de dimension 2 x 8 d'une longueur de 14 pieds. Assemblez la solive de rive à ces solives. Ensuite, taillez les quatre solives coupées de biais sur mesure en vous servant de pièces de dimension 2 x 8 d'une longueur de 14 pieds. Prenez maintenant vos mesures pour le reste des solives; coupez-les à partir de pièces de dimension 2 x 8 d'une longueur de 12 pieds; puis posez-les.

LA PLANCHE DE FAÇADE

Découpez la planche de façade de dimension 1 x 10 de manière à ce qu'elle recouvre les solives extérieures et la solive de rive. Il n'est pas nécessaire que vos coins soient à l'équerre, car ils seront recouverts par les poteaux des balustrades. Fixez la planche avec des vis de 2 pouces.

CONSOLIDER LES MARCHES D'ESCALIER

Découpez une pièce de dimension 2 x 8 à une longueur de 31 ½ pouces. Refendez une pièce de dimension nominale 1 x de manière à ce qu'elle soit 6 ½ de pouces de large et 31 ½ pouces de long. Si le code du bâtiment de votre localité le permet, utilisez des plaques de fixation à clou pour assembler le 2 x 8 sous de la solive de bordure. Assemblez le panneau de renforcement de dimension nominale 1 x sous la planche de façade.

TRUCS ET ASTUCES

LES ÉTRIERS À SOLIVES

Il est préférable d'assembler les étriers à solives à la lambourde en ne fixant qu'un seul des deux côtés de l'étrier. Ainsi, une fois la lambourde fixée à la maison, il est plus commode de procéder à de légers ajustements.

LE PLATELAGE

Commencez par installer la première pièce de pleine longueur le long de la maison. Afin de faciliter le drainage, laissez un espace entre la planche et le revêtement. Placez une extrémité de chaque planche de platelage sur le dessus d'une solive composée. Comme le montre le plan de l'ossature, décalez les joints d'about en alternant les planches de platelage de 14 pieds avec celles de 16 pieds.

LES MARCHES

L'escalier illustré ci-contre est constitué de marches d'une hauteur de 7 pouces et d'une profondeur de 11 pouces. Mais puisque chaque emplacement possède ses propres particularités et que l'inclinaison du terrain peut être variable, ces dimensions sont offertes à titre d'exemple seulement. Assemblez les marches de manière à ce qu'elles affleurent l'extérieur des limons. Fixez les marches au panneau de renforcement (si cela s'avère nécessaire) en enfonçant des vis de $2\frac{1}{2}$ pouces pour patio de biais de manière à ce qu'elles traversent les marches pour se rendre jusqu'à la pièce d'une épaisseur de 1 pouce.

LA BALUSTRADE

Coupez les 14 poteaux de dimension 2 x 6 à une hauteur de $52\frac{1}{2}$ pouces. Puis taillez les deux embouts de chaque poteau à un angle de 45°. Les deux poteaux des extrémités de la structure sont fabriqués à partir de deux pièces de dimension 2 x 6. Ces quatre doivent tous être refendus d'une coupe biseautée à 45° le long de l'une de leurs arêtes. Coupez l'ensemble des balustres à une longueur de 36 pouces. Biseautez les deux embouts de chaque balustre à un angle de 45°.

Placez le dessous de chaque poteau de manière à ce qu'il affleure la partie inférieure de la planche de façade. Percez des avant-trous, puis insérez deux boulons de carrosserie de $\frac{1}{2}$ x $4\frac{1}{2}$ pouces munis de rondelles. À l'aide de vis de $2\frac{1}{2}$ pouces, assemblez la traverse supérieure de dimension 2 x 6 et la traverse basse de dimension 2 x 4 à la partie intérieure des poteaux. Coupez les pièces du couronnement, en prenant soin de biseauter le coin des pièces de celles prévues pour l'escalier à un angle de 45 degrés. Installez le couronnement de manière à ce qu'il surplombe la partie intérieure de la traverse supérieure de $\frac{1}{2}$ pouce. Puis en vous servant d'un rebut de bois d'une largeur de 4 pouces en guise de cale d'espacement, assemblez les balustres.

Ce modèle de patio offre des moulures décoratives optionnelles pour l'élément des balustrades. Celles-ci sont constituées de 22 pièces de retailles de bois d'une épaisseur de $1\frac{1}{2}$ pouce et d'une longueur de $5\frac{1}{2}$ pouces refendues à une largeur de 3 pouces. Assemblez l'une de ces retailles à toutes les surfaces des poteaux à l'aide de vis pour patio d'une longueur de 3 pouces enfoncées à partir de la partie intérieure des traverses supérieures.

LA BALUSTRADE DE L'ESCALIER

Pour construire la balustrade de l'escalier, commencez par assembler les deux poteaux d'escalier de dimension 2 x 4 aux limons (Voir ci-dessous « L'escalier en pièces détachées »). Vous couperez les poteaux à la bonne hauteur un peu plus tard. Fixez ensuite les traverses supérieures de dimension 2 x 4 qui sont parallèles au parcours oblique de l'escalier. Installez les quatre balustres d'escaliers de dimension 2 x 2. Assurez-vous que l'espace entre les balustres des poteaux du patio soit équidistant à celui entre les poteaux de l'escalier. Bien entendu, il en va de même pour la distance qui sépare les balustres entre eux. Coupez les embouts supérieurs des balustres et des poteaux d'escalier de manière à ce qu'ils affleurent le dessus de la traverse supérieure ; puis installez le couronnement.

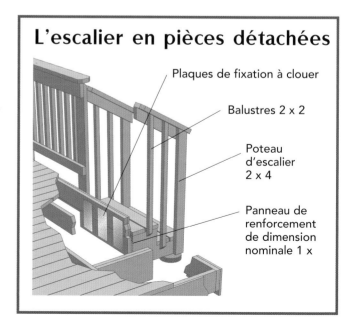

L'escalier en pièces détachées

Plaques de fixation à clouer

Balustres 2 x 2

Poteau d'escalier 2 x 4

Panneau de renforcement de dimension nominale 1 x

LE PATIO RECOUVERT

oici un modèle fort élégant de patio à voûte auto-
portante. Le patio en tant que tel n'est pas plus
spectaculaire qu'il ne faut-il est constitué d'une simple
structure rectangulaire. Ce qui le rend plutôt intéressant
ce sont les balustrades, les banquettes et l'abri qui le
surplombe. Avec leurs deux tables intégrées, les banquettes spacieuses et confortables créent une aire de
divertissement parfaitement propice à la détente, à la
lecture et à la causerie. Le cachet distinctif des balustrades mettra de l'avant votre savoir-faire. Et la toiture de
lattis tamisera d'une touche discrète la lumière vive à la
demie du jour.

Vous parviendrez peut-être à débusquer des madriers
de cèdre pour constituer les éléments de soutènement de
l'abri. Mais vous pouvez toujours vous rabattre sur du
bois traité. Vous aurez peut-être à faire la ronde de plusieurs scieries avant de trouver de belles pièces offertes

en de telles dimensions. Une autre option consiste à
construire un madrier.

L'assemblage des balustrades et des banquettes est fort
simple, mais il requiert des coupes nettes et précises. Si
vous possédez une bonne connaissance de base en menuiserie et que vous êtes doté d'une certaine dose de
patience, vous y parviendrez sans difficulté. Vos travaux
seront grandement facilités si vous utilisez une scie à
onglet ou une scie radiale universelle ainsi qu'une toupie
et une scie circulaire à table. Pour assembler les traverses
supérieures, afin qu'elles surplombent d'une manière dis-
tinctive, vous aurez à composer un joint par recouvrement. (La technique vous sera expliquée un peu plus loin.)
En réalité, les poteaux des balustrades ne transpercent
pas, pour ainsi dire, la surface des traverses supérieures;
en fait, la partie supérieure des poteaux est constituée de
capuchons ajoutés. Et pour parfaire l'illusion de symétrie,

Liste des matériaux

Bois

- 4 pièces   1 x 3   12'
- 2 pièces   1 x 4   14'
- 2 pièces   1 x 8   10'
- 2 pièces   1 x 8   14'
- 1 pièce   2 x 2   6'
- 2 pièces   2 x 3   8'
- 4 pièces   2 x 4   8'
- 4 pièces   2 x 4   10'
- 1 pièce   2 x 4   12'
- 5 pièces   2 x 4   18'
- 4 pièces   2 x 6   8'
- 17 pièces   2 x 6   10'
- 1 pièce   2 x 6   12'
- 21 pièces   2 x 6   14'
- 3 pièces   4 x 4   8'
- 3 pièces   4 x 4   10'
- 2 pièces   4 x 6   14'
- 3 pièces   4 x 6   16'
- 4 pièces   6 x 6   12'
- 2 pièces   6 x 6   18'

Tiges de bambou et lattis de roseaux

- 9 tiges de 16'
- 4 tiges de 16'
- 3 longueurs de lattis de roseaux de 6' x 15'

Quincaillerie (galvanisée)

- 6 bases de poteau surélevées
- 18 étriers à solives pour pièces 2 x 6
- 4 supports d'angle
- 2 lb de clous ou de vis de 1¼" pour patio pour les étriers à solives
- 1 lb de vis de 2¼" pour patio
- 5 lbs de vis de 2" pour patio
- 15 lb de vis de 3" pour patio
- 26 tire-fonds de dimension ¼"x3½"
- 3 tire-fonds de dimension ¼"x3"
- 1 lb d'attaches métalliques en forme de U fabriquées en acier inoxydable
- Du fil de cuivre

Maçonnerie

- béton et gravier pour couler 6 semelles et quatre grands trous pour poteaux
- 6 coffrages tubulaires pour béton

leur forme est identique à celles des dessus de poteaux situés de chaque côté des banquettes.

Commencez par construire la partie principale du patio en vous référant ci-contre au «Plan de l'ossature». Puis procédez à l'assemblage des banquettes et du toit.

LES ENGRAVURES DE POTEAUX DE BANQUETTES ET DE POTEAUX DE BALUSTRADES

Taillez les poteaux comme l'illustre «Les engravures de poteaux ci-contre.» La structure est constituée de quatre poteaux de banquettes; de deux poteaux de balustrades engravés du côté gauche; de deux poteaux de balustrades engravés du côté droit; de trois poteaux de balustrades engravés des deux côtés; et de trois poteaux de balustrades situés aux coins et dont toutes les surfaces sont engravées et entaillées.

Liste des pièces

	Quantité	Dimension	Élément	
Ossature	2	4 x 6	14'	Poutres
	11	2 x 6	10'	Solives
Planche de façade	2	1 x 8	14'	
	2	1 x 8	10'	
Platelage	21	2 x 6	14'	
Ballustrades	3	4 x 4	10'	9 Poteaux
	4	2 x 4	10'	Couronnements
	1	2 x 4	12'	Couronnements
	1	4 x 4	8'	1 poteau et capuchon de poteau
Banquettes et tables dossiers	2	4 x 4	8'	4 poteaux
	1	2 x 4	8'	4 pièces d'appui pour
	1	2 x 6	8'	4 pièces d'appui pour sièges
	1	2 x 2	6'	4 pieds pour banquettes
	2	2 x 4	8'	Plates-bandes arrière
	6	2 x 6	10'	12 planchettes pour sièges et banquettes
	1	2 x 4	8'	Tablier avant, tablier extérieur et tablier biseauté
	1	2 x 6	8'	Tabliers profilés
	2	2 x 3	8'	Tasseaux
	2	2 x 6	8'	Planchettes pour dessus de table
	1	2 x 6	12'	2 plates-bandes pour devant de banquette
Rebord de tablier et planche de façade inférieure	2	1 x 4	14'	Rebord de tablier
	4	1 x 3	12'	Planche de façade inférieure
Structure du toit	4	6 x 6	12'	Poteaux
	2	6 x 6	18'	Madriers
	3	4 x 6	16'	Traverses
	5	2 x 4	18'	Chevrons
	9			Tiges de bambous de 16' pour ossature du toit
	4			Tiges de bambous de 18' pour traverses du toit
	3			Longueurs de lattis de roseaux de dimension 6' x 15'

Plan de l'ossature

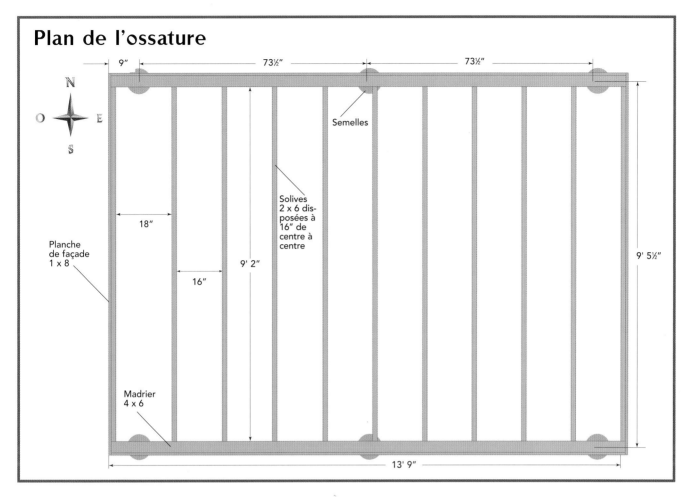

9" 73½" 73½"

Semelles

Solives
2 x 6 dis-
posées à
16" de
centre à
centre

9' 5½"

Planche
de façade
1 x 8

18"

16"

9' 2"

Madrier
4 x 6

13' 9"

LES POTEAUX ET LES TRAVERSES BASSES

Installez les poteaux situés au coin et les poteaux intermédiaires voir «L'aménagement du patio et des banquettes», page 274). Assemblez chaque poteau au patio à l'aide de deux tire-fonds de 3½ pouces noyés sous la surface du bois. La tête des vis du patio dont la photo apparaît en page 271 sont recouvertes de bouchons en bois fabriqués à partir de goujons. Coupez les pièces de la traverse basse sur mesure en prenant soin d'entailler une feuillure à l'extrémité de chacune des pièces. Pratiquez des engravures de ¾ de pouce le long de la surface intérieure de tous les poteaux situés au coin (Voir «Poteaux et traverses», page 275). Insérez les feuillures de la traverse basse aux engravures du poteau. Assurez l'emprise de chaque raccordement en enfonçant deux vis de 3 pouces pour patio de biais à partir du dessous des balustrades.

LES TRAVERSES SUPÉRIEURES

Taillez les traverses supérieures de la longueur indiquée à la page 274 dans «L'aménagement du patio et des banquettes». Chanfreinez chacune des quatre surfaces situées aux embouts des traverses. Puis sur chacune des quatre surfaces, tracez des lignes de coupes situées à ½ pouce de chaque extrémité des traverses. Ajustez l'angle de coupe de votre scie à onglet à 45° puis chanfreinez les quatre arêtes de chaque extrémité des traverses.

Pratiquez des engravures d'une profondeur de ¾ pouce dans les deux traverses supérieures qui forment les trois coins de la structure de manière à créer des joints à mi-bois (Voir «Poteaux et traverses», page 275). Puis assemblez les traverses aux poteaux à l'aide de tire-fonds de dimension ¼ x 3 pouces noyés sous la surface du bois. Insérez une seule vis par joint, en vous assurant qu'elle transperce les deux traverses à partir des joints à mi-bois.

Les engravures de poteaux

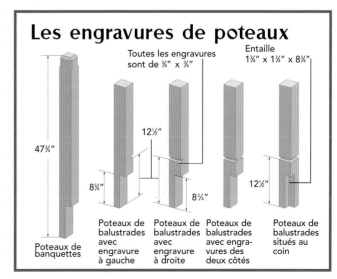

Toutes les engravures sont de ¾" x ¾"

Entaille 1¾" x 1¾" x 8¾"

47¾"

12½"

8¾"

8¾"

12½"

Poteaux de banquettes

Poteaux de balustrades avec engravure à gauche

Poteaux de balustrades avec engravure à droite

Poteaux de balustrades avec engravures des deux côtés

Poteaux de balustrades situés au coin

L'aménagement du patio et des banquettes

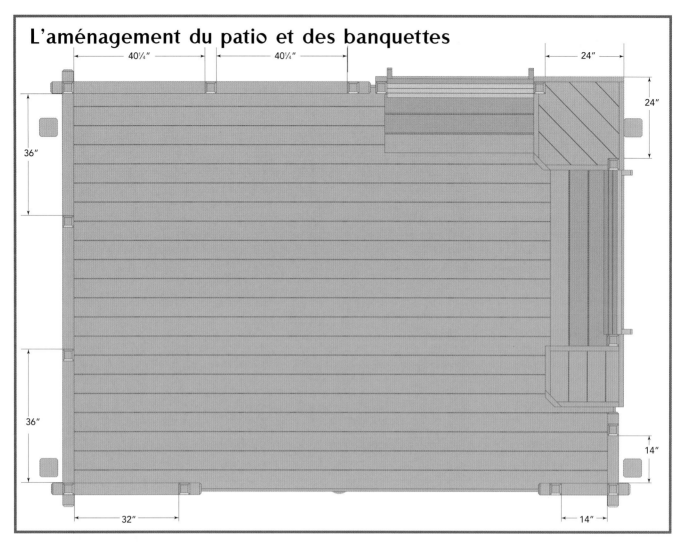

LES CAPUCHONS ET LES POTEAUX DE BANQUETTES

Le dessus et les arêtes de tous les capuchons et de tous les poteaux de banquettes sont chanfreinés des quatre côtés. Les capuchons de poteaux ne font que 4 pouces de long. Il est donc préférable pour des raisons de sécurité de pratiquer vos coupes décoratives en chanfrein avant de couper votre pièce à la bonne longueur.

Commencez par une pièce de dimension 4 x 4 d'une longueur d'environ 8 pouces. Équarrissez l'un des embouts puis tracez-vous une marque de repère sur chacune des quatre surfaces de la pièce de manière à limiter votre entaille à 3 pouces de l'extrémité, (Voir ci-contre «La fabrication des capuchons». Munissez l'embout de votre toupie d'une fraise à chanfreiner d'une capacité d'entaille d'à peu près ½ pouce. À l'aide de serres, maintenez la pièce de 4 x 4 en place. Chanfreinez une entaille d'une longueur de 3 pouces à chacune des arêtes du poteau 4 x 4.

Ajustez l'angle de coupe de votre scie à onglets à 45°. Chanfreinez les quatre arêtes des embouts du poteau 4 x 4 en procédant de la même manière que pour l'embout des traverses. Taillez la pièce de 4 x 4 à une longueur de 4 pouces, puis répétez le même procédé six fois. Chan-

freinez et entaillez les mêmes éléments décoratifs à l'embout des poteaux de banquettes.

Les capuchons du patio qui apparaît en photo à la page 271 ont été assemblés à l'aide d'une languette (une pièce qui ressemble à un biscuit aplati de forme ovale) en bois compressé. La façon la plus simple de fixer les capuchons consiste à percer des avant-trous puis d'y enfoncer des clous à boiserie galvanisés de dimension 4d des deux côtés de chaque capuchon. La technique pour chanfreiner les poteaux est identique à celle des capuchons, sauf qu'après coup la partie biseautée est déjà découpée à la bonne longueur.

LES PIÈCES D'APPUI DES DOSSIERS

Pour construire les pièces d'appui des dossiers, commencez par découper quatre pièces de dimension 2 x 4 à une longueur de 18¾ pouces. Tracez la ligne de coupe biseautée sur l'une des pièces, ci-contre «Les pièces d'appui des dossiers». Puis le long d'une surface, tracez deux marques à partir du bas de la pièce : la première située à une distance de 1 ¼ pouce et la seconde à 7 ⅝ pouces. À partir de la mesure de 7 ⅝ pouces, rendez-vous à 1 ½ pouce sur le plan horizontal (Voir ci-contre au dessin A). Puis tracez une marque d'une longueur d'environ un pouce, perpendiculaire à ce point de repère.

Les pièces d'appui des dossiers

Marque de 7⅝"
Ligne de 1"
Lame courte
Marque de 1¼"

Reste de bois

B

¾"
¾"
18¾"
1½"
7⅝"
Ligne de 1"
1¼"
A

Reste de bois
Reste de bois
Lame longue
Coupe de niveau
Reste de bois
C

Poteaux et traverses

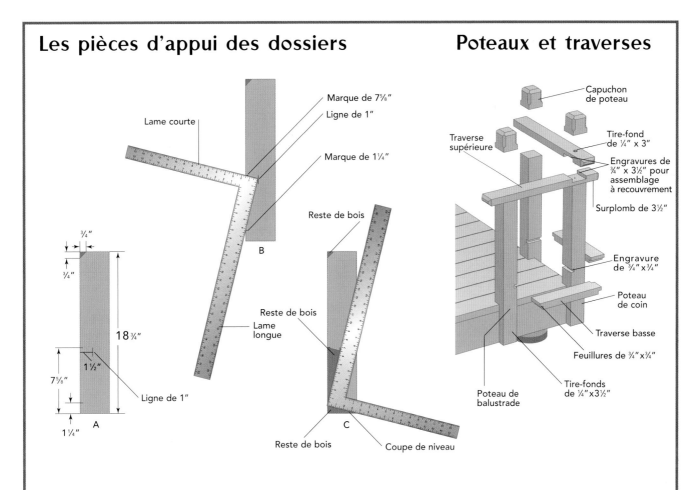

Capuchon de poteau
Tire-fond de ¼" x 3"
Traverse supérieure
Engravures de ¾" x 3½" pour assemblage à recouvrement
Surplomb de 3½"
Engravure de ¾" x ¾"
Poteau de coin
Traverse basse
Feuillures de ¾" x ¾"
Tire-fonds de ¼" x 3½"
Poteau de balustrade

Vue en coupe des banquettes

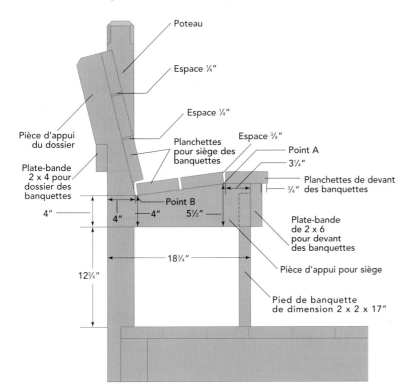

Poteau
Espace ¼"
Espace ¼"
Pièce d'appui du dossier
Espace ⅜"
Planchettes pour siège des banquettes
Point A
3¼"
Plate-bande 2 x 4 pour dossier des banquettes
Planchettes de devant des banquettes
¾"
4"
Point B
4"
4"
5½"
Plate-bande de 2 x 6 pour devant des banquettes
18¾"
Pièce d'appui pour siège
12¾"
Pied de banquette de dimension 2 x 2 x 17"

La fabrication des capuchons

Ligne de coupe pour délimiter l'entaille en chanfrein pratiquée sur les quatre côtés
Ligne de coupe pour capuchons de poteaux
3"
4"
Chanfrein de ½"
½"
Coupes à 45° pour les quatre coins

14 PROPOSITIONS DE PLANS DE PATIO

La vue d'ensemble

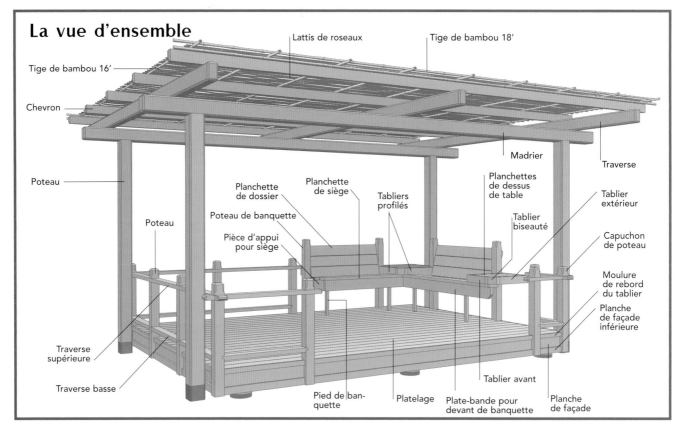

Lattis de roseaux
Tige de bambou 18'
Tige de bambou 16'
Chevron
Poteau
Poteau
Pièce d'appui pour siège
Poteau de banquette
Planchette de dossier
Planchette de siège
Tabliers profilés
Madrier
Traverse
Planchettes de dessus de table
Tablier biseauté
Tablier extérieur
Capuchon de poteau
Moulure de rebord du tablier
Planche de façade inférieure
Traverse supérieure
Traverse basse
Pied de ban-quette
Platelage
Plate-bande pour devant de banquette
Tablier avant
Planche de façade

Pour tracer la ligne de coupe de votre entaille, placez votre équerre de charpente sur la pièce (Voir partie B) «Les pièces d'appui des dossiers», pager 275).

Pour tracer la ligne de coupe de niveau, alignez le coin inférieur de l'équerre de charpente vis-à-vis la marque de l'entaille (Voir partie C, «Les pièces d'appui des dossiers», page 275). Découpez une pièce d'appui de dossier puis utilisez-la en guise de gabarit pour tracer les quatre suivantes.

LES PIÈCES D'APPUI DES SIÈGES

Pour construire les éléments d'appui des sièges, commencez par découper quatre pièces de dimension 2 x 6 à une longueur de 18 ¾ pouces. Tracez vos lignes de coupe pour les pièces d'appui des sièges (Voir «Vue en coupe des banquettes», page 275). Afin de déterminer l'emplacement du Point A, laissez une marque située à une distance de 3 ¼ pouces de la partie supérieure droite de la pièce. Puis à 4 pouces du coin inférieur gauche de la pièce, tracez une ligne horizontale d'une longueur de 4 pouces pour déterminer l'emplacement du Point B. En traçant une ligne du Point A au Point B vous obtiendrez la forme légèrement inclinée du siège de la banquette. Coupez la pièce, puis utilisez-la comme gabarit pour pratiquer la découpe des autres pièces d'appui des sièges de banquettes.

L'OSSATURE DES BANQUETTES

Découpez les pieds de banquettes à une longueur de 17 pouces. En mesurant le long des poteaux des banquettes, tracez une marque située à une distance de 12 ¾ pouces à partir de la surface du tablier. Cette marque vous indiquera l'emplacement des pièces d'appui des sièges (voir «Vue en coupe des banquettes», page 275).

Alignez la partie inférieure des pièces d'appui des sièges à cette marque en vous assurant que le dessous soit bien de niveau; puis à l'aide de vis de 3 pouces pour patio, assemblez chaque pièce d'appui.

Placez les pieds de banquettes de dimension 2 x 2, puis à l'aide de deux vis de 3 pouces, assemblez chacun d'entre eux au rebord intérieur situé à l'avant de la pièce d'appui du siège. Découpez les plates-bandes selon les mêmes dimensions indiquées ci-contre, puis fixez-les à la partie avant des pièces d'appui du siège à raison de trois vis de 3 pouces pour chacun des raccordements.

Placez les pièces d'appui des dossiers de manière à ce que leurs engravures découpées d'aplomb affleurent l'extérieur des poteaux. Assurez-vous que la coupe de niveau repose sur les pièces d'appui des banquettes. Puis fixez le tout à l'aide de vis de 3 pouces.

Découpez les plates-bandes arrière des banquettes à partir de pièces de dimension 2 x 4 (voir ci-contre «L'assemblage des banquettes et des tables». Nichez-les vis-à-vis du dessus des engravures des pièces d'appui du dossier puis assemblez-les aux poteaux à raison de deux vis de 3 pouces pour chaque raccordement.

LES PLANCHETTES DU SIÈGE ET DU DOSSIER

Pour chacun des dossiers de la banquette, découpez trois pièces de dimension 2 x 6 de manière à ce qu'elles puissent s'insérer entre les poteaux. Fixez les planchettes ainsi obtenues aux pièces d'appui à l'aide de trois vis de 3 pouces pour chaque raccordement. Il est préférable de percer des avant-trous pour éviter le fendillement surtout aux extrémités des pièces.

Les planchettes du devant du siège des deux banquettes sont plus longues que les autres planchettes, car elles se prolongent jusqu'au-dessous du tablier des tables. Ces planchettes sont de la même longueur que les plates-bandes avant des deux banquettes. Utilisez des vis de 3 pouces pour assembler la plus longue des planchettes à la plate-bande avant de la banquette située à droite. Assurez-vous qu'elle affleure aux deux extrémités et que sa partie avant surplombe de $\frac{3}{4}$ de pouce. Assemblez la plus courte de ces deux planchettes à la plate-bande avant de la banquette située à gauche. Aboutez celle-ci à l'autre planchette en vous assurant que son devant surplombe de $\frac{3}{4}$ de pouce. (Vous aurez également un surplomb de $\frac{3}{4}$ de pouce à l'extrémité gauche de la planchette.) Découpez deux planchettes à une longueur de 45$\frac{3}{4}$ de pouces puis assemblez-les au banc situé à gauche. Assurez-vous qu'elles affleurent l'extrémité gauche de la planchette du devant. Découpez deux planchettes à une longueur de 55 pouces. Assemblez-les aux pièces d'appui du siège de la banquette de droite de manière à ce qu'elles surplombent de la même distance aux deux extrémités. Pour votre propre confort et celui des autres usagers, chanfreinez les arêtes extérieures des

planchettes situées à l'avant des banquettes à une profondeur de $\frac{1}{2}$ pouce.

LA DÉCOUPE DES TABLIERS PROFILÉS POUR LES TABLES

La table de coin est supportée par les deux banquettes et la plate-bande arrière. La table d'extrémité est supportée par la plate-bande arrière et la planchette prolongée située à l'avant de la banquette de droite. Les distances d'un poteau à l'autre ainsi que les dimensions de votre banquette pourraient varier quelque peu des mesures présentées ici. Aussi, la meilleure façon d'assembler les tables consiste à tailler et profiler les pièces sur mesure. Avant d'installer les tabliers, il est préférable de chanfreiner le rebord extérieur de leur surface. Si vous le faites après l'installation, la base de la toupie risquerait de percuter le poteau avant que vous complétiez votre coupe en chanfrein.

Commencez par refendre une pièce de dimension 2 x 6 d'une longueur de 6 pieds de manière à ce qu'elle soit d'une largeur de 5 pouces. Découpez deux pièces d'une longueur de 19 pouces en taillant l'une des deux extrémités de chaque pièce à un angle de 45°. Ces pièces serviront de tabliers profilés pour la table de coin. Pour

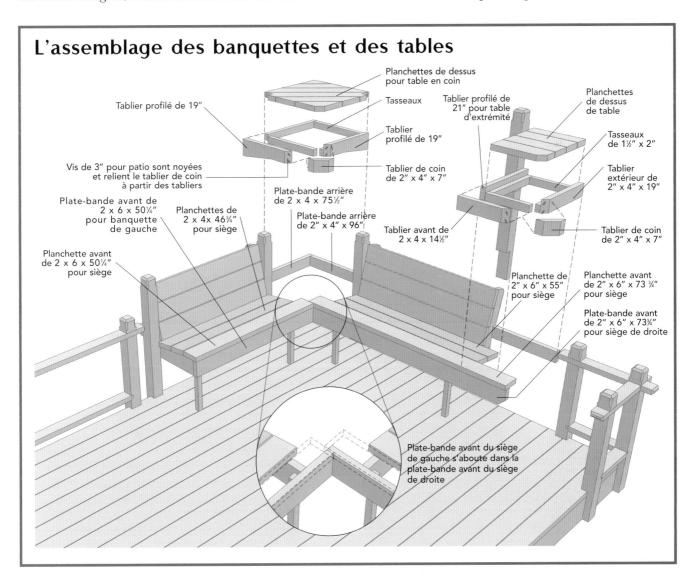

L'assemblage des banquettes et des tables

Planchettes de dessus pour table en coin

Tasseaux

Tablier profilé de 19"

Tablier profilé de 19"

Tablier profilé de 21" pour table d'extrémité

Planchettes de dessus de table

Tasseaux de 1½" x 2"

Tablier profilé de 19"

Tablier extérieur de 2" x 4" x 19"

Tablier de coin de 2" x 4" x 7"

Vis de 3" pour patio sont noyées et relient le tablier de coin à partir des tabliers

Plate-bande arrière de 2 x 4 x 75½"

Plate-bande avant de 2 x 6 x 50¼" pour banquette de gauche

Planchettes de 2 x 4 x 46¾" pour siège

Plate-bande arrière de 2" x 4" x 96"

Tablier avant de 2 x 4 x 14½"

Tablier de coin de 2" x 4" x 7"

Planchette avant de 2 x 6 x 50¼" pour siège

Planchette de 2" x 6" x 55" pour siège

Planchette avant de 2" x 6" x 73¾" pour siège

Plate-bande avant de 2" x 6" x 73¾" pour siège de droite

Plate-bande avant du siège de gauche s'aboute dans la plate-bande avant du siège de droite

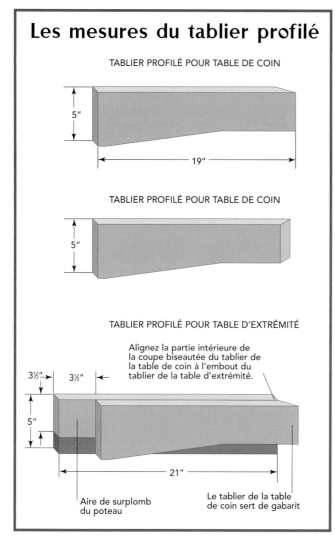

Les mesures du tablier profilé

TABLIER PROFILÉ POUR TABLE DE COIN

5″

19″

TABLIER PROFILÉ POUR TABLE DE COIN

5″

TABLIER PROFILÉ POUR TABLE D'EXTRÉMITÉ

Alignez la partie intérieure de la coupe biseautée du tablier de la table de coin à l'embout du tablier de la table d'extrémité.

3½″

3½″

5″

21″

Aire de surplomb du poteau

Le tablier de la table de coin sert de gabarit

fabriquer le tablier profilé de la table d'extrémité, découpez une troisième pièce d'une longueur de 21 pouces avec les deux embouts coupés d'équerre.

Pour obtenir le profil de la coupe située sous les trois tabliers profilés, aboutez l'une des pièces d'une longueur de 19 pouces contre le poteau situé à gauche de la banquette gauche. Alignez le dessous de la pièce au dessous de la planchette avant du siège de la banquette (voir ci-dessus «Les mesures du tablier profilé». À l'aide d'un crayon, tracez une ligne le long du dessus des planchettes du siège. Découpez la pièce puis utilisez-la comme gabarit pour construire l'autre tablier profilé de la table de coin. Enfin, servez-vous de l'un des tabliers profilés de la table de coin pour fabriquer le tablier profilé de la table d'extrémité (voir ci-dessus). L'aire de surface du tablier profilé de la table d'extrémité d'une superficie de 3½ pouces carrés sera assemblée à un poteau.

L'INSTALLATION DES TABLIERS PROFILÉS

Aboutez le plus long des tabliers contre la plate-bande arrière puis vissez-la au côté du poteau à l'aide de vis de 3 pouces pour patio. Assurez-vous que le tablier soit d'équerre avec la banquette ; puis assemblez-le à celle-ci en enfonçant des vis de 3 pouces à partir du dessous de chaque planchette du siège de la banquette. Enfoncez

deux vis afin de relier la plate-bande arrière à partir des embouts de tabliers.

Aboutez les deux plus petits tabliers profilés contre leurs poteaux respectifs puis assemblez-les au-dessous des planchettes du siège à raison de deux vis par raccordement. Afin de vous assurer que les deux extrémités coupées à 45° puissent véritablement former un angle à 90°, placez une pièce de dimension 2 x 4 le long de chacune d'entre elles. Sinon, procédez à un ajustement avant de la fixer avec des vis. Placez une pièce de 2 x 4 à la position prévue pour le tablier du coin puis marquez la ligne de coupe pour les deux entailles de 45° situées aux deux extrémités.

LES TABLES

Coupez le tablier avant de la table d'extrémité ainsi qu'un tablier de coin (voir «L'assemblage des banquettes et des tables», page 277). Fixez ces deux pièces à l'aide de deux vis de 3 pouces. Puis vissez cet assemblage à la partie avant du tablier profilé de la table d'extrémité. Assurez-vous que les tabliers soient d'équerre ; puis mesurez la longueur du tablier extérieur de la table d'extrémité afin de vous assurer que la mesure ne diffère pas des 19 pouces prévus à cet endroit. Taillez le tablier extérieur sur mesure de manière à ce que l'une des extrémités soit coupée à 45°.

Refendez des pièces de dimension 2 x 3 à une largeur de 2 pouces de manière à fabriquer des tasseaux pour supporter les planchettes des dessus de table. Taillez les tasseaux afin qu'ils puissent s'insérer le long du périmètre intérieur de la table (voir «L'assemblage des banquettes et des tables», page 277). À l'aide de vis de 2¼ pouces pour patio, assemblez les tasseaux à une distance située à 1½ pouce en deçà du dessus des tabliers.

Comme on le montre à la page 277, découpez les planchettes des dessus de table d'une dimension de 2 x 6 de manière à ce qu'elles s'insèrent entre les tabliers. Notez que les planchettes de la table de coin sont assemblées à un angle de 45° par rapport aux planchettes de la banquette. Et les planchettes de la table d'extrémité, elles, sont posées parallèlement aux planchettes de la banquette.

LA MOULURE DE REBORD DU TABLIER

Refendez des pièces d'une largeur de 1¾ pouce pour le rebord du tablier. Puis à l'aide de vis de 2¼ pouces, assemblez celles-ci et la moulure de façade de dimension 1 x 3 autour du périmètre du tablier.

L'INSTALLATION DES POTEAUX 6 X 6

Les poteaux de soutènement du toit sont aboutés contre le rebord du tablier et la moulure de façade inférieure. Ils sont situés à une distance de 10½ pouces de chaque coin tel qu'il a été mesuré à partir de la partie extérieure de la moulure de rebord du tablier. Excavez des trous pour les poteaux d'une profondeur de 42 pouces et d'un diamètre de 10 pouces. (Les normes pour la profondeur du trou peuvent varier ; informez-vous auprès du service d'inspection des bâtiments de votre localité.) Versez du gravier au fond du trou.

Avec une toupie, chanfreinez les arêtes des quatre poteaux à une profondeur de ½ pouce. Pour chaque poteau, arrêtez-vous à une distance située à environ 2 pieds de l'extrémité prévue. N'enlevez pas la fraise à chanfreiner de votre toupie. Placez les poteaux; coulez le béton.

Selon une méthode inspirée de l'Asie pour éviter la pourriture du bois, la base des poteaux de ce patio est revêtue de cuivre.

LA COUPE DES POTEAUX ET LA FORME DE LEUR DESSUS

Coupez les poteaux à une hauteur de 8 pieds. Dans le modèle de patio proposé, la forme du dessus des poteaux de soutènement du toit est identique à celle des madriers chanfreinés. (voir « Le dessus des poteaux de soutènement du toit ». Commencez par tracer une ligne à ½ pouce du rebord le long de deux côtés parallèles entre eux situés sur le dessus des poteaux. Ajustez l'angle de coupe de votre scie circulaire à 45°. Puis ajustez la profondeur de coupe à ½ pouce. Pratiquez deux coupes biseautées telles qu'illustrées.

Changez l'angle de coupe de votre lame à 90° puis ajustez de nouveau la profondeur de coupe à ½ pouce. Tel qu'illustré, entaillez des traits de scie dans la pièce. À l'aide d'un ciseau, aplanissez les restes de bois. Puis utilisez la toupie pour chanfreiner le dessus des poteaux.

LE TOIT

Coupez les deux traverses de dimension 4 x 6 à une grandeur de 15 pieds. À l'aide d'une toupie, chanfreinez toutes les arêtes des traverses et des madriers de dimension 6 x 6 à une profondeur de ½ pouce. Rendez-vous jusqu'aux extrémités des pièces.

Montez les madriers de dimension 6 x 6 en position; assurez-vous qu'ils surplombent les poteaux des deux côtés de manière équidistante; puis à l'aide de vis de

3 pouces enfoncées de manière angulaire, assemblez-les aux poteaux. Placez les trois traverses de dimension 4 x 6 sur le dessus des madriers de dimension 6 x 6, puis assemblez-les.

Si les madriers que vous utilisez sont trop lourds pour être hissé au-dessus des poteaux en une seule étape, fabriquez-vous des pièces de levage ou, si vous préférez, un système de traverses horizontales provisoires le long des poteaux de soutènement. Pour ce faire, clouez solidement des pièces de dimension 2 x 4 le long des poteaux puis maintenez-les en place à l'aide de serres. Assurez-vous que les extrémités de ces pièces dépassent d'environ 6 pouces de chaque côté. Installez plusieurs de ces pièces à différentes hauteurs. Il sera désormais beaucoup plus simple pour vous et votre aide de hisser les madriers en plusieurs étapes en les déposant tout simplement d'une pièce à l'autre en allant vers le haut.

Disposez des chevrons de dimension 2 x 4 (voir « L'ossature du toit ». Assemblez-les aux traverses à l'aide de vis de 2 pouces enfoncées de biais. Disposez les tiges de bambou puis fixez-les à l'aide de vis de 3 pouces reliant les chevrons à partir des tiges.

Complétez le tout en déroulant des longueurs de lattis de roseaux sur le dessus des tiges de bambou ou des pièces de dimension 2 x 2. Assemblez ces lattis à l'aide d'attaches en fil métallique en forme de U fabriquées en acier inoxydable. Raccordez-les aux tiges de bambou ou aux pièces de dimension 2 x 2 tous les 6 pouces.

Les pièces de bambou d'une longueur de 16 pieds situées aux extrémités nord et sud de la toiture sont prises en sandwich entre deux traverses de bambou d'une longueur de 18 pieds. Pendant qu'un aide maintient les pièces en place, liez les tiges entre elles à chacun des points de raccordement à l'aide d'un fil de cuivre.

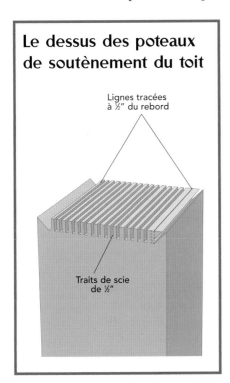

Le dessus des poteaux de soutènement du toit

Lignes tracées à ½" du rebord

Traits de scie de ½"

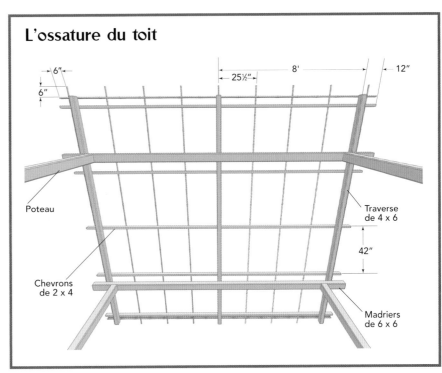

L'ossature du toit

6"
6"
25½"
8'
12"

Poteau

Chevrons de 2 x 4

Traverse de 4 x 6

42"

Madriers de 6 x 6

GLOSSAIRE

Alèse (ou alaise). Longue baguette de bois habituellement de dimension 1 x 2 (ou plus large) assemblée le long du rebord d'un patio afin de recouvrir le fil d'extrémité des planches du platelage.

Balustres. Pièces verticales habituellement fabriquées à partir de 2 x 2 qui comblent l'espace situé entre les poteaux des balustrades. Confèrent un aspect de clôture aux balustrades.

Bêche tarière. Outil composé de deux pelles en forme de coquille utilisé pour creuser des trous pour les poteaux.

Bois traité. Bois imbibé d'un scellant chimique sous haute pression afin de le rendre plus résistant à la pourriture. Auparavant, le bois était traité à l'arsenic. De nos jours, les produits chimiques de base sont surtout constitués de composantes de cuivre alcalin.

Capuchon. Pièce de bois horizontale disposée à plat sur le dessus des poteaux ou des traverses supérieures.

Clouage en biais. Assemblage de deux pièces à l'aide d'un clou enfoncé de biais à partir de la surface d'une planche placée perpendiculairement par rapport à la surface d'une autre.

Codes du bâtiment. Normes locales et fédérales qui régissent les pratiques dans le domaine de la construction. Habituellement, les normes des codes englobent toute nouvelle construction et tout nouveau remodelage de la plomberie, de l'électricité et des composantes électriques et mécaniques. Le respect des normes est assuré par des inspections sur le chantier de construction.

Contremarche. Planche verticale (placée sur le chant) qui recouvre l'espace situé entre les marches.

Coupe en plongée. Coupe pratiquée à l'aide d'une scie circulaire à partir de la surface d'une pièce au lieu de son arête.

Cure du béton. L'action chimique lente et continue qui mène au durcissement du béton.

D'aplomb. Exactement à la verticale par rapport à une surface de niveau sur le plan horizontal.

De centre à centre. Point de repère pour mesurer l'ossature installée dans une disposition modulaire. Cet espacement d'une longueur typique de 16 pouces se calcule à partir du milieu du chant d'un élément de l'ossature jusqu'au suivant; abrégé à c.c.

Dimension nominale. Dimension servant à identifier les pièces de bois tels les 2 x 4 et les 2 x 6, même si leur grandeur réelle est inférieure de $\frac{1}{2}$ pouce à cette mesure dans le sens de la longueur et de la largeur.

Dimension réelle. La mesure exacte d'une pièce de bois après avoir été ouvrée. Habituellement $\frac{1}{2}$ pouce de moins que la dimension nominale mesurée dans les deux sens. Par exemple, la dimension réelle d'un 2 x 4 est de 1 $\frac{1}{2}$ x 3 $\frac{1}{2}$ pouces.

Engravure. Entaille pratiquée dans le sens transversal du fil pour permettre que l'embout d'une autre pièce forme un raccordement.

Entretoises. Blocs de bois résistant habituellement de petite dimension fabriqués à partir de chutes de solives. Taillées de manière à s'insérer juste entre les solives. Elles préviennent le gauchissement.

Étrier à solives. Élément de fixation en forme de U qui raccorde habituellement une solive placée d'équerre à une autre pièce, telle une lambourde.

Feuillure. Entaille en forme de traverse pratiquée le long du chant d'une pièce.

Lambourde. Pièce horizontale assemblée au côté d'une maison à l'aide de boulons insérés dans l'ossature. Supporte l'une des extrémités des solives du patio.

Limite de portée. Distance entre les points de raccordement pour une pièce horizontale, telle une solive. La limite de portée pour tous les types et toutes les dimensions de bois est déterminée par les codes du bâtiment.

Limon. Planche large de forme angulaire conçue pour supporter les marches et les contremarches. Les limons encochés ou engravés sont installés de chaque côté du rebord extérieur de l'escalier.

Limon central. Limon découpé en forme de dents de scie sur l'un de ses rebords. Placé à mi-chemin entre les deux autres limons afin de supporter les escaliers dont les marches sont plus longues.

Madrier. Terme qui désigne une pièce d'ossature de grande envergure fabriquée à partir de matériel de dimension nominale 4 x ou composée de deux pièces de dimension nominale 2 x. Sur un patio, le madrier principal de soutènement pour les solives est communément appelé poutre.

Marche. Planche horizontale de l'escalier (habituellement composé de plusieurs planches espacées entre elles) posée à plat sur des limons.

Niveau. Au niveau du sol. De niveau signifie au même niveau que le niveau naturel du sol ou à même le niveau naturel du sol.

Noyer. Creuser une cavité à l'aide d'une perceuse afin d'y nicher la tête d'un boulon ou d'un tire-fond. Le diamètre du trou est habituellement de la même dimension que la rondelle insérée autour de la fixation.

Panneau décoratif. Matériau qui recouvre ou camoufle l'espace situé entre le sol et le tablier du patio. Habituellement composé de lattes étroites fabriquées à partir de pièces de treillis ou de 1 x 2.

Penny. Terminologie du langage commun dérivé de la langue anglaise qui désigne la longueur d'un clou. Habituellement abrégé par la lettre d, comme dans 10d (dix penny) (2d, 1 pouce ; 3d, 1 1/4 pouce ; 4d, 1 1/2 pouce ; 5d, 1 3/4 pouce ; 6d, 2 pouces ; 7d, 2 1/4 pouces ; 8d, 2 1/2 pouces ; 9d, 2 3/4 pouces ; 10d, 3 pouces ; 12d, 3 1/4 pouces ; 16d, 3 1/2 pouces ; 20d, 4 pouces ; 30d, 4 1/2 pouces ; 50d, 5 1/2 pouces ; 60d, 6 pouces).

Permis de construire. L'autorisation de construire ou de rénover en accord avec les plans approuvés par le service des bâtiments de votre localité. Habituellement, tous les chantiers de construction qui requièrent l'aménagement de fondations ou de semelles de béton ou qui impliquent des travaux de réparations ou qui apportent des changements à la charpente de la maison nécessitent un permis.

Pilier. Élément de soutènement en maçonnerie semblable à une semelle. Habituellement composé de béton coulé dans un coffrage dont la base est insérée sous le seuil du gel et dont la partie supérieure dépasse le niveau du sol de quelques pouces.

Planche de façade. Planche de garnissage (habituellement composée de matériel de dimension nominale 1 x) qui recouvre les côtés ou les embouts de l'ossature d'un patio.

Plan de surface. Dessin qui détaille votre projet à une échelle assez petite pour y inclure la maison, la cour et les limites de propriété. Pour obtenir un permis de construire, il faut habituellement fournir un plan de surface en plus des dessins détaillés des éléments de construction de votre patio.

Plan d'implantation. Dessin qui montre une vue en plan du patio ainsi que la dimension et l'emplacement des divers éléments.

Plaque d'ancrage. Fixation métallique conçue pour maintenir un poteau assemblé à un pilier en béton. Minimise le risque de pourriture en surélevant la base du poteau légèrement au-dessus de la surface du béton.

Platelage synthétique. Planches de platelage produites à partir de plastique ou de matières de bois recyclées.

Poteau. Élément de soutènement vertical pour les poutres, les solives et les balustrades. Habituellement fabriqué à partir d'une pièce de dimension 4 x 4.

Refendre. Coupe pratiquée dans le sens du fil d'une pièce de bois.

Règle d'architecte. Règle graduée sur ses trois faces qui permet de convertir les dimensions réelles d'une structure grandeur exécution, à un dessin tracé à petite échelle, y compris celles de 1/8, 1/4 et 1/2 pouce.

Retour de l'outil. Mouvement de recul brusque qui survient lorsque la lame d'une scie circulaire se coince dans la pièce entaillée.

Semelle. Assise de maçonnerie habituellement composée de béton qui sert de soutènement à une poutre, un poteau ou des marches d'escalier.

Seuil du gel. Désigne la profondeur maximale à laquelle le sol gèle tel qu'il est spécifié par le service d'inspection des bâtiments de votre localité. Selon les normes du code, les semelles de béton doivent être coulées sous le seuil du gel pour éviter le soulèvement du sol et la déformation de la structure.

Solive. Partie de charpente habituellement fabriquée à partir d'une pièce de dimension nominale 2 x. Normalement disposée à 16 pouces de centre à centre. Sert de soutènement au tablier.

Solive de rive. Solive extérieure assemblée d'équerre aux extrémités et le long des solives de soutènement du platelage disposées de centre à centre.

Surplomb. La partie extérieure de l'ossature d'un tablier de patio qui se prolonge au-delà de la poutre principale sans autre apport de soutènement.

Tarière électrique. Outil électrique (habituellement loué) muni d'une tarière rotative propulsée par un moteur. Utilisé pour l'excavation à répétition de trous pour les poteaux.

Traverse. Composante horizontale disposée au-dessus d'une rangée de poteaux ou entre ceux-ci.

Treillis. Panneau composé de lattes entrecroisées qui sert habituellement d'élément décoratif pour dissimuler l'infrastructure d'un patio. Peut être fabriqué en bois, en métal ou en plastique.

Trempage. Procédé au cours duquel le bois est immergé dans une solution de produit de préservation pendant quelques minutes avant de sécher à l'air.

INDEX

CRÉDITS PHOTOGRAPHIQUES

Sauf indication contraire, toutes les photos de cet ouvrage sont de John Parsekian/CH

page 1 : Jessie Walker page 2 : John Parsekian/CH page 6 : Brian Vanden Brink page 7 : *en haut* Garden Picture Library/Marie O'Hara ; *en bas* Mark Lohman page 8 : Mark Lohman page 9 : gracieuseté de Trex Decks page 10 : *en haut* gracieuseté de la California Redwood Association ; *en bas* John Parsekian/CH page 11 : gracieuseté de Trex Decks pages 12-13 : Brian Vanden Brink page 14 : Brian Vanden Brink, architecte : Rob Whitten page 15 : *en haut, à gauche* gracieuseté de la California Redwood Association/Kim Brun ; *en haut, à droite* gracieuseté de la California Redwood Association/Geoffrey Gross ; *en bas, à droite* Jessie Walker ; *en bas, à gauche* Bill Rothschild pages 16-17 : *en haut, à droite* Brian Vanden Brink ; *en bas, à droite* Brian Vanden Brink, design : Wea-therend Estate Furniture ; *en bas, au centre* Jessie Walker ; *en bas, à gauche* Brian Vanden Brink ; *en haut, à gauche* Bill Rothschild ; *en haut, au centre* Randall Perry page 19 : Michael Thompson pages 20-21 : *en haut, à gauche* Brian Vanden Brink ; *en haut, à droite* Brian Vanden Brink, architecte : Dominic Mercadante ; *en bas, à droite* Jessie Walker ; *en bas, à gauche* Michael Thompson page 22 : Brian Vanden Brink, design : Weatherend Estate Furniture page 23 : *en haut* Tria Giovan ;

en bas Carolyn Bates page 24 : Carolyn Bates page 25 : Tria Giovan page 26 : Brian Vanden Brink, architecte : Pete Bethanis page 29 : Brian Vanden Brink, architecte : Stephen Blatt page 30 : gracieuseté de la California Redwood Association page 31 : John Parsekian/CH page 32 : *en haut* Mark Lohman ; *en bas* Michael Thompson page 33 : *en haut* Brad Simmons ; *en bas* John Glover page 34 : Randall Perry page 35 : *en haut* Garden Picture Library/ Ron Sutherland ; *en bas* Jessie Walker page 36 : Jessie Walker page 37 : *en haut* Brad Simmons ; *en bas* gracieuseté de la California Redwood Association/Ernest Braun page 38 : Tria Giovan page 39 : *en haut* Garden Picture Library/Ron Sutherland ; *en bas* Brad Simmons pages 40-41 : gracieuseté de la California Redwood Association/Eli Sutton/HBM page 43 : *en haut* Brian Vanden Brink ; *en bas, à droite* Randall Perry ; *en bas, à gauche* Jessie Walker page 45 : Carolyn Bates page 46 : Charles Mann page 48 : gracieuseté de la California Redwood Association/Geoffrey Gross page 49 : en haut Brian Vanden Brink ; au centre Randall Perry page 51 : *en haut* Brian Vanden Brink ; *en bas* gracieuseté de la California Redwood Association/Geoffrey Gross/Denver Decks page 52 : toutes de Tria Giovan page 53 : *en haut, à gauche* gracieuseté de Arch Wood Protection ; *en haut, à droite* gracieuseté de TimberTech ;

en bas, à gauche gracieuseté de la California Redwood Association pages 54-55 : toutes de Mark Lohman page 56 : Mark Samu page 57 : Positive Images/Ann Reilly page 59 : Randall Perry pages 62-63 : Brad Simmons page 64 : Carolyn Bates page 65 : Brad Simmons page 66 : *en haut* Bill Rothschild ; *en bas* gracieuseté de la California Redwood Association/Kim Brun page 67 : Mark Samu page 68 : gracieuseté de la California Redwood Association/Kim Brun page 69 : Brian Vanden Brink page 70 : Tria Giovan page 71 : gracieuseté de TimberTech pages 74-75 : Brian Vanden Brink, architecte : Dominic Mercadante page 76 : *en haut* Randall Perry ; en bas Jessie Walker page 77 : *en haut* Brad Simmons ; en bas Derek Fell page 78 : Brian Vanden Brink page 79 : *en haut, à droite* gracieuseté de Trex Decks ; à droite, au centre Brian Vanden Brink ; *en bas, à droite* Randall Perry ; *en bas, à gauche* Garden Picture Library ; *en haut, à gauche* Jessie Walker pages 80-81 : Bill Rothschild pages 92-93 : Tria Giovan page 94 : Brian Vanden Brink page 97 : Jessie Walker page 98 : Carolyn Bates page 103 : gracieuseté de TimberTech pages 108-109 : Randall Perry page 110 : Carolyn Bates page 111 : *en haut, à gauche* John Glover ; *en haut, à droite* Bill Rothschild ; *en bas, à droite* Tria Giovan ; *en bas,*

à gauche Garden Picture Library/ Maria O'Hara pages 112-113 : *en haut, à gauche* Tria Giovan ; *en haut, à droite* Jessie Walker ; *en bas, à droite* Mark Samu ; *en bas, au centre* Brad Simmons ; *en bas, à gauche* Tria Giovan pages 114-115 : Brian Vanden Brink page 117 : Jessie Walker page 120 : Garden Picture Library/Maria O'Hara page 123 : Brad Simmons page 124 : Mark Lohman pages 132-133 : Brian Vanden Brink page 134 : Derek Fell page 140 : *en bas, à gauche* Jessie Walker page 141 : *en bas, à droite* Carolyn Bates pages 148-149 : Jessie Walker pages 150-151 : *en bas, au centre* Brad Simmons page 155 : *en bas, à droite* Randall Perry pages 173-174 : Garden Picture Library/Henk Dijkman page 176 : *en bas* Jessie Walker page 179 : *en haut, à gauche* Brad Simmons page 192 : *en haut* Brian Vanden Brink page 193 : Samu Studios/Andy Letkovsky page 196 : Jessie Walker pages 198-199 : Brian Vanden Brink, architecte : Rob Whitten page 203 : Carolyn Bates page 209 : gracieuseté de TimberTech pages 216-217 : Mark Samu pages 234-235 : David Duncan Livingston page 236 : Carolyn Bates page 245 : Bill Rothschild pages 252-253 : gracieuseté de la California Redwood Association/Ernest Braun page 262 : Maurice Victoria page 267 : Maurice Victoria page 271 : Edward Gohlich

AUTRES TITRES DE BRICOLAGE CHEZ BROQUET

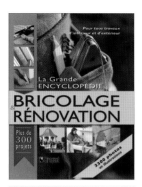

44,95 $. 608 pages.
ISBN 978-2-89000-702-4.

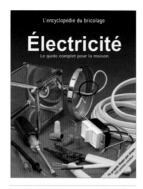

29,95 $. 288 pages.
ISBN 978-2-89000-714-7.

29,95 $. 272 pages.
ISBN 978-2-89000-729-1.

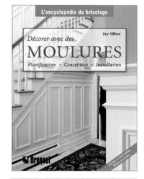

24,95 $. 208 pages.
ISBN 978-2-89000-707-9.

19,95 $. 128 pages.
ISBN 978-2-89000-569-3.

19,95 $. 128 pages.
ISBN 978-2-89000-570-9.

19,95 $. 128 pages.
ISBN 978-2-89000-558-7.

19,95 $. 128 pages.
ISBN 978-2-89000-542-6.

19,95 $. 128 pages.
ISBN 978-2-89000-541-9.

19,95 $. 128 pages.
ISBN 978-2-89000-519-8.

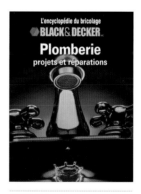

19,95 $. 128 pages.
ISBN 978-2-89000-540-2.

19,95 $. 128 pages.
ISBN 978-2-89000-521-1.

19,95 $. 128 pages.
ISBN 978-2-89000-559-4.

19,95 $. 128 pages.
ISBN 978-2-89000-543-3.

19,95 $. 128 pages.
ISBN 978-2-89000-522-8.

19,95 $. 128 pages.
ISBN 978-2-89000-520-4.